Das Vermächtnis von Longlight

Dennis Foon

wurde in Detroit, Michigan, geboren und lebt seit 1973 in Kanada. Er war Mitbegründer eines Jugendtheaters und schrieb zahlreiche Drehbücher für Film und Fernsehen, aber auch Theaterstücke. Seine Drehbücher und Dramen wurden vielfach ausgezeichnet, für *Invisible Kids* erhielt er den British Theatre Award. Die Romantrilogie *Das Vermächtnis von Longlight* ist sein erstes Fantasy-Projekt.

Dennis Foon

DIE STUNDE DES SEHERS

Das Vermächtnis von Longlight,
Band 1

Aus dem kanadischen Englisch
von Petra Koob-Pawis

Sauerländer

Dieses Buch ist Shirley Louise Wiss gewidmet.

Canada Council for the Arts / Conseil des Arts du Canada

Die Veröffentlichung dieses Buches wurde vom Canada Council for the Arts und von Foreign Affairs Canada unterstützt.

Original title: *The Dirt Eaters*, Book One in the Longlight Legacy
Originally published in North America by: Annick Press Ltd., 2003

Bibliografische Information der Deutschen Bibliothek

Die Deutsche Bibliothek verzeichnet diese Publikation in der Deutschen Nationalbibliografie; detaillierte bibliografische Daten sind im Internet über http://dnb.ddb.de abrufbar.

Sauerländer Verlag, Düsseldorf

Umschlagillustration: Emil Landgreen
Umschlaggestaltung: heike ossenkop pinxit, CH-Basel
Printed in Germany
ISBN 3-7941-8042-9
www.patmos.de

Inhalt

7 Das Geschenk des Botschafters
16 Die Bruderschaft
33 Der Novize
49 Das Schicksal des Propheten
62 Geschenke
72 Die rothaarige Frau
85 Die Prüfungen
101 Die Höhle
111 Die letzte Prüfung
119 Das Wüste Land
130 Beule
149 Das Labyrinth
163 Die Vergessenen
177 Winter in der Oase
192 Die Wunde, die nicht heilt
205 Das gesegnete Dorf
217 Staub
224 Das Traumfeld
234 Der Angriff der Bluttrinker
245 Das Geschenk des Botschafters
253 Der Nachtisch
266 Die Flucht
276 Die Schlucht
282 Der Weg nach Hause

Das Geschenk des Botschafters

In dem Verborgenen Tal entgingen die Menschen von Longlight der Zerstörung. Siebenundfünfzig Jahre lang lebten sie in Ruhe und Frieden, abseits von aller Welt, und hüteten die kleine Flamme der Hoffnung. In weniger als einer Stunde waren sie vernichtet.

Das Buch von Longlight

Eine Schneegrille hüpft auf eine eingestürzte Steinmauer zwischen zwei schwelenden Häusern. Dort bleibt sie kurz sitzen, richtet die Fühler aus und springt dann zu einer Fußspur im Schnee. Sie hüpft weiter, von Fußabdruck zu Fußabdruck, zwischen schneebedeckten Steinen, und verharrt schließlich vor einer dichten Brombeerhecke. Dort setzt sie sich unter den dornigen Strauch auf einen kleinen, schneebetupften roten Hügel.

Die weiße Grille singt einen zarten, schwingenden Ton. Der Hügel erbebt und an einer Stelle in der Mitte öffnen sich zwei Augen.

Es sind die Augen von Roan.

Roan lauscht, wagt es nicht, sich zu rühren. Entfernt ist das düstere Krächzen der Krähen zu hören. Steif und durchgefroren überlegt er, ob er sich aufsetzen soll. Doch dann – ein Knacken! Er hält den Atem an. Wurde er entdeckt?

Das angstvolle Gesicht seines Vaters.

– Schnell, Roan, schnell, beeil dich!

Hände zerren ihn hoch, ziehen Kleider über seinen Kopf. Seine

Schwester Stowe, vor Angst zitternd, ihre Strohpuppe fest an sich gepresst. Seine Mutter, die ihn küsst, ihn umarmt und ihn und seine Schwester durch das offene Fenster schiebt.

– Geht! Versteckt euch in dem blauen Strauch! Lauft! Lauft!

Wieder knackt es laut, diesmal direkt vor Roans Füßen. Es ist nichts weiter als schmelzender Schnee von der Brombeerhecke. Da er keinen weiteren Laut hört, steht Roan schließlich auf. Langsam. Aber er hält sich immer noch versteckt in dem Dickicht aus Dornen. Sein Kopf hämmert. Er fasst sich an die Schläfen. Auf seinem Haar hat sich eine Kruste gebildet. Er kratzt etwas davon ab und stöhnt leise, als er den Schorf betrachtet. Es ist getrocknetes Blut.

Auf der anderen Seite des kleinen Hügels steigt Rauch auf. Das Dorf, das sie Longlight nennen, ist verstummt. Keine Stimmen, keine Schreie. Von Verzweiflung getrieben, zugleich voller Angst vor dem, was ihn erwartet, holt Roan tief Luft um seinen jagenden Puls zu verlangsamen. Mühsam befreit er sich aus der dornigen Hecke und kriecht über den mit Schnee gesprenkelten Hügel. Sein Blick saugt sich an etwas fest. Lautlos schleicht er geduckt durch das wogende braune Gras. Es ist ein dunkelroter Stofffetzen – Stowes Puppe, die in einen bunten Schal gewickelt ist, den seine Schwester selbst gefärbt hat. Pferdehufe haben die Puppe in die halb gefrorene Erde getrampelt. Mit zitternden Händen hebt er das kostbare Spielzeug auf.

Schreie. Explosionen. Brutale Angreifer in Totenkopfmasken. Reiter mit Fackeln in den Händen. Sie hauen und brennen. Ein gespenstischer, grollender Lärm erfüllt das Dorf, Hunderte von Stimmen, zu einem dumpfen Summen vereint.

Roan und Stowe rennen los, sie stolpern und straucheln auf dem vom Eis rutschigen Gras, aber mit jedem Schritt kommen sie der Sicherheit der Brombeerhecke ein wenig näher. Dann ein durchdringender Schrei. Stowes Fingernägel reißen Roans Handfläche auf. Ein grässlicher roter Totenkopf beugt sich vom Pferd herunter und hebt das Mädchen hoch. Der maskierte Reiter stößt

Roans blutende Hand beiseite. Stowe streckt ihre Arme aus, will nach Roan fassen, doch da hebt der Reiter den Arm und eine knöcherne Keule saust nach unten.
Fröstelnd und mit heftig pochenden Schläfen stopft Roan die ramponierte Puppe in seine Tasche. Er schleicht nahe genug heran um einen Blick auf die zerstörte Mauer von Longlight zu werfen. Auf der anderen Seite der Mauer steigt Rauch auf von den Überresten der verkohlten Häuser aus Holz und Lehm. Von den Reitern ist nichts zu sehen. Kein menschlicher Laut ist zu hören. Vor Angst zitternd nähert Roan sich dem Dorf. Er rennt durch das aufgebrochene Tor und sucht sofort Deckung. Gerade will er den Kopf heben, als ein schwarzer Schatten an ihm vorbeisaust. Voller Angst duckt er sich und erwartet den tödlichen Hieb. Der nicht kommt. Er wartet noch ein wenig, ehe er erneut den Kopf emporreckt. Die Erde ist übersät mit Tonscherben und verschmorten Weidenkörben und es wimmelt von pickenden Krähen.
Wie haben die Reiter uns gefunden?

Ein stechender Geruch steigt Roan in die Nase. Er kommt aus dem Gemeindehaus. Verbranntes Plastik von den Sonnenkollektoren. Es hat Jahre gedauert, sie zu einem funktionierenden Ganzen zusammenzufügen. Und nun ist nichts davon übrig.
Über jedem Haus steigt eine Rauchsäule empor, alle sind sie verlassen. Auf den Kieswegen sind Schleifspuren zu sehen. Roan geht am Gebetsplatz vorbei zum Feuerloch. Er zögert. Er hat Angst weiterzugehen. Jedes Jahr hielt sein Vater an der Stelle, an der Roan nun steht, eine Rede.
Wir haben uns hier versammelt zum Gedenken. Feuerlöcher wie dieses taten sich auf, als der Große Wahnsinn begann. Die Erde, geschändet durch das, was während der Zeit des Grauens angerichtet wurde, spuckte ihr Innerstes hervor, damit das Faule in der Welt gereinigt werde. Viele starben. Als das versengte Land sich abgekühlt hatte, kamen die Gründer. Die meisten Feuerlöcher wurden mit Erde zugeschüttet, dieses hier ließ man jedoch unan-

getastet, ließ es weiterbrennen. Es wurde zum Schrein, um den herum die Gründer das Dorf errichteten. Damit wir nie vergessen, woher wir kommen. Einmal im Jahr, während des Gedenkens, wird das steinerne Tor geöffnet und wir begehen den Tag mit Fasten und Gebet, um uns daran zu erinnern, warum wir uns einst in alle Richtungen zerstreuten. Es ist der geheiligte Ort, die Mitte von Longlight.

Der geheiligte Ort, die Mitte von Longlight. Aber alles Gedenken und Erinnern hat nichts genützt. Sie haben uns trotzdem gefunden.

Ein grässlicher Geruch steigt ihm in die Nase. Kleiderfetzen flattern im Wind. Die Bluse einer Frau, das zerrissene Hemd eines Mannes. Ein abgewetzter, an mehreren Stellen geflickter Lederschuh. Roan stürzt sich auf ihn. Immer wieder hat der Vater diesen Schuh ausgebessert. Also muss der Vater hier sein. Irgendwo ganz in der Nähe. Roan sieht sich suchend um. Krähen schweben über dem Feuerloch. Roan klettert über die Steinmauer, die den heiligen Ort umgrenzt.

Am Rand des Feuerlochs fällt sein Blick auf einen Wust brauner Haare. Darunter Hautfetzen. Sie kleben an einem weißen Schädel. Auf dem brodelnden Wasser schwimmen Knochen. Menschliche Gebeine. Hunderte tanzender Knochen, die sich übereinander schieben. Roans Beine geben nach. Die Umgebung verschwimmt vor seinen Augen. Da sind alle, die er kannte; alle, die er liebte. Er stolpert zur Seite, weg von der Grube. Seine Augen brennen, der Hals ist wie zugeschnürt.

Dann versagen ihm die Beine endgültig ihren Dienst. Er fällt auf die Knie, presst das Gesicht gegen den getrockneten Lehm und versucht die Worte zu sprechen, die sein Vater ihn gelehrt hat, die Abschiedsworte für die Dahingegangenen, das Geleit für eine sichere letzte Reise. Seine Lippen bewegen sich, aber er bringt keinen Ton hervor. Es sind zu viele, er hat nicht den Atem dafür. Es sind zu viele. Zu viele Seelen. Das Gesicht im Schmutz verborgen, verharrt er, und der Rauch senkt sich auf ihn herab.

Ein Geräusch reißt Roan aus seiner Lähmung und holt ihn in die Wirklichkeit zurück. Er hebt den Kopf und nimmt einen tiefen Atemzug. Auf seiner Schulter sitzt die weiße Grille.
Es ist Zeit, nach Hause zu gehen.
Den Schuh seines Vaters umklammernd, geht Roan benommen den Kiesweg entlang, vorbei an der eingestürzten Mauer und den zerstörten Häusern seiner Freunde und Verwandten. Er kennt jede einzelne Behausung ganz genau, hat darin gegessen, gespielt, Besuche gemacht. Jetzt sind es nur noch leere Hülsen.
Im Vergleich zu den anderen Gebäuden ist das Haus seiner Eltern weniger beschädigt, alle Mauern stehen noch. Von der Eingangstür, die seine Mutter mit großer Kunstfertigkeit verschönert hat, sind nur noch große Holzsplitter übrig. Er war so stolz auf das Werk seiner Mutter gewesen. Als er vorsichtig über die aufgerissene Schwelle tritt, wird er von Kummer und Trauer fast überwältigt. Der Tisch und die Stühle seiner Großmutter sind zerschmettert, von den lasierten Schalen seines Großonkels ist nur noch ein Scherbenhaufen übrig. Das Regal seines Vaters ist umgestürzt, am Boden verstreut liegen Bücher.
Roan wendet sich ab und geht in sein eigenes Zimmer. Das Bett ist auf die Seite gekippt worden und alle seine Habseligkeiten sind zerfetzt, zerschlagen, zerstört. Er bückt sich und greift nach dem Bettgestell. Es ist solide gemacht. Seine Mutter hat es angefertigt. Er richtet es auf, rückt die Wollmatratze darauf zurecht, hebt die zerknitterte Decke auf. Dann lässt er sich auf das einzige Bett sinken, in dem er je geschlafen hat, zieht die Knie zur Brust und starrt an die Wand.

Eine gefleckte braune Ratte mit einem langen rosafarbenen Schwanz sitzt Roan gegenüber. Sie befinden sich auf einer weiten Ebene, deren gelbe, lehmige Erde ausgetrocknet ist. Die Sonne steht tief am roten Horizont.
Die Ratte hebt den Kopf. »Es ist Zeit zu gehen. Sofort.«

Roan springt hoch, aufgeschreckt durch die seltsame Vision. Einen Traum wie diesen hat er noch nie gehabt. Aber seine Mutter hat ihn gelehrt, Träume nie leichtfertig abzutun, sondern ihnen zu folgen. Und in diesem Traum hat man ihn aufgefordert zu gehen. Noch immer spürt er die drängende Eile hinter den Worten. Er muss aufbrechen, und zwar sofort.

Roan hebt eine Bodendiele hoch. Seine Schatzkiste ist noch da. Darin befinden sich fünf Silbermünzen, die seinem Urgroßvater gehörten und die inzwischen mehr als zweihundert Jahre alt sind. Und in einer Scheide blinkt das Messer, das der Vater ihm vor einem Monat zum fünfzehnten Geburtstag geschenkt hat. Roan bindet es mit einem Lederstreifen am Unterschenkel fest. Dann lässt er das Hosenbein darüber gleiten, sodass niemand die Waffe sehen kann.

Zielstrebig geht er ans Werk. Er holt den Rucksack der Mutter und verstaut darin eine zusammengerollte Decke. Dann stellt er eilig einen kleinen Vorrat zusammen. Er füllt die Wasserflasche auf, packt getrocknete Lebensmittel ein. Mit großer Sorgfalt schiebt er den Schuh seines Vaters in die Seitentasche und legt auch noch die Puppe seiner Schwester dazu. Plötzlich schreckt ein merkwürdiges Geräusch ihn auf.

Es klingt gedämpft, wie aus weiter Ferne, wird jedoch rasch lauter. Roan eilt zum Fenster. Auf dem Kiesweg kommt ein Mann entlanggefahren. Er sitzt auf einem Fahrzeug, das Roan nur von Bildern kennt. Es ist ein Motorrad. Ziel des Fahrers, dessen schwarzer Mantel und dessen lange, zu Zöpfen geflochtene Haare im Wind flattern, ist ganz offensichtlich das Haus von Roans Familie.

Roan verkriecht sich hinter einem Bücherregal, das gegen die Wand gefallen ist. In seinem Versteck spürt er plötzlich eine Bewegung in seiner Hemdtasche. Die weiße Grille. Genau in diesem Augenblick betritt der Motorradfahrer den Raum. Roan hält den Atem an. Lautlos zieht er das Messer aus der Scheide.

»Was für eine Verschwendung«, murmelt der Mann leise vor sich hin. Roan hört, wie er in den Bücherbergen auf dem Boden herumwühlt. Die Hände des Fremden tasten die Unterseite des Regals ab. Roan packt das Messer fester. Die suchenden Hände kriegen ein entzweigerissenes Buch zu fassen und ziehen es unter dem Regal hervor.

»Mein Name ist Saint. Und wie heißt du?«

Roan erstarrt.

»Furchtbar, was hier passiert ist. Und was ist mit dir? Bist du in Ordnung?«

Mit einem Satz springt Roan aus seinem Versteck hervor und hastet zur Tür.

»He, lauf doch nicht weg ...«, ruft Saint und streckt die Hände nach Roan aus. Er ist der größte Mann, den Roan je gesehen hat. Roan fuchtelt mit dem Messer in der Luft herum und rennt hinaus. Diesmal nicht zur Brombeerhecke, dafür ist die Zeit zu knapp. Stattdessen wendet er sich nach Osten, dorthin, wo seine Freunde und er sich immer trafen. Sein Ziel ist der Hohlwald.

Der Wald erstreckt sich meilenweit. Die hohen Bäume stehen noch, obgleich nur das Grün von Moos und Flechten auf ihnen sprießt. Von seinem Großvater weiß Roan, dass die Bäume abstarben, nachdem flussaufwärts eine Chemiefabrik zerbombt worden war. Neue Gewächse anzupflanzen, die speziell dafür ausgesucht worden waren, um die Erde zu entgiften, gehörte zu den Aufgaben, die Roan gerne erfüllte. Unzählige Stunden hat er damit verbracht. Doch für den Hohlwald scheint es keine Rettung zu geben.

Das Dröhnen des Motors! Eile ist geboten. Roan vergräbt die Finger im Stamm des Alten Riesen, eines dicken, hundert Fuß hohen Baums, der mehr als dreihundert Jahre alt ist. Wie die anderen Bäume des Waldes ist auch er innen hohl. Roan entfernt das gut getarnte Stück Rinde und kriecht in die Baumhöhle hinein. Seine Freunde und er haben das Loch vor einigen Sommern herausgeschnitzt und es dann mit dem Stück Rinde wieder verschlossen.

Roan greift nach der ersten Einkerbung, die als Halterung dient, und arbeitet sich den Stamm hinauf bis zur Spitze, wo das Sonnenlicht hereinströmt. Neben jeder Einkerbung ist das Zeichen eines seiner Freunde eingeritzt: Max, Esta, Lem, Rolf, Aiden. Er denkt daran zurück, wie sie zu sechst im Inneren des Stamms emporkletterten und wie die enge Höhle mit Wärme und Lachen erfüllt war. Doch das ist jetzt vorbei. Ganz oben, in großen Buchstaben, steht der Name seiner Schwester. Stowe. Das war ihr Lieblingsplatz. Seine Finger gleiten behutsam über das *S*. Wo ist Stowe jetzt? Seine Hand schmerzt noch von dem derben Griff, der ihm die Hand der Schwester entwand.
In Schweiß gebadet, mit schweren Taschen, streckt Roan zaghaft den Kopf über den Rand der abgebrochenen Baumspitze hinaus. Die Sonne hüllt ihn mit ihren Strahlen ein. Er setzt sich auf die Seilschaukel, die seine Freunde und er vor langer Zeit im Inneren des Stamms angebracht haben. Mit zusammengekniffenen Augen sucht er die Umgebung ab. Hat der Fremde die Verfolgung aufgegeben? Roan beschließt, bis zur Dämmerung in seinem Versteck auszuharren und erst bei Nacht die Reise anzutreten. Aber wohin soll sie ihn führen? Er hat das Verborgene Tal noch nie verlassen und weiß nicht, was sich jenseits davon befindet. Er weiß nur eines: Hier bleiben kann er nicht. Er hat kein Zuhause mehr.
Da sieht er ihn.
Etwa hundert Fuß unter ihm fährt der große Mann, den Blick fest auf den Boden gerichtet, langsam zwischen den Bäumen hindurch. Dem Fremden werden die zertretenen Flechten, das von Füßen niedergedrückte Gras sicher nicht entgehen, das weiß Roan nur zu gut. Er ist zu schnell gerannt und konnte seine Spuren nicht mehr verwischen.
Saint fährt direkt auf den Alten Riesen zu. Roan duckt den Kopf weg. Mit dem Rücken gegen den Stamm gepresst, lauscht er mit klopfendem Herzen. Findet der Mann den Eingang? Ein Luftzug von unten beantwortet seine Frage.
»Ich will dir nichts tun«, ruft der Mann. Sein Gesicht ist im Dun-

keln nicht zu erkennen. »Ich habe den Rauch gesehen. War das dein Heimatdorf?«

»Ja.«

»Ich kann dir Nahrung geben und etwas zum Anziehen. Nach allem, was du mitgemacht hast, kann es nicht schaden, einen Freund zu haben.«

»Mir geht es gut. Lasst mich in Ruhe.«

»Das kann ich nicht«, sagt Saint. »Ganz allein hier draußen, das ist dein sicherer Tod.«

Als Roan erneut nach unten sieht, ist der Mann verschwunden. Der Baum fängt an zu schwanken. Dabei ist es gar nicht windig. Roan spürt, wie der Baum erbebt, hört sein lautes Ächzen. Angstvoll klammert er sich fest. Es besteht kein Zweifel: Der Fremde versucht den Baum zu Fall zu bringen. Kann ein Mann einen Baum dieser Größe tatsächlich umstürzen? Einen gesunden, lebenden Baum gewiss nicht. Aber einen vor langer Zeit abgestorbenen Baum mit verrotteten Wurzeln können zwei oder drei kräftige Männer durchaus fällen. Einer allein wohl kaum. Aber hier handelt es sich nicht um irgendeinen Mann. Saint ist ein Hüne, fast doppelt so groß wie Roans Vater.

Die Wurzeln knacken und reißen, der Alte Riese neigt sich und fällt. Und mit ihm fällt Roan. Vergeblich suchen seine Hände Halt; hilflos schliddert er den Stamm hinab.

Die Bruderschaft

Der Freund schenkte ihm das Wort, und der Prophet hörte das Wort und verkündete es. Und alle, die ihn hörten, folgten ihm nach. So nahm die Bruderschaft ihren Anfang.

Orins Geschichte des Freundes

Ein Berglöwe sitzt auf einer grünen Graswiese. Hinter ihm glitzert ein Fluss. Die Sonne scheint hell und warm. Neben der großen Katze sitzt die braun gefleckte Ratte. Sie tauschen eindringliche Blicke.
Da taucht neben ihnen eine alte Frau auf. Sie hat zwei kleine Hörner auf dem Kopf und die Beine und den Schwanz einer Ziege. »Glaubt ihr, er wird bald aufwachen?«
»Er ist schon wach«, sagt die Ratte und zuckt.
Der Berglöwe leckt seine Pfote, dann sieht er die Ziegenfrau an. »Es ist zu früh. Er ist noch nicht bereit.«
»Daran lässt sich nichts mehr ändern.«
Die Ziegenfrau seufzt. »Sollen wir ihn wegbringen?«
»Er ist am sichersten da, wo er jetzt ist.«
Der Berglöwe schaut die Ratte an. »Wie wollen wir ihn schützen?«
»Wenn das überhaupt möglich ist«, gibt die Ziegenfrau zu bedenken.
Die Ratte erhebt sich. »Wir haben keine andere Wahl.«

Ein durchdringender Geruch von Weihrauch weckt Roan auf. Er ist also nicht tot. Dabei hätte ihn der Sturz des Baums das Leben kosten können. Wieder diese Ratte. Was will ihm dieser neuerliche Traum sagen? Die Erinnerung daran schwindet, als er ein Zappeln in seiner Hemdtasche verspürt. Die Schneegrille. Roan ist zwar am ganzen Körper wund, gebrochen hat er sich allem Anschein nach jedoch nichts. Verschwommen nimmt er seine Umgebung wahr. Er ist in einem Raum, dessen Wände aus schwarzem Stoff gemacht sind. Also ist es wohl eher eine Art Zelt.

Als er sich mühsam aufrichtet und um sich blickt, tritt ein schlanker Junge durch den mit Wollstoff verhängten Eingang. »Endlich bist du wach.« Neugierig mustert er Roan von Kopf bis Fuß, so als habe er ein äußerst seltenes Lebewesen vor sich.

»Warum starrst du mich so an?«

»Es tut mir Leid«, sagt der Junge. »Ich wollte nicht unhöflich sein. Ich bin nur gekommen um nachzusehen, ob du vielleicht hungrig bist.«

Roan sieht ihn verwirrt an. »Wo bin ich?«

»Bei Freunden.«

»Seit wann?«

»Vor etwa zwei Tagen hat er dich hierher gebracht. Du warst in ziemlich schlechter Verfassung.« Der Junge ist klein, hat grüne Augen und ist nicht viel älter als Roan. »Man nennt mich Leibkoch, weil ich hier für das Essen zuständig bin.« Er reicht Roan eine Schüssel mit einer dicken, dunklen Brühe. »Zur Stärkung. Kartoffeln mit Kaldaunen.«

»Kaldaunen? Was ist das?«

»Schafsinnereien. Spuck die zähen Teile einfach aus, das machen alle so.«

Entsetzt starrt Roan das Eintopfgericht an. In Longlight hat man zwar die Milch und auch die Wolle von Schafen verwendet, die Tiere selbst wurden jedoch nicht gegessen.

»Saint will mit dir sprechen, nachdem du dich gestärkt hast«, sagt Leibkoch.

Saint. Der Baumfäller. Der Mann, der ihn hierher gebracht hat. Mit schwerem Herzen und schmerzendem Leib sitzt Roan da und schnüffelt an dem Eintopf. Der Geruch ist nicht unangenehm und das Grummeln in seinem Magen erinnert Roan daran, dass er seit langem nichts mehr gegessen hat. Er taucht den Löffel in die dickflüssige Brühe, schließt die Augen und probiert. Er hat Mühe beim Schlucken und es kostet ihn Anstrengung, das Essen nicht gleich wieder von sich zu geben, aber nach dem zweiten Löffel geht es schon besser, und nach dem dritten isst er zügig weiter. Dann wischt er sich den Mund, steht noch etwas wacklig auf, holt tief Luft und schiebt den Türvorhang beiseite.

Der Raum, den er betritt, ist bedeutend größer als der vorherige. Ein hoher Pfosten hält die Spitze des Zeltdachs. Es dauert eine Weile, bis Roans Augen sich an das Kerzenlicht gewöhnt haben, doch dann erblickt er in einer Ecke Saint. Er hat Roan den bloßen Rücken zugewandt und sitzt still da. Saint hat den kräftigsten Körper, den Roan je gesehen hat, und scheint nur aus Muskeln und Sehnen zu bestehen. Die Beine gelenkig ineinander verschränkt, sitzt er auf einem Webteppich, die Augen auf den Altar gerichtet, tief in eine Meditation versunken. Roan bleibt abwartend stehen und betrachtet die nur schwach beleuchtete Statue, die diesen Ort der Verehrung beherrscht: Ein Mann ringt mit einem Stier. Er greift in die Nasenlöcher des Tiers, drückt den Kopf nach hinten und stößt einen Dolch in seinen Hals. Auf dem Schwanz des Stiers sitzt ein Rabe und zu seinen Füßen befinden sich eine Schlange, ein Skorpion und ein Hund. Im Halbdunkel des stillen Gebetsraums grübelt Roan über die Bedeutung der dargestellten Szene nach.

Saint beugt sich über den Weihrauch und fächelt den Räucherduft in sein Gesicht. Auf beiden Armen des großen Mannes, vom Handgelenk bis zu den Ellbogen, reihen sich dünne weiße Narben aneinander. Mit einem Mal dreht Saint sich um und fixiert Roan mit seinen dunklen, tief liegenden Augen. Roan hält dem Blick stand und fragt sich, was Saint in seinen Augen zu lesen versucht. Schließlich löst Saint die angespannte Situation; er zieht sein Hemd über und fängt an zu reden, so als sei nichts gewesen.

»Es tut mir Leid, dass ich dich auf diese Art und Weise herbringen musste, aber du hast mir keine andere Wahl gelassen. Ganz allein da draußen hättest du nicht lange überlebt.«

»Das wäre meine eigene Entscheidung gewesen.«

»Ich konnte es nicht zulassen«, sagt Saint. »Unser Glaube erlaubt das nicht.«

»Diese Statue, ist sie Teil Eures Glaubens?«, fragt Roan und nickt in Richtung Altar.

»Sie steht sogar im Mittelpunkt. Der Freund tötet den Bullen, zerstört das Böse und schafft neues Leben. So wie er bekämpfen auch wir das Böse und schützen Leben.«

»Deshalb durftet Ihr mich nicht sterben lassen.«

»So ist es.«

»Wenn ich so weit bin, werdet Ihr mich dann gehen lassen?«

»Bleib eine Weile bei uns«, sagt Saint mit einem sanften Lächeln. »Nimm unsere Gastfreundschaft an und gesunde. Du kannst hier vieles lernen, von mir und meinen Mitbrüdern.«

Saint scheint keine schlechten Absichten zu hegen, dennoch zögert Roan, ihm restlos zu vertrauen. Es gibt noch so viele Fragen. Was hat Saint in dem Verborgenen Tal gesucht? Woher wusste er, an welchem Ort er Roan finden würde? Und warum will er, dass Roan bei ihm bleibt? Der Gedanke, dass zwischen dem Auftauchen von Saint und dem, was in Longlight geschehen ist, ein Zusammenhang besteht, beschäftigt Roan. Er beschließt herauszufinden, welche Verbindung es zwischen diesen Ereignissen gibt.

»Einverstanden«, sagt Roan. »Ich werde vorerst hier bleiben.«

»Dann solltest du mir deinen Namen nennen.«

»Roan.«

»Du hast in dem Haus gewohnt?«

»Ja«, antwortet Roan. »Habt Ihr das, was Ihr dort suchtet, weggebracht?«

»Ich habe einige Bücher gerettet. Wem gehörten sie?«

»Meinem Vater.«

»Heißt das, er konnte lesen?«
»Selbstverständlich.«
»Und hat er dich lesen gelehrt?«
»Ja, er und meine Mutter.«
Saint zieht ungläubig die Augenbrauen zusammen. Seine Stimme klingt beinahe ehrfürchtig, als er fragt: »Deine Mutter konnte demnach ebenfalls lesen?«
Verblüfft nickt Roan.
»Besaßen alle Bewohner von Longlight diese Fähigkeit?«
»Ja.«
»Erstaunlich«, murmelt Saint vor sich hin.
»Warum wundert Euch das?«
»Du bist noch nie aus deinem Dorf und dem Tal herausgekommen, nicht wahr?«
Roan ist auf der Hut und antwortet nicht.
»Denn wenn du es je gewesen wärest, dann wüsstest du, dass nur sehr wenige lesen können«, erklärt Saint. »Lesenlernen wird mit Argwohn betrachtet.«
Roan ist verwirrt, will sich seine Besorgnis jedoch nicht anmerken lassen. Niemand in Longlight hat je über das Draußen gesprochen und ihm ist es bisher nie in den Sinn gekommen, nach dem Grund dafür zu fragen. Was, so fragt er sich, hat man sonst noch alles vor ihm geheim gehalten?
»Und warum sind die Menschen argwöhnisch?«
Saints Antwort ist ein Seufzer. »Sie glauben, die Bücher sind schuld an der Zeit des Grauens.«
»Aber Ihr denkt das nicht?«
»Ich glaube, die Menschen selbst waren schuld daran.« Saint geht auf Roan zu, beugt sich zu ihm herab und sieht ihn eindringlich an. »Du besitzt eine Fähigkeit, die nun, da dein Volk untergegangen ist, noch seltener geworden ist. Teile sie mit mir. Lehre mich das Lesen, Roan von Longlight.«
Ich habe etwas, das er will, begreift Roan. Soll ich ihn daran teilhaben lassen? Wenn Saint mit seiner Bitte finstere Absichten ver-

folgt, so kann meine Einwilligung schlimme Folgen haben. Aber dann erinnert sich Roan daran, was sein Vater zu sagen pflegte: *Lesen ist wie Atmen. Worte sind wie Luft.*

»Ich habe noch nie unterrichtet«, sagt Roan zögernd.

»Ich bin sehr geduldig. Es mag vielleicht etwas dauern, aber deine Bemühungen werden gewiss erfolgreich sein. Ich bitte dich mir zu helfen. Natürlich nicht ohne irgendeine Form der Entlohnung.«

Roan wählt seine Worte mit Bedacht. »Ihr habt mir bereits Nahrung und Unterkunft gegeben.«

»Ich habe nichts weiter getan, als einem Bedürftigen in Not zu helfen.« Saint atmet ruhig. Sein Blick gleitet forschend über Roans Gesicht. »Vielleicht sind da noch andere. Womöglich bist du nicht der Einzige aus deinem Dorf, der überlebt hat.«

Roan überläuft bei diesen Worten unwillkürlich ein Schauder.

Saint sieht ihn mit hochgezogenen Augenbrauen an. »Du stimmst mir also zu. Denkbar wäre es.«

Fast widerwillig antwortet Roan mit einem leisen: »Es könnte sein.«

Ein Lächeln macht sich auf Saints Gesicht breit. »Lehre mich lesen. Und wenn es Überlebende gibt, werden wir sie finden.«

Wenn es Überlebende gibt! Plötzlich steigt eine so grenzenlose Wut in Roan auf, dass er sie nicht verbergen kann.

»Mein Angebot erregt deinen Zorn?«

»Euer Angebot ist ... fair«, stößt er hervor.

»Dann bist du wütend beim Gedanken an das, was deinen Leuten widerfahren ist?«

Roan nickt, da seine Stimme versagt.

»Du sinnst auf Rache.«

Roan stellt sich vor, wie er die Mörder von Longlight aufspürt, die Reiter mit den Totenschädelmasken; er malt sich aus, wie er sie niederknüppelt und die laut Schreienden in das Feuerloch wirft. Er versucht die grässlichen Gedanken zu verbannen, aber es gelingt ihm nicht. Sie sind zu mächtig. Roan blickt zu dem Hünen

empor und ihm entschlüpft ein »Ja«. Die Schneegrille zappelt in seiner Tasche und pocht gegen sein Herz.
»Ich kann dir dabei helfen«, sagt Saint. »Ich werde dich die Art des Freundes lehren. Du wirst feststellen, dass Er immer da ist, wenn man ihn braucht.«
Einen Augenblick lang sehen sich der Junge und der große Mann schweigend an.
»Nun, Roan von Longlight? Sind wir übereingekommen?«
»Das sind wir.«
Saint lächelt und klopft Roan auf die Schulter.

Das Lager befindet sich auf einer Anhöhe, von der aus man ein weites Tal überblicken kann. Ein Fluss führt hin zu einem nahe gelegenen Berg. Auf einer Koppel grasen kräftige Pferde. Wohin Roan auch schaut, sieht er Zelte und zeltähnliche Behausungen. Sie sind alle mit Gras und Astwerk bedeckt, damit sie aus einiger Entfernung nicht mehr zu erkennen sind. Unter einer niedrigen Überdachung, im Schutz einer Felswand, sitzen sieben Männer. Sie tragen schwarze Felle und Kapuzen; lautlos streuen sie verschiedenfarbige Sandkörner in die Mitte einer riesigen flachen Steinplatte.
»Das ist eine Art Meditation«, erklärt Saint. »Man braucht vier Jahreszeiten, um das Bild zu vollenden. Danach wird es zerstört und sie beginnen von neuem.«
»Was stellt das Bild dar?«
»Es ist ein Lobpreis auf Ihn, dem wir dienen.«
Ein metallisches Klirren zieht Roans Aufmerksamkeit auf sich.
»Komm mit. Hier gibt es noch andere Beschäftigungen, die dich interessieren werden.«
Saint führt Roan zu einer ebenen Fläche am Rande einer zweiten Anhöhe, auf der Männer in weiten Gewändern komplizierte Schwertbewegungen üben. Angeleitet werden sie von einem muskulösen Mann mit kahl geschorenem Kopf. Sie stoßen zu, weichen zurück und bewegen sich dabei mit großer Anmut und

Genauigkeit. Roan beobachtet sie widerwillig und fasziniert zugleich.
»Gab es in Longlight auch solche Übungen?«, fragt Saint.
»Wir besaßen keine Schwerter«, antwortet Roan. »Schwerter waren verboten.«
»Wie habt ihr euch dann verteidigt?«
»Wir haben uns nicht verteidigt.«
»Aber ich habe Spuren eines heftigen Kampfes gesehen.«
»Es gab keinen Kampf.«
»Eure Leute haben sich doch sicherlich verteidigt, wenn sie angegriffen wurden.«
»Wir kämpfen nie«, antwortet Roan, ohne seine Augen auch nur für eine Sekunde von den blitzenden Schwertern abzuwenden.
Saint gibt dem Bruder, der die Übungen leitet, ein fast unmerkliches Zeichen. Der glatzköpfige Mann spricht einige Worte zu seinen Mitbrüdern, dann kommt er näher und verneigt sich vor Saint.
»Wir sind Freunde«, begrüßt er ihn.
»Der Freund ist wahrhaftig«, erwidert Saint und verneigt sich ebenfalls, wenn auch nicht ganz so ehrerbietig. »Roan von Longlight, ich möchte dir Bruder Wolf vorstellen, unseren Waffenmeister. Roan ist heute zu uns gekommen, Bruder. Sein Weg war sehr beschwerlich.«
»Alles ist nur so schwer, wie es einem selbst erscheint«, sagt Bruder Wolf und blickt Roan in die Augen.
»Das Gemetzel in meinem Dorf war keine Einbildung«, entgegnet Roan.
»Je größer der Schmerz, umso größer muss dein Wille sein, ihn zu überwinden«, sagt Wolf zu Roan. »Sonst wirst du sein Sklave.«
»Ich bin kein Sklave.«
»Dann werden dir unsere Übungen nützen«, sagt Wolf und kehrt zu seinen Schützlingen zurück.
Roan fühlt sich wie betäubt. Dass er eingewilligt hat, an diesem merkwürdigen Ort zu bleiben, lastet wie ein Stein auf seiner

Brust. Es gibt kein Zurück mehr, keine Hoffnung auf Rettung. Longlight ist untergegangen. Und nun ist er hier.
Als er seinen Rundgang durch das Lager mit Saint fortsetzt, bemerkt er, dass es zwar nicht von Mauern, aber von einem Schutzwall aus spitzen Felsbrocken umgeben ist. Hoch oben in den Baumwipfeln sind hölzerne Plattformen, auf denen in Kapuzen gehüllte Brüder unablässig das Tal unten beobachten. Saint führt Roan von den Verteidigungsanlagen weg und zeigt ihm, womit die anderen Brüder beschäftigt sind.
Einige trainieren Pferde, andere sind Metallhandwerker, wieder andere Jäger. Alles in allem fünfundsiebzig Brüder, wie Saint ihm berichtet.
Vor einem Zelt, das zwischen zwei Erlen errichtet wurde, begrüßt sie ein graubärtiger Mann.
»Bruder Saint! Ich habe eine Salbe, die deinen wunden Gelenken Linderung verschaffen wird.«
»Danke, Bruder Viper.«
Bruder Viper mustert forschend Roans Gesicht, sieht in sein Innerstes. Aber dieser Blick beunruhigt Roan nicht. Ganz im Gegenteil. Der Bruder hat eine freundliche, offene Miene, die Roan mit Zutrauen erfüllt.
»Roan von Longlight. Es tut mir Leid, dass ich dich nicht früher begrüßen konnte. Einige dringende medizinische Fälle haben mich aufgehalten.«
Roan wundert sich darüber, dass Bruder Viper so ganz anders zu sein scheint, viel sanfter als seine Mitbrüder. Beinahe wie jemand aus Longlight. Vielleicht liegt es daran, dass er ein Heiler ist.
Zum Essen versammeln sich alle im Hauptzelt um fünf lange Tische. Bruder Leibkoch trägt dampfende Töpfe mit Schmorfleisch und Kartoffeln auf, doch keiner beachtet ihn. Roan will gerade zugreifen, als ihm auffällt, dass niemand das Essen anrührt. Alle stehen still hinter ihren Stühlen.
Saint tritt ein und geht zu dem freien Platz neben Roan. Er senkt

seinen Kopf und sagt: »Aus dem Stein geboren, reicht uns der Erste der Freunde von oben die Hand und gibt uns alles, was wir besitzen.«

Die fünfundsiebzig Männer erwidern im Chor: »Von Menschen geboren, streben wir nach dem Himmel.«

»Sein göttliches Schwert befreite uns vom Bösen«, stimmt Saint eine Art Singsang an.

»Mit Hilfe Seiner Liebe werden wir die Welt befreien«, erklingt die einstimmige Antwort.

»Wir sind Brüder. Wir sind Freunde.«

»Wir sind Freunde.«

Roan blickt in die Runde der versammelten Brüder. »Bevor wir essen, bitte ich euch, unseren jüngsten Novizen willkommen zu heißen: Roan von Longlight.«

Einen quälend langen Augenblick ist es still, dann ruft jemand von einem der weiter entfernten Tische: »Willkommen, Bruder!«

Die Männer klatschen laut Beifall und stampfen mit den Füßen, so als wollten sie nie mehr aufhören. Ein wild dreinschauender Mann mit langen blonden Haaren zwinkert Roan zu.

»Sie werden so lange weitermachen, bis du ihren Gruß erwiderst.«

Roan versteht und klatscht in die Hände. Die Freunde hören auf Beifall zu klatschen und brechen in laute Jubelrufe aus. Jedermann in Roans Umgebung lacht und schüttelt ihm die Hand. Dann setzt sich Saint und beginnt zu essen. Die anderen Brüder folgen seinem Beispiel.

Saint deutet mit einem Kopfnicken auf den blonden Mann. »Das ist Bruder Rabe. Einer unserer meistgeschätzten Gefährten.«

»Du bist etwas Besonderes, Roan von Longlight«, sagt Bruder Rabe mit einem schiefen Lächeln. »Kein Novize ist je auf den Rücksitz von Saints Motorrad geschnallt zu uns gekommen.«

»Er ließ mir keine Wahl.«

Bruder Rabe lässt ein hohes Kichern hören. »Wahl! Das ist gut!« Er rückt ganz nah heran und Roan bemerkt, dass sein Atem ungewöhnlich riecht, dumpf und säuerlich. »Wenn du irgendwelche

Schwierigkeiten hast, lass es mich wissen. Ich bin der Helfer und der Problemlöser. Ja, das bin ich.«
»Es freut mich, Euch kennen zu lernen«, sagt Roan höflich, aber hinter dem Lächeln des Mannes spürt er den Dolch. Der Bruder ist nicht aufrichtig, das ist offenkundig, und er versucht nicht einmal sich zu verstellen. Schweigend isst Roan seinen Eintopf und grübelt über seine Lage nach. Die Brüder unterhalten sich leise, und obwohl er sicher ist, dass ihre Gespräche um ihn kreisen, stört niemand seine Gedankengänge.

Als alle gegessen haben, beendet Saint das Mahl. Er hebt die rechte Hand und sagt: »Freundschaft euch allen.«
»Unser Freund ist wahrhaftig«, antworten die Brüder und heben ebenfalls die rechte Hand. Dann werden die Tische abgedeckt.
Als Roan seinen Teller auf den Stapel stellen will, nimmt Bruder Leibkoch ihn entgegen. »Du wirst dich hier sehr bald eingewöhnen«, flüstert er. »Es ist eine Ehre für uns, dich bei uns zu haben.«
Bevor Roan fragen kann, was Leibkoch damit meint, huscht der Junge davon und Bruder Rabe tritt rasch an seine Stelle. »Roan, ich zeige dir jetzt deine Unterkunft.«
Er führt Roan aus dem Zelt, in dem sich die Brüder drängen, hinaus ins Freie. Der Pfad ist von Fackeln erhellt, und während sie gehen, zeigt Rabe ihm den Versammlungsplatz, ein Amphitheater mit leicht abfallenden Sitzreihen, die den Blick nach unten auf eine runde, ebene Fläche freigeben. Bevor sich Roan noch nach dessen Zweck erkundigen kann, deutet Rabe bereits auf die, wie er erklärend hinzufügt, »überaus wichtigen« Latrinen und das Gemeinschaftsbad, wo man in hölzernen Wannen baden kann. Roan blickt erstaunt auf diesen von allen Seiten frei einsehbaren Ort.
»Verwirrt dich das?«, fragt Rabe.
»Ihr badet gemeinsam?«
»Nicht nur das, wir hocken auch gemeinsam auf der Latrine«, gluckst Rabe. »Ziemlich unzivilisiert, meinst du nicht auch?«

»Nein, nur anders.«
Rabe zieht die Augenbrauen hoch. »Nur anders? Was willst du damit sagen?«
Roan mustert den befremdlichen Bruder aufmerksam, er ahnt, dass er gerade einer Art Prüfung unterzogen wird. »Das ist alles neu für mich«, gibt er vorsichtig zur Antwort. »Ganz anders als alles, was ich bisher gesehen habe.«
Rabe lacht leise. »Eine sehr diplomatische Antwort!«
»Das ist die Wahrheit.«
»Aber natürlich, natürlich. Mach dir nichts daraus, ich komme ebenfalls vom Ende der Welt, aus einem kleinen Dorf in der Nähe des Regenplateaus. Während meiner Zeit dort kam so gut wie nie ein Fremder vorbei. Als ich wegging, war ich jünger als du.«
»Wohin seid Ihr gegangen?«
Rabe wirft Roan einen prüfenden Blick zu. Dann sagt er, mit einem Funkeln in den Augen: »In eine Schule, in der ich ausgebildet werden sollte.«
»Zu was solltet Ihr ausgebildet werden?«
»Um ehrlich zu sein, ich habe diese Ausbildung nie beendet. Ich hörte eine aufregende Geschichte: Ein Sterblicher, hieß es, sei ein Prophet geworden. Er sei auf einen Berggipfel gestiegen und mit der Botschaft eines neuen Gottes zurückgekommen. Ich war neugierig, und so habe ich mich entschlossen wegzugehen, um mich diesem Propheten anzuschließen. Ich war einer der Ersten, die auf Saint trafen. Im nächsten Frühling sind es elf Jahre, die ich nun schon zusammen mit ihm und dem Freund verbringe.«
Vor einem Zelt in einer langen Reihe kleinerer Zelte bleiben sie stehen. Rabe schlägt die Vorhangtür zurück. »Das ist deines«, erklärt er Roan. »Schlaf gut heute Nacht, denn morgen wirst du mit den Aufgaben beginnen, die Saint für dich vorgesehen hat. Diese Kleidung wirst du nicht mehr brauchen. Du findest eine passendere in deinem Zelt. Nachdem wir die Sonne haben aufgehen lassen, wirst du deine Vormittage mit Bruder Wolf und deine Nachmittage mit Bruder Stachel verbringen. Oh, und falls noch

etwas Zeit übrig bleibt, so erhebt Bruder Viper Anspruch darauf.« Rabe wirft Roan einen vertraulichen Blick zu. »Vielleicht empfindest du diesen Tagesablauf als etwas beschwerlich. Wenn ja, dann sag mir Bescheid. Ich werde mit Saint sprechen und die Angelegenheit klären. Denk daran, wenn du irgendwelche Probleme hast, mein Zelt ist direkt neben deinem. Komm einfach zu mir rüber.«

»Vielen Dank«, sagt Roan, duckt sich und betritt das Zelt. Er ist froh, nicht mehr in der Nähe dieses Mannes sein zu müssen, der ihn abstößt. Im spärlichen Licht einiger Kerzen sieht er, dass der Boden mit Teppichen ausgelegt ist. Eine dicke schwarze Tunika liegt zusammengefaltet am Fußende seines Betts, das aus einer einfachen wollenen Matte besteht. Roan kriecht unter die warme Decke, aber ihm ist noch immer kalt. Er greift nach seinem Rucksack, zieht den Schuh seines Vaters heraus und ertastet einen Flicken, während er sich wieder zurücksinken lässt.

Die Gesichter der Brüder wirbeln in seinem Kopf durcheinander. An einem einzigen Tag ist er fünfundsiebzig Fremden begegnet, und doch ist es nur wenige Tage her, seit er den ersten Fremden in seinem Leben erblickt hat. Den ersten, der jemals nach Longlight gekommen ist. Früh am Morgen jenes Tages war ein Bote auf einem weißen Pferd plötzlich vor ihren Toren erschienen. Jedermann war wie gelähmt, aber es schien keinen Grund zu geben, einen einzelnen Mann wegzuschicken. Eigentümlich war auch die Kleidung des Fremden. Er trug einen Überhang, der ganz aus Federn bestand, und auf seinem Kopf saß ein Helm, der wie ein Schnabel geformt war.

Im Verborgenen Tal gab es außer Hühnern und Krähen so gut wie keine Vögel, und Federn wie diese hatte noch niemand zu Gesicht bekommen: leuchtend gelb mit zinnoberroten Flecken; schillernd lila mit silbernem Schimmer; Federn, einen Fuß lang, elfenbeinfarben und rot gesprenkelt. Die Kinder von Longlight liefen dem Vogelmenschen nach, als er durch das Dorf ging, und versuchten seine wunderlichen Kleider zu berühren. Er ließ es zu und lachte hoch und kichernd. Auch die Kinder lachten. Aber die Erwachsenen freuten sich nicht. Roan bemerkte die Angst in ihren Augen, und zum ersten Mal in seinem Leben war ihm nicht wohl.

Die Räte des Dorfes begleiteten den Vogelmenschen in den Versammlungsraum der Gemeinde. Bevor die Türen zugezogen wurden, fielen Roan die besorgten Blicke und die zitternden Hände der Männer auf. Roans Vater, das Gesicht zu einer grimmigen Maske erstarrt, war einer der zehn, die den Boten sprechen hörten. Die Versammlung schien kein Ende zu nehmen, während die Kinder vor der Tür standen und vor Neugier brannten. Die Zwillinge Max und Esta, ein Jahr jünger als Stowe, versuchten hineinzuspähen, wurden aber sofort verjagt. Die meisten Kinder waren sehr aufgeregt und überzeugt davon, dass der Bote gekommen war, um Federn zu verkaufen. Roans bester Freund, Aiden, reagierte mit dem für ihn typischen Spott. »Wozu sind Federn gut?«, höhnte er. »Man kann sie nicht einmal essen.« Stowe protestierte. »Sie sind wunderschön. Ich würde meine zwei liebsten Trinkschalen für eine der leuchtend roten eintauschen.«

Einige der Federn, die der Fremde trug, kannte Roan aus Büchern. Während sie warteten, bettelte Stowe, dass er ihr die Namen der Vögel nannte, die längst ausgestorben waren: Pfau. Adler. Schwan. Kardinal. Sie liebte den Klang der Wörter, und Roan musste sie ein ums andere Mal wiederholen, musste sie aufschreiben, während sie die Namen vor sich hin sang. Für sie war es ein einzigartiges Erlebnis. Der sagenhafte Fremde war ein Fest für die Augen, ein Frühlingstag mitten im Winter.

Nach einigen Stunden flogen die Türen des Versammlungsraums auf. Der Vogelmensch trat heraus. Sein Lächeln war wie weggeblasen. Er würdigte die Kinder, die ihn baten, seine Federn ein weiteres Mal berühren zu dürfen, keines Blickes, bestieg sein Pferd und war verschwunden. Roan blieb zurück und sah, wie die Räte mit düsterer Miene aus dem Haus traten, allen voran sein Vater.

Später in der Nacht riss ihn das aufgeregte Gespräch seiner Eltern aus dem Schlaf.
»Könnten wir ihm nicht Geld geben?«, fragte seine Mutter.
»Das Einzige, was er akzeptieren würde, können wir ihm nicht geben«, erwiderte Roans Vater. Seine nächsten Worte gingen im Klirren einer Schale unter, die auf den Boden fiel und zersprang.
»Wir müssen gehen«, drängte Roans Mutter. »Wir müssen auf der Stelle gehen.«
»Nein. Es ist die Weissagung.«
»Das ist nur ein Märchen!«
»Es ist der Grund, weshalb wir hier sind. Die Erfüllung unseres Daseins.«
»Du opferst unser Leben, das Leben unserer Kinder, für etwas, das am Ende vielleicht nicht mehr ist als ein Ammenmärchen?«
»Schau mich an! Ich weiß, alles in dir sträubt sich dagegen. Aber du kennst die Wahrheit. Wir haben immer gewusst, dass dieser Zeitpunkt einmal kommen würde.«
Roan hörte etwas in ihren Stimmen, das er vorher nie gehört hatte: Todesangst. Ihm war nicht kalt, aber er zitterte. Die schluchzende Stimme seiner Mutter traf ihn ins Mark.
»Warum heute? Warum jetzt?«
»Dafür kann es nur einen Grund geben«, sagte sein Vater.
Plötzlich – ein lautes Krachen. Ein Geräusch wie Donner, aber der Donner hatte niemals den Boden unter Roans Füßen erzittern lassen. Danach – Stille. Es war, als ob jeder im Dorf im selben Augenblick den Atem anhielt.
»Wir werden nicht alles verlieren«, sagte sein Vater. Dann die Stimme seiner Mutter, stark und entschieden: »Wecke sie. Schnell, schnell, schnell! Bring sie aus dem Haus!«
Jetzt, hier in seinem Zelt, im Lager der Bruderschaft, krampft Roans Magen sich zusammen. Fragen quälen ihn. Wo ist er? Was ist das für ein Ort? Wer sind diese Leute? Was wollen sie von ihm? Er schiebt den Schuh seines Vaters in den Rucksack zurück und geht nach draußen, um einen Blick auf den Mond zu werfen. Er

ist in seiner abnehmenden Phase und Roan kann die Krater auf der schattigen Seite erkennen.

»Albträume?« Roan zuckt zusammen, als er die honigsüße Stimme hört. »Zum Glück bin ich gerade vorbeigekommen.«

Roan geht nicht auf die Frage ein, aber Bruder Rabe lässt sich nicht abwimmeln.

»Gefällt dir deine Unterkunft nicht?«

»Sie ist sehr gut.«

»Weshalb bist du dann hier draußen?«

»Um frische Luft zu schnappen.«

»Nimm dich vor der Nachtluft in Acht.«

»Warum?«

»Nun, es kann einen alles Mögliche stechen oder beißen.« Rabe lacht. »Du hast unverschämtes Glück, Junge, und du weißt es scheinbar nicht einmal.«

»Was wollt Ihr damit sagen?«

»Du bist hier im Lager, anstatt ganz allein dort draußen zu sein. Du könntest am Bratspieß schmoren oder von den Bluttrinkern gefressen werden, oder man könnte dir den Kopf abschlagen und ihn auf eine Stange stecken. Stattdessen stehst du unter dem Schutz eines Mannes, der die Gnade Gottes erfahren hat. Du bist ein Glückspilz.«

Roan lässt sich nicht anmerken, wie sehr ihn Rabes Worte beunruhigen. Er lächelt höflich, nickt ihm einen Gutenachtgruß zu und kehrt in seine, wie er soeben erfahren hat, ungewöhnlich friedliche Unterkunft zurück.

Er legt sich auf sein Bett und schließt die Augen.

Ein gellender Schrei. Stowes Fingernägel krallen sich in seine Handflächen. Der Angreifer, der sein Gesicht unter dem roten Totenschädel verbirgt, hebt das Mädchen hoch. Stowe streckt die Arme nach Roan aus, will sich an ihm festhalten.

Roan reißt die Augen weit auf und versucht die schreckliche Erinnerung abzuschütteln. Sein Herz schlägt bis zum Hals, er will weglaufen, aber er zwingt sich ruhig zu bleiben. Die Schneegrille krabbelt aus der Hemdtasche und setzt sich auf seine Brust. Im schwachen Lichtschein betrachtet er ihre zarten Fühler, ihre unbewegten schwarzen Knopfaugen. Ein beruhigender Anblick. Die Grille ist zufrieden, denkt Roan. Die Grille bleibt. Also werde auch ich bleiben. Roans Augen sind schwer, endlich fallen sie ihm zu.

Der Novize

Die Stadt erließ einen Befehl. Reißt die Schulen nieder, bombardiert die Bibliotheken, verbrennt jedes Buch. Widerspruch wird nicht geduldet. Jeder fügte sich und es geschah.

Aus den Kriegschroniken

Im fahlen Licht des Morgengrauens wird Roan vom Geläut einer Glocke geweckt. Sein Atem formt sich in der kalten Luft zu kleinen Wölkchen. Er schlüpft in seine neue schwarze Tunika und die Wollhose, die dick, aber geschmeidig ist. Für einen Außenstehenden sieht er genauso aus wie alle anderen Brüder, so als sei er ein Mitglied der Freunde. Leibkoch erscheint in der Tür mit einer abgedeckten Schüssel. »Ich habe dir eine kleine Stärkung gebracht, damit du bis zum Frühstück durchhältst. Iss schnell, wir müssen die Sonne aufgehen lassen.«

Roan schlingt den Haferbrei hinunter. Leibkoch begnügt sich damit, jede seiner Bewegungen zu beobachten, deshalb schweigt auch Roan. Sobald er fertig ist, verlassen sie das Zelt gemeinsam und folgen den anderen Brüdern nach.

Halb furchtsam, halb ehrfürchtig flüstert Leibkoch: »Gibt es Longlight wirklich?«

Die Frage überrascht Roan. »Warum sollte es Longlight nicht geben?«

»Jeder hat davon gehört, aber keiner war je dort. Ich wusste nicht, ob es diesen Ort tatsächlich gibt.«

»Es gibt ihn.« Schmerz durchzuckt Roans Brust, als er verbessert: »Es hat ihn gegeben.« Bevor Leibkoch weiterfragen kann, fährt Roan fort: »Wie bist du hierher gekommen?«

Der Junge blickt ihn nervös an. »So wie alle anderen.«

Aber gewiss nicht so wie ich, schießt es Roan durch den Kopf.

Als sie eine Anhöhe nahe der Lagergrenze erreichen, stoßen sie auf Saint. »Danke, dass du Roan hierher begleitet hast, Bruder Leibkoch.«

»Gern ... gern geschehen«, stammelt der Junge, dem die Gegenwart des mächtigen Mannes offensichtlich die Sprache verschlägt.

Saint wendet sich Roan zu und fordert ihn mit einem Kopfnicken auf: »Folge mir.«

Roan entgeht nicht die Enttäuschung des Jungen, als er ihn zurücklässt und Saint in die Dämmerung nachfolgt.

Schweigend steigen sie hinauf bis zur höchsten Lichtung innerhalb des Lagers. Roan schnappt überrascht nach Luft, als er in der grauen Vordämmerung fünfundsiebzig Männer erblickt, die in Reih und Glied stehen und in das dunkle Tal hinabschauen. Dessen Weite scheint vom Geräusch ihrer Atemzüge, dem langsamen Ein- und Ausatmen in völligem Gleichklang, erfüllt zu sein.

Die Faust zum Himmel emporgereckt, ruft Saint: »Für uns lässt Er die Sonne aufgehen! Für uns lässt Er den Tag anbrechen.«

Während alle anderen schweigend zusehen, reicht Bruder Wolf Saint eine Armbrust. Saint legt einen Pfeil ein, dessen Spitze mit Stoff umwickelt ist. Wolf setzt den Stoff in Brand und Saint schießt den brennenden Pfeil in den Himmel. Der Feuerpfeil surrt zunächst hoch hinauf, dann stürzt er herab und verschwindet.

Einen Augenblick lang herrscht Stille. Keiner spricht, keiner scheint zu atmen. Dann wird am äußersten Horizont ein Lichtstrahl sichtbar. Die Sonne. Die Brüder jubeln und rufen so laut, dass Roan die Ohren schmerzen. Saint erhebt die Hand. Die versammelten Männer verstummen.

»Ich danke Dir, Freund.«

Alle wiederholen: »Ich danke Dir, Freund.«

Die Brüder verbeugen sich tief vor der Sonne, auch Roan verbeugt sich. Es scheint fast, als klänge wie zur Antwort aus der Stille heraus ein Widerhall, aber als der Zug der Männer sich ins Lager zurückbewegt, ist der Bann gebrochen.

Roan hat gerade eine zweite Portion Haferbrei vertilgt, als Bruder Rabe erscheint. »Gut, du bist schon fertig. Es ist Zeit für deine Morgenübungen.«

Unterwegs hält Rabe an einem Brunnen inne und schöpft Wasser in ein Trinkgefäß. »Probier es. Das beste Wasser im Umkreis von dreihundert Meilen.«

Roan trinkt. »Es schmeckt gut«, sagt er höflich. Aber es hat einen metallischen Beigeschmack, ganz anders als das Wasser in Longlight. Dort schmeckte das Wasser frisch und angenehm.

»Völlig unbehandelt«, sagt Rabe stolz. »Es kommt vom Schnee in den Bergen. Diese Gegend ist einzigartig, völlig unberührt. Man kann das Wasser sogar aus dem Fluss trinken. In den Dörfern hingegen ist es schlimm. Alles ist vergiftet. Aber Wasser braucht doch schließlich jeder, nicht wahr?«

»Sagtet Ihr nicht, es sei Zeit für die Übungen?«

»Ja, ja, natürlich«, pflichtet Rabe Roan bei. »Wir sollten nicht herumtrödeln.« Er begleitet Roan zu einer Lichtung, auf der Bruder Wolf mit zwanzig Männern eine ausgefeilte Folge von Fußtritten und Armstößen übt. »Ich mache mich auf den Weg. Die Härte dieser edlen Krieger wirkt sich immer verheerend auf meinen Appetit aus.« Rabe grinst, klopft sich auf den Bauch und geht davon.

Bruder Wolf blickt auf und starrt Roan an. »Du kommst zu spät«, sagt er knapp. »Verspäte dich niemals wieder.«

Roan nickt und verkneift es sich, Rabe dafür verantwortlich zu machen.

»Strenge dich an und mache alles nach, was wir tun. Den Rest erkläre ich dir später.«

Wolf dreht sich um die eigene Achse, holt aus und sticht zu. Bei

jeder Bewegung atmet er laut und kräftig aus. Seine Schüler ahmen die Bewegungen wie auch das Geräusch nach. Trotzdem hört Roan die Grille in seiner Tasche zirpen.
Roan konzentriert sich auf die Bewegungen von Bruder Wolf. Obwohl er weiß, dass es nicht sein kann, kommen ihm die Übungen vertraut vor. Entschlossen und präzise führt er jeden Ausfall, jeden Tritt aus und verliert dabei jegliches Gefühl für Zeit und Ort, bis der Meister seine Schüler entlässt. In diesem Moment hört die Grille auf zu zirpen und Roan hält ebenfalls in seinen Bewegungen inne. Er ist erstaunt, wie hoch die Sonne schon am Himmel steht; der Vormittag ist im Nu verflogen.
Bruder Wolf ruft ihn zu sich. »Wo hast du diese Bewegungen gelernt?«
»Ich kenne sie nicht«, antwortet Roan. »Ich habe sie nur nachgemacht, so wie Ihr es wünschtet.«
Wolf mustert ihn verwundert, dann holt er aus einem Waffenständer ein Schwert hervor, das aussieht wie zwei gegeneinander gekreuzte Sicheln. »Hast du so etwas schon mal gesehen? Es ist ein Mondschwert.«
Roan starrt fasziniert auf die Waffe. So etwas ist ihm noch nie unter die Augen gekommen.
Wolf drückt Roan die Waffe in die Hand. »Ein Mondschwert hält man so«, erklärt er, bevor er nach einer Streitaxt greift. »Verteidige dich!«
Er lässt die Axt auf Roan herabsausen, der den Schlag instinktiv mit seinem Schwert abwehrt. Wolf tritt zurück und schwingt die Axt gegen Roans Kopf. Roan duckt sich, weicht dem Schlag aus und richtet sich auf, um den nächsten Schlag zu parieren.
Wolf hält seine Waffe hoch und ruft: »Greif an!«
Roan bleibt wie angewurzelt stehen.
»Greif an! Los!«
Roan schaut verwirrt drein. Er weiß, wie man einen Schlag abwehrt. Aber angreifen? So etwas war in Longlight verboten, nicht einmal im Spaß war es erlaubt.

Bruder Wolf lässt seine Waffe sinken und starrt Roan lange an. Roan glaubt eine Spur von Sorge in seinem Gesicht zu erkennen, aber Wolfs harte Gesichtszüge sind eine perfekte Maske. »Gutes Stehvermögen, hervorragende Reflexe, innere Ruhe. Du hattest wirklich niemals Unterricht?«

»Niemals«, murmelt Roan. Dann fallen ihm die Zeremonien bei Neumond und abnehmendem Mond in Longlight ein. Die Gesten und Bewegungen dafür hatten sie beinahe täglich geübt. »Nun, wir haben eine Reihe von bewegten Bildern geübt. Die steigende Flut ... Der Drache fängt seinen Schwanz ... Es war eine Art Tanz.«

»Dann bist du also ein Tänzer«, lacht Wolf, wird jedoch sofort wieder ernst. »Mit etwas Anstrengung könnte aus dir etwas werden. Für diese Disziplin braucht man Kraft, Schnelligkeit und Technik. Du hast das Zeug dazu, schnell zu sein, du hast eine Begabung für die Technik, aber du musst noch an deiner Stärke, deiner Ausdauer und deinem Geschick arbeiten. Ganz zu schweigen von der Entschlossenheit zum Angriff, die bei deiner Tanzausbildung offenbar keine große Rolle spielte.«

Roan fühlt, dass Wolf ein guter und gewissenhafter Lehrer ist, ohne die Arglist, die Bruder Rabe ausstrahlt. Dennoch stehen die Übungen mit ihm völlig im Widerspruch zu den Geboten von Longlight. Roans Eltern wären entsetzt. Wie kommt es dann, dass ihm diese Praktiken dennoch richtig erscheinen, ja ihm neue Kraft verleihen? Im Augenblick hängt sein Überleben davon ab, an diesem Unterricht teilzunehmen.

Bruder Wolf schenkt ihm ein Lächeln und lässt das Schwert sinken. Roan erwidert es; er lächelt zum ersten Mal seit seiner Ankunft im Lager der Bruderschaft.

Roan verlässt die Lichtung und macht sich auf den Weg zum Brunnen. Aus der Ferne sieht er, wie Bruder Wolf mit Saint spricht. Nach einigen Minuten verneigt sich Wolf und Saint geht zurück in sein Zelt. Roan fragt sich unwillkürlich, ob diese Unterredung ihm gegolten hat.

Er zieht den Eimer hoch und trinkt in langen Zügen. Es war ein gutes Gefühl, das Mondschwert in der Hand zu halten. Das Kämpfen, das man in Longlight so sehr verabscheute, scheint fast seine zweite Natur zu sein. Bei diesem Gedanken fühlt er sich schuldig und froh zugleich. Das restliche Wasser schüttet er sich über den Kopf. Es soll seine Anspannung wegspülen.
Er lässt sich gegen einen Baum sinken und schließt die Augen. Die Schneegrille krabbelt aus seiner Tasche, setzt sich auf seine Brust und zirpt.

Roan gegenüber, vom Mondlicht beschienen, steht die seltsame Kreatur aus der Vorzeit.
»Wer bist du?«, fragt er.
Er streckt seine Arme nach ihr aus, aber mit einer schnellen Handbewegung schlägt sie ihn zu Boden. Er springt auf, sie packt seinen Arm und wirft ihn wieder zu Boden und stellt die Hufe auf seine Brust. Roan wehrt sich, aber ihre Hufe sind stark.
»Lass mich los!«
»Dann zwing mich dazu«, flüstert sie.

Eine Glocke läutet und Roan erwacht im Flimmern der Nachmittagssonne. Die Aufregung der Vision ist noch nicht abgeklungen. Er kann sich nicht entsinnen, jemals einen so lebhaften und merkwürdigen Traum in Longlight geträumt zu haben. Aber vielleicht ist es gar nicht so ungewöhnlich, unheimliche Träume zu haben, wenn das Leben in Trümmern liegt.
Roan merkt, wie der Kummer wieder in ihm hochsteigt, und er ist dankbar, als Bruder Leibkoch ihn zu sich winkt. Er unterdrückt seine Gefühle und gesellt sich zu dem Jungen vor dem Kochzelt. Der verheißungsvolle Geruch nach Essen lässt Roans Magen knurren.
»Das mache ich am liebsten … Pass auf!«, ruft Leibkoch. Mit einem einzigen Griff zieht er einem Kaninchen das Fell ab, sodass das rosafarbene Fleisch zum Vorschein kommt.

Roan muss sich beinahe übergeben. In Longlight hat man Hühnereier und Ziegenmilch gegessen, aber es war undenkbar, das Fleisch von Tieren anzurühren. Doch nun, da er Fleisch isst, wäre es heuchlerisch, dem Anblick eines Tieres aus dem Wege zu gehen, dem das Fell abgezogen wird. Und wenn die Zeit für ihn gekommen ist, das Lager zu verlassen, wird es fürs Überleben sehr nützlich sein zu wissen, wie man Fleisch zubereitet. So zwingt er sich hinzusehen, obwohl sein Magen rebelliert. Leibkoch grinst.
»Ich kann es auch blind, mit einer Hand. Willst du mal sehen?«
»Nein, schon gut.«
»Du glaubst mir nicht.«
»Doch, das tue ich.«
Der Junge setzt das Messer am Hals eines weiteren Kaninchens an, dreht sich um, greift nach hinten, zieht und hält stolz das bluttriefende Fell hoch. »Nicht schlecht, wie?«
»Ich bin beeindruckt«, murmelt Roan.
»Komm«, sagt Leibkoch, »lass uns etwas essen.«
»Hab keinen Hunger.«
»Der kommt schon noch.« Leibkoch drängt Roan in das leere Kochzelt, führt ihn an den Tisch und schenkt ihm ein Glas Ziegenmilch ein. »Ich wette, du hast noch nie gesehen, wie einem Kaninchen das Fell abgezogen wird.«
»Woher weißt du das?«
»Du bist ganz grün im Gesicht.«
Roan lacht und nippt an der Milch. »Wie kommt es, dass du hier Koch geworden bist?«
Leibkoch schärft ein Messer und vermeidet es, Roan anzublicken. »Dazu tauge ich am besten.«
»Also hast du dir deine Arbeit selbst ausgesucht?«
Der schmächtige Junge unterdrückt ein Lachen. »Niemand sucht sich seine Arbeit selbst aus. Das bestimmt der Rat der Fünf, das sind die Brüder Saint, Rabe, Stachel, Wolf und Viper. Was mich angeht, habe ich ihnen die Entscheidung wohl leicht gemacht. Ich bin zu nichts anderem zu gebrauchen.«

»Das verstehe ich nicht.«
»Ich tue, was ich am besten kann«, sagt Leibkoch bestimmt.
Roan erkennt, dass die Angelegenheit heikel ist, und wechselt das Thema. »Ich weiß, wofür jeder der fünf zuständig ist, mit Ausnahme von Bruder Rabe. Hat er auch eine Funktion?«
»Ja. Sogar eine sehr wichtige.«
»Welche?«
Leibkoch schaut Roan wachsam an. »Er kümmert sich um geschäftliche Dinge.«
Roan nickt, er ist sich nicht ganz sicher, was er davon halten soll. »Hast du bemerkt, wie sein Atem riecht?«, fragt er Bruder Leibkoch.
Der Junge presst die Lippen zusammen.
Roan lässt nicht locker. »Weißt du, wonach er riecht?«
»Skorpionfusel.«
»Ist das ein Getränk?«
»Skorpionschwänze in Kornschnaps.«
»Bringt einen das nicht um?«
»Es enthält gerade so viel Gift um das Gehirn zu benebeln und einen schwindelig zu machen.«
«Aber Bruder Rabe mag es.«
Leibkoch gibt Roan ein Zeichen, näher zu kommen, und flüstert: »Ich habe gehört, wie Bruder Viper ihn getadelt hat, er trinke zu viel. Es ist schwer, an den Skorpionfusel ranzukommen, und normalerweise ist Viper der Einzige, der einen Vorrat hat – für medizinische Zwecke. Bruder Rabe kriegt nicht mehr als ein paar Schluck jede Nacht. Ich habe gehört, wie Bruder Stachel zu ihm gesagt hat: ›Ich möchte nicht wissen, was passiert, wenn man dir eine ganze Flasche in die Hand gibt.‹«
Roan zögert. Er fürchtet, sich in etwas einzumischen, das ihn nichts angeht.
»Was ist los?«, fragt der Koch.
»Ich weiß nicht … Vielleicht bilde ich es mir auch nur ein …«
»Was denn?«

»Bruder Rabe scheint mir überallhin zu folgen.«
Leibkoch lacht, wenn auch mit einem bitteren Unterton. »Wenn du mit der Milch fertig bist, lass das Glas stehen.«
Er geht aus dem Zelt und lässt Roan verwirrt zurück.
Roan schiebt das Glas beiseite und wendet sich um. Er ist erstaunt, als plötzlich ein Mann mit einem kurz geschnittenen schwarzen Bart vor ihm steht. »Ich bin Bruder Stachel«, sagt er und gibt Roan ein Zeichen ihm zu folgen.
Sieben in ihre Arbeit vertiefte Männer sitzen über einen Kreis gebeugt, der in einen riesigen, flachen Stein geritzt ist. Im Inneren des Kreises sind die Umrisse einer komplizierten Kohlezeichnung zu sehen. Obwohl das Bild schon zum Teil fertig gestellt ist, lässt sich nur schwer erkennen, was es darstellen soll.
Bruder Stachel sieht Roan auffordernd an. »Deine Farbe ist Siena.«
Er gibt Roan ein Sitzfell und fingerlose Handschuhe. Nachdem Roan sie übergezogen hat, reicht ihm Stachel einen kleinen röhrenförmigen Trichter und einen Topf mit rotbraunem Sand.
»Wozu dient das?«, fragt Roan.
»Die Brüder üben auf diese Weise Geduld, Ausdauer und Konzentration. Wo in der Vorlage kleine Diamanten sind, dorthin streue deine Farbe. Das sind die letzten Worte, die ich heute mit dir sprechen werde.«
Der Rest des Nachmittags vergeht in völliger Stille, jeder Freund klopft sachte auf seinen Trichter und lässt Körnchen um Körnchen auf den vorbestimmten Platz fallen. Roan versucht sich auf die Aufgabe zu konzentrieren, doch seine Gedanken schweifen ab.
Stowe streckt die Arme nach ihm aus. Roan greift nach ihr. Sie ist ganz nahe, aber bevor er ihre Fingerspitzen berühren kann, saust die knöcherne Keule des Reiters herab.
Roan zwingt seine Gedanken mit Gewalt in die Gegenwart zurück, doch es ist zu spät. Der Sand ist zu schnell ausgelaufen und rieselt über die vorgezeichneten Konturen hinaus. Bruder Stachel bemerkt es, sagt jedoch nichts.

Es erweist sich als äußerst mühsam, den Fehler zu korrigieren, und Roan ist erleichtert, als kurz vor Sonnenuntergang die Glocke läutet. Seine Gelenke sind steif und schmerzen, so als habe er eine ganze Woche lang über dem Bild gesessen, und das, obwohl kaum ein Fortschritt erkennbar ist. Die Sandmaler erheben sich und verneigen sich tief. Dann nimmt jeder von ihnen eine Fackel und sie machen sich auf zu dem Hügel im Westen des Lagers. Roan folgt ihnen. Auf der Anhöhe ist die Bruderschaft versammelt. Alle Augen richten sich auf die Sonne, die über dem Horizont schwebt. Bruder Viper steht ganz vorne; auch er hält eine nicht entzündete Fackel in der Hand.

»Das Licht stirbt um aufs Neue zu leuchten.«

Die Brüder antworten. »Sein Licht lebe immerdar.«

Die Sonne geht unter und schießt rot glühende Strahlen in den Himmel. In dem Augenblick, in dem sie am Horizont versunken ist, entzündet Bruder Viper die Fackel. »Wir leben durch das Licht des Freundes.«

Während nun alle ihre Fackel an der von Bruder Viper entzünden, verwünscht Roan sein Unglück. Denn Bruder Rabe hat sich genau vor ihm eingereiht. »Da bist du ja! Habe ich dich gerade noch rechtzeitig erwischt. Bruder Saint lädt dich ein, mit ihm in seinem Quartier zu Abend zu essen.«

»Danke, Bruder. Ich kenne den Weg«, sagt Roan.

Aber Rabe grinst kumpelhaft und schlendert mit ihm weiter. »Welch ein eindrucksvoller erster Tag für dich! Meiner unmaßgeblichen Meinung nach bist du der interessanteste Neuling, der uns seit Jahren über den Weg gelaufen ist.«

»Ich fühle mich geehrt, Bruder Rabe.«

»Kleiner Bruder, die Ehre ist ganz auf meiner Seite – in der Gegenwart von jemandem zu sein, der vom Propheten so hoch geschätzt wird. Sag mir, Roan, was hat dir heute besser gefallen, das Kämpfen oder das Sandmalen?«

»Ich weiß nicht. Ich nehme an, beides ist zu etwas gut.«

»Ganz sicher. Und wozu bist du gut?«

»Ich weiß nicht, was Ihr meint.«
»Jeder ist ganz sicher zu irgendetwas gut. Welchen Sinn sollte sonst unser erbärmliches Leben haben?«
»Vielleicht bin ich zu jung um darüber Bescheid zu wissen«, erwidert Roan. »Was ist der Sinn Eures Lebens, Bruder Rabe?«
»Warum fragst du? Dem Freund zu dienen natürlich.«
Roan wählt seine Worte mit Bedacht. »Vielleicht wird mein Leben auch diesen Sinn bekommen, wenn ich erst mehr über den Freund erfahren habe.«
»Das wird es bestimmt. Ich wüsste doch zu gerne, mein lieber Freund, weshalb Saint dich zum Essen einlädt.«
»Ich vermag seine Gründe nicht einmal zu erahnen.«
»Ja, ja, Saint hat immer seine Gründe. Aber nun hast du meine ganzen Hoffnungen zerstört, etwas Licht in diese Angelegenheit zu bringen.«
»Ich wünschte, ich könnte von größerem Nutzen sein.«
»Hmm, ich auch.« Auf Bruder Rabes Gesicht macht sich ein gönnerhaftes Lächeln breit. »Es ist so nützlich, Freunde zu haben.«
Roan ist dankbar, als sie Saints Zelt erreichen.
»Gib Acht, dass du dein Licht nicht allzu hell erstrahlen lässt«, warnt ihn Rabe.
Trotz seiner Nervosität ist Roan froh, als er endlich den düsteren, schmalen Eingang betritt. Er geht durch mehrere leere Vorzelte und folgt einem schwachen Lichtschein, der ihn in einen großen Raum führt, der sich an das Hauptzelt anschließt. Er ist erstaunt, dass in der Mitte ein Feuer brennt, dessen Rauch durch eine Öffnung nahe der Zeltspitze abzieht. Saint sitzt auf einem Teppich, der mit Schlangenbildern geschmückt ist. Überall liegen Bücher verstreut und Saint stöbert in ihnen.
»Schön, dass du hier bist. Sage mir, Roan, was steht in diesen Büchern?«
Roan kniet sich auf den Teppich und hebt einen Band auf. »Das ist *Alice im Wunderland*.«
»Lächerlich. Was sonst?«

Roan hebt ein anderes Buch auf. »Dies ist die Bibel.«
Saint nimmt es ihm aus der Hand, befühlt es, riecht daran. »So also riecht der alte Gott.«
»Möchtet Ihr lernen, ein Kapitel daraus zu lesen?«
»Häresie und Lügen«, knurrt Saint und wirft das Buch in die Flammen. Roan springt auf und entreißt es dem Feuer; mit seiner Kleidung erstickt er die Flammen. In Longlight wurden Bücher als Schatz gehütet. Allein der Gedanke, Bücher zu verbrennen, macht Roan wütend.
»Unser Freund ist der erste und der letzte Gott. Hier ist kein Platz für heidnische Lügen. Wirf das Buch wieder ins Feuer«, befiehlt Saint.
Roan zögert, bezähmt seine Wut. »Dieser Text ist viele tausend Jahre alt. Er berichtet von zwei der großen Religionen, vom Ringen und den Visionen ihrer Propheten.«
Saint schweigt, denkt über die Worte des Jungen nach. Dann sagt er: »Du hast einen scharfen Verstand und ich möchte nicht mit dir streiten. Leg das Buch in diese Kiste hier.«
Roan ist zufrieden und legt die Bibel in einen großen Kasten, in dem sich schon ein Stapel anderer Bücher befindet. Auch einige Haarlocken, die mit einem Band zusammengebunden sind, befinden sich darin, ebenso Spielsachen: ein Spielreif, eine Rassel, ein Holzkreisel.
»Sind hier auch Kinder?«
Saint zögert einen Augenblick, bevor er antwortet. »Hier nicht.« Dann befiehlt er: »Such mir ein Buch aus.«
Roan nimmt ein Buch nach dem anderen zur Hand, liest Saint den Titel vor, beschreibt kurz den Inhalt. Sapphos Liebesgedichte, *Frankenstein*, *Hamlet*, ein Reparaturhandbuch für einen Volkswagen Käfer, Dostojewskis *Schuld und Sühne*, Platons *Staat*, eine Michael-Jackson-Biografie, *Die Biologie der Orcas*, das *Kamasutra*. Dutzende von Büchern. Aber Saint murmelt immer nur: »Nutzlos!«
»Nach welcher Art von Büchern sucht Ihr?«, fragt Roan entnervt

und bedauert es im gleichen Augenblick, als Saint brüllt: »Etwas, das ich gebrauchen kann!«
Roan durchstöbert die staubigen Bände, bis er auf eine Geschichte des Verbrennungsmotors stößt. »Das ist schon besser«, sagt Saint, der das Buch durchblättert und dann in den Kasten legt. »Du bist auf dem richtigen Weg. Mach weiter.«
Roan findet noch ein abgenutztes Buch. »Hier ist etwas über Bodenentgiftung.« Er schlägt es auf, dabei schnürt sich ihm die Brust zusammen. »Das ist aus der Bibliothek meines Vaters«, sagt er und seine Augen fangen an zu brennen. Er erinnert sich daran, wie sein Vater über das Buch gebeugt Notizen machte. *Ich berühre, was du berührt hast, Vater.* Saints Stimme reißt ihn aus seinen Gedanken. »War der Boden in Longlight verseucht?«
Roan atmet tief durch, versucht seine Trauer zu unterdrücken. »Ja. Als die Gründer kamen, lernten sie aus diesem Buch, welche Pflanzen Bakterien produzieren, die die Erde entgiften.«
»Gut, dann setzen wir das Buch auf unsere Liste«, sagt Saint. Er zeigt auf einen Band mit Goldprägung. »Was ist das?«
»Es ist die Geschichte der Qin-Dynastie in China«, gibt Roan zur Antwort und blättert einige Seiten des dicken Buchs um. »Im Jahre 221 vor Christus hat dort ein Fürst alle anderen Kriegsherren besiegt und ein Reich gegründet.«
»Wo lag China?«, fragt Saint.
»Das war ein sehr altes, riesiges Land auf der anderen Seite des großen Ozeans. Dieser Mann, er nannte sich Kaiser Qin Shi, war der Erste, der das Land einte.«
»Gut, lies das vor.«
Roan schlägt die Titelseite auf und zeigt Saint das erste Wort: »Die«. Saint starrt auf das Wort.
»Kennt Ihr die Buchstaben?«, fragt Roan.
»Natürlich kenne ich die Buchstaben«, sagt Saint kurz angebunden.
»Das *i* und das *e* bilden zusammen einen Laut, ein langes *i*«, erklärt Roan. Saint betrachtet die Buchstaben. Nach kurzem

Schweigen wendet er sich Roan zu. »Wie hat er die anderen Kriegsherren besiegt?«
Roan sucht im Inhaltsverzeichnis. »Das steht erst in Kapitel drei. Es wird noch etwas dauern, bis wir dahin kommen. Lest das erste Wort vor.«
Saint zuckt mit den Schultern. »Fangen wir mit Kapitel drei an.«
»Wir sollten zunächst die ersten beiden lesen, ohne sie …«
»Kapitel drei. Sofort.«
»Kapitel drei ist nicht einfacher als die anderen.«
»Das spielt keine Rolle. *Du* wirst vorlesen.«
Ein Blick auf Saints gebieterische Miene überzeugt Roan davon, dass er am besten sofort anfangen sollte zu lesen, ganz gleich welche Gründe Saint auch haben mag. Und so beginnt er die Geschichte von Kaiser Qin Shi vorzutragen. Fasziniert und angewidert zugleich liest er, wie der Kaiser Spione ausschickte, die seine Gegner aufspüren sollten, wie er seine Rivalen mit Terror einschüchterte und wie er glänzende Schlachtpläne entwarf, um seine Feinde zu vernichten.
»Ein brillanter Kopf, sehr einfallsreich«, seufzt Saint.
»Mag sein.«
Saint sieht Roan scharf an. »Bist du nicht meiner Meinung?«
»Ich weiß nicht: so viele Grausamkeiten, so viele Morde.«
»Ja«, sagt Saint, »in Longlight hat man so etwas von dir fern gehalten. Aber auf der Welt gibt es viele Menschen wie Kaiser Qin Shi, und je mehr wir wissen, desto besser sind wir gegen sie gewappnet. Genug für heute. Wir machen morgen mit dem Buch weiter.«
»Ihr wollt also nicht, dass ich Euch beibringe …«
»Die Zeit ist knapp, Roan von Longlight. Wir nützen sie besser, wenn du mir vorliest. Nun wollen wir aber essen.«
Roan folgt Saint in einen kleineren Raum mit Baldachin. Auf einem Tisch stehen gebratenes Kaninchenfleisch und Kartoffeln. Saint bedeutet Roan sich zu setzen, zerlegt das Fleisch und legt auf jeden Teller einen etwas zu lange gerösteten Schenkel.

»Danke«, murmelt Roan. Er folgt Saints Beispiel, nimmt das Fleisch in die Hand, beißt hinein und würgt es hinunter.
»Du warst sehr gut in der Übungsstunde heute Morgen«, sagt Saint.
Roan beobachtet Saint, wie er das Fleisch verschlingt. »Bruder Wolf ist ein sehr guter Lehrer. Er hat es mir leicht gemacht, seine Bewegungen nachzuahmen.«
Saint sieht Roan forschend an. »Ohne jegliche Erfahrung hast du mit einigen seiner talentiertesten Schüler mitgehalten.«
»Ich hoffe, ich habe dadurch niemanden verärgert.«
Saint lacht. »Natürlich nicht. Du bist begabt.«
»Das wusste ich nicht.«
»Deine Leute müssen von deinen Fähigkeiten gewusst haben. Warum haben sie nicht mehr getan um dich zu schützen?«
Die Bemerkung verwirrt Roan; krampfhaft versucht er aus Saints Worten schlau zu werden.
»Ich verstehe nicht.«
»Der Freund lehrt uns, dass das Leben wertvoll ist und man es verteidigen muss. Das ist keine Sünde. Du bist ein hervorragender Kämpfer. Du erreichst spielend, was andere sich mühsam erarbeiten müssen. Das ist kein Zufall, sondern eine Begabung. Du hast diese Begabung schon seit jeher, sie hätte gefördert werden müssen. Wenn du sie unterdrückst, schadest du dir selbst.«
Draußen vor dem Zelt ist Hufgeklapper zu hören. Leute steigen vom Pferd. Saint wischt sich die Finger an einem Tuch ab und legt seine Hand auf Roans Schulter. »Ich freue mich auf morgen.«
In der kalten Nachtluft stößt Roan beinahe mit einem riesenhaften Hengst zusammen. Dampf steigt aus seinen großen Nüstern. Am Sattel hängt eine Armbrust. Roan starrt auf die gewaltige Waffe und auf die Gruppe von vier kampferprobten Brüdern. Ihre Mäntel sind schlammverschmiert, Schwerter hängen von ihren Gürteln. Die Männer blicken ihn aus reisemüden Augen an. Roan nickt ihnen zu, als Saint, ein imposanter Schatten vor dem Eingangslicht, sie auffordert einzutreten.

Roan bleibt noch etwas und tätschelt liebevoll die Nüstern des Pferdes. Die Kälte lässt ihn frösteln. Zum ersten Mal in seinem Leben stellt er etwas in Frage, was ihm bisher als unumstößlich galt. Würden die Menschen in Longlight noch leben, wenn sie gewusst hätten, wie man sich selbst verteidigt? Warum lehnten sie das Kämpfen so entschieden ab? Warum erschienen ihm ihre Grundsätze damals so weise und jetzt so töricht? Und worin genau besteht seine Begabung? Wusste sein Vater von ihr? Würde er, nach allem, was passiert ist, es missbilligen, dass Roan diese Begabung jetzt nutzt?
Roan weiß, dass er Saint und seinen Schmeicheleien nicht trauen darf. Aber warum sollte er sich nicht so viele Kenntnisse wie möglich aneignen, solange er hier ist? Saint hat behauptet, dass Roan außerhalb des Lagers nicht ohne seinen Schutz überleben würde, und er spürt unwillkürlich, dass er Recht hat. Es gibt so viel, was er nicht weiß.
Plötzlich bemerkt Roan Bruder Rabe. Doch dieser kommt nicht näher, deshalb tut Roan so, als habe er ihn nicht gesehen. Allein geht er zu seinem Zelt zurück. Er wird einige der Übungen wiederholen, die er am Morgen gelernt hat. Das kann sicher nicht schaden.

Das Schicksal des Propheten

Es wird berichtet, dass unsere Welt einst von Botschaften funkelte, die von Lichtstrahlen übermittelt wurden und Tausende von Städten verbanden. In den Kriegen wurde das Licht ausgelöscht und es blieb nur eine einzige Stadt übrig. Unsere Stadt. DIE Stadt.

Orins Geschichte des Freundes

Der erste Bote des Frühlings ist der Löwenzahn, der der harten Erde trotzt. Der Boden rings um das Lager der Freunde ist noch nicht ganz aufgetaut, aber er grünt üppiger als alles, was Roan bisher gesehen hat, jede Pflanze wird gesammelt und verspeist. Wie Roan erfreut sich die Schneegrille besonders an den zarten neuen Blättern, die Brüder hingegen interessieren sich für die Blüten, die sie zu Wein vergären. Es gibt viel zu tun. Die Pferde müssen gepflegt und trainiert werden, die immer gleichen Hausarbeiten sind zu erledigen, Waffen müssen geschmiedet und ausgebessert werden, Feldarbeiten stehen an. Während der vergangenen Monate hat Roan erfahren, dass jeder der Brüder seine ganz spezielle Aufgabe hat. Er selbst geht seinen Pflichten mit erstaunlicher Gelassenheit nach. Das lenkt ihn von der Trauer, dem Zorn und der Verwirrung ab, die ihn seit der Zerstörung von Longlight verfolgen. Aber nachts kann er diesem Schmerz nicht entrinnen, wenn ihn die Erinnerung an seine Eltern überkommt, an Stowe und an all die anderen, die er geliebt hat.

Heute steht wie an jedem Morgen Kampftechnik mit Bruder Wolf auf dem Programm. Wolf zeigt seinen Schülern ausführlich die wichtigen Angriffspunkte: Körperzonen, bei denen ein gut gezielter Schlag den Gegner dauerhaft außer Gefecht setzen oder töten kann. Roan hat diese Lektionen nie in Frage gestellt, obwohl er daran zweifelt, dass das Erlernte nur der Verteidigung dient. Er feilt hart an seiner Kampftechnik während des Unterrichts mit Bruder Wolf, aber früh am Morgen oder spät in der Nacht, wenn er in seinem Zelt ist, übt er ganz allein für sich. Diese Einzelübungen sind Teil eines anderen Geheimnisses, das er mit sich herumträgt: das Geheimnis dessen, was in seinen Träumen geschieht. Die Träume kommen unerwartet, manchmal im Schlaf, manchmal im Wachen.

Der Berglöwe läuft drohend auf Roan zu. Plötzlich hat Roan ein Mondschwert in der Hand. Der Berglöwe springt, seine Krallen reißen Roans Haut auf. Roan schwingt die Waffe, schlitzt ihm das Bein auf. Das Tier verbeißt sich in Roans Kehle, lässt ihn blutüberströmt auf dem Gras liegen.
»Halte dich nicht zurück«, fordert der Berglöwe ihn auf.
»Aber ich werde dich töten«, flüstert Roan.
»Du musst tun, was nötig ist. Versuche es noch einmal.«
Roans Blut fließt in seinen Körper zurück, die Wunde schließt sich. Er steht da mit dem Schwert in der Hand. Der Löwe springt.

Der Traum kommt immer wieder. Roan hat gelernt, kräftig und schnell zuzuschlagen, ihm gelingt es, das große Tier ebenso oft zu besiegen, wie er selbst niedergeschlagen wird. Aber er möchte sein Können nicht vor Bruder Wolf zeigen. Er fühlt sich innerlich zerrissen, weil er etwas vor seinem Meister verbirgt. Vielleicht wird er sich eines Tages sicher genug fühlen, um Bruder Wolf zu zeigen, wie geschickt er wirklich ist. Er würde gerne das erstaunte Gesicht seines Meisters sehen.
Jeden Nachmittag widmet sich Roan den Sandzeichnungen mit

Bruder Stachel. Seine Ergebnisse sind inzwischen zufrieden stellend, doch er musste sich diesen Erfolg hart erarbeiten. Anfangs fehlte ihm die Geduld, stundenlang im Schneidersitz zu verbringen und Sandkorn um Sandkorn zu platzieren. Anstatt sich auf die Arbeit zu konzentrieren, rutschte er unruhig hin und her und seine Gedanken schweiften ab zu der schrecklichen Erfahrung am Feuerloch oder zu dem Augenblick, als seine Schwester von seiner Hand gerissen wurde, oder zu den Kämpfen mit dem Löwen im Traum. Dabei konnte es nicht ausbleiben, dass ihm der Trichter entglitt und der rotbraune Sand sein Ziel verfehlte. Bruder Stachel blickte ihn dann ernst und unbewegt an.
Aber eines Tages, als Roan sich wieder einmal auf die herabrieselnden Sandkörner zu konzentrieren versuchte, bewegte sich die Schneegrille in seiner Tasche. Davon aufgeschreckt, entfiel ihm beinahe der Trichter. Aber etwas hatte sich verändert. Ein tiefes Gefühl der Ruhe überkam Roan und seine Augen hefteten sich auf den Auslauf des Trichters. Als er sachte darauf klopfte, rieselte der Sand, und zu seinem Erstaunen konnte er jedes Sandkorn einzeln sehen. Es schien, als ob die Körner größer geworden wären. Roans Augen folgten ihnen mit solcher Genauigkeit, dass sie in der Luft stehen zu bleiben schienen, gleichsam schwebten. Ihm war, als würde er seine Augen zum allerersten Mal gebrauchen, um wirklich zu *sehen*. An diesem Nachmittag war Roan erstaunt, als die Glocke das Ende der Sitzung einläutete. Drei Stunden waren ihm vergangen wie fünf Minuten. Bruder Stachel schenkte ihm die Andeutung eines Lächelns, und von diesem Augenblick an nahm er Roan unter seine Fittiche, zeigte ihm, wie er seine Aufmerksamkeit und Konzentration noch weiter steigern konnte. Stachel ist ein verschlossener Mensch, aber Roan kann seine Wärme spüren.
Nach dem Sandmalen verbringt Roan die meiste Zeit mit Bruder Viper. Dessen sanftes Wesen und Wissbegier erinnern ihn an die Erwachsenen in Longlight; unter allen Brüdern ist er Roan der liebste.

Saint hat Roan aufgefordert, Viper das Buch seines Vaters über die Entgiftung des Bodens vorzulesen, und Bruder Viper hört eifrig zu.

»Mein Junge, es ist ein Segen für uns, dass du hier bist. Auch vielen anderen, die unter unserer Obhut sind, wird das Wissen, das du mit uns teilst, nützen.«

Viper nimmt Roan mit hinaus, um Heilkräuter zu suchen, und in der Zeit, die sie zusammen verbringen, hat Roan Gelegenheit, die Umgebung des Lagers zu erkunden und einen Blick auf das Land jenseits der Befestigungen zu werfen. Dennoch ist er noch nie über den Verteidigungswall hinausgekommen und mit der Zeit wächst seine Unruhe.

An einem sonnigen Nachmittag legt Roan Sandkörner auf den Stein und fühlt sich dabei so ruhig wie noch nie, seit er Longlight verloren hat. Der Duft von jungem Grün liegt in der Luft, die Grille zirpt leise in seiner Tasche und seine Arbeit nimmt ihn völlig gefangen. Aber dieser idyllische Augenblick wird gestört, als ihn Saint unerwartet rufen lässt. Wenn Saint nicht einen seiner Handelszüge unternimmt, ist Roan häufig in seiner Gesellschaft, doch stets am Abend. Roan isst gewöhnlich mit ihm, danach liest er ihm vor bis tief in die Nacht hinein. Monate sind inzwischen vergangen, aber sie befassen sich noch immer mit der Geschichte des Kaisers Qin Shi. Besessen von diesem Thema, besteht Saint darauf, jedes Kapitel wieder und wieder durchzugehen, und lernt dabei viele Textpassagen auswendig. Es macht ihm Freude, die Schlachten, die im Buch beschrieben werden, mit Hilfe von Steinen und einfach skizzierten Karten nachzustellen und dabei über die Fehler zu diskutieren, die die Verlierer begangen haben. Zu seinem eigenen Erstaunen findet auch Roan Gefallen an dem Spiel. Er ist ein einfallsreicher Stratege, er setzt geschickt imaginäre Truppen ein, sieht Angriffe voraus und unternimmt Blitzaktionen.

Als er sich Saints Zelt nähert, fällt ihm ein, wie er eines Abends,

nach einem seiner geschickteren Angriffe, die Hälfte von Saints »Armee« zerstörte. Saint schüttelte erstaunt den Kopf. »Wo hast du das gelernt? Ich habe im Buch nichts dergleichen gefunden.«
»Ich habe mit meinem Vater Schach gespielt. Ein Spiel, das diesem hier ähnelt.«
Saint lächelte. »Abgesehen davon, dass die Steinchen in Wirklichkeit Menschen sind. Menschen, die unter Qin Shi starben. Menschen, die auch unter meinem Befehl sterben könnten.«
Roan verstummte. Er erkannte die tiefere Wahrheit, die in diesem Satz lag. Er half Saint dabei, Kriegstaktiken zu entwerfen, Feinde zu fangen und zu töten. Menschliche Wesen.
Aber obwohl er die tödliche Absicht hinter diesem Spiel erkennt, treibt es ihn weiterzuspielen, und wenn überhaupt, dann wird er heute gewinnen.
»Ihr habt nach mir geschickt, Bruder?«, fragt Roan, als er das Zelt des Propheten betritt.
»Heute beenden wir die Geschichte von Kaiser Qin Shi«, kündigt Saint an und reicht Roan das Buch. Roan kann es kaum glauben, dass dieser Augenblick endlich gekommen ist. Er liest bis zur letzten Seite, klappt das Buch zu und seufzt.
Saint saß die ganze Zeit über gebeugt auf dem Teppich und schärfte ein langes Schwert. Jetzt wendet er sich Roan zu. »Lies mir das Kapitel vom Bau der Großen Mauer vor«, befiehlt er.
Roan verzieht das Gesicht. »Ich dachte, Ihr kennt es auswendig.«
»Das tue ich auch, aber ich war auf deinen Gesichtsausdruck gespannt, als ich es sagte.«
Saint steht auf und hält das Schwert hoch, schwingt es langsam durch die Luft. Dabei wirkt er riesenhaft, unbesiegbar. Er senkt das Schwert, kommt näher und sagt in ruhigem, vertraulichem Ton: »Wenn Qin Shi sein Volk nicht dazu gezwungen hätte, die Mauer zu bauen, und die Nomadenvölker wären eingedrungen, wäre das Leid der Menschen noch viel größer gewesen, meinst du nicht auch?«
»Das ist möglich«, gesteht Roan ein.

»Er tat das zum Wohl seines Volkes. Jeder stirbt, der sich nicht wirksam verteidigen kann. Das solltest du am besten wissen.«
Roan grübelt still vor sich hin.
»Der Mann war schlau«, sagt Saint.
Roan fordert ihn heraus: »Warum ließ er dann Bücher verbrennen und Gelehrte lebendig begraben oder ließ sie beim Bau der Mauer umkommen?«
»Die Meister der Stadt haben es ebenso gemacht. Du weißt, wovon ich spreche?«
»Ich weiß, dass sie die Kriege geführt und gewonnen haben.«
»Genau. Sie machten es wie Kaiser Qin Shi. Als sie die Macht übernahmen, zögerten sie nicht durchzugreifen. Denken führt zu unterschiedlichen Meinungen. Merze die Denker aus und du beherrschst das Volk. Deshalb schlossen sie die Schulen, verbrannten die Bücher und töteten jeden, der über Wissen verfügte, das nicht zu ihren Absichten passte. Das ist der wahre Grund, weshalb niemand lesen kann und wir in Unkenntnis und Verwirrung leben.«
Saint klopft Roan auf die Schulter. »Es ist noch hell genug. Komm mit mir. Höchste Zeit, dass du etwas flügge wirst. Ich zeige dir den Kahlen Berg.«
Er gibt Roan einen Mantel aus Ziegenleder und sie gehen nach draußen zu einem kleinen Unterstand hinter Saints Zelt. Saint zieht die Ölplane vom Eingang weg und schiebt sein Motorrad heraus. Er macht Roan ein Zeichen aufzusteigen, startet den Motor und sie brausen davon.
Das erste Mal, als Roan auf dem Motorrad saß, war er bewusstlos. Diesmal ist er hellwach und es ist aufregend, wie der Wind und die Landschaft vorbeirauschen. Saint fährt zum Kahlen Berg und folgt einer Spur, die im Unterholz kaum zu erkennen ist. Der Wald, der hier einst stand, ist schon lange abgestorben und die Stümpfe der uralten Bäume sind mit wucherndem Unkraut überzogen. Roan kennt das Gewächs. Kriechlianen. Ihre schwarzen Dornen verursachen nässende, tödliche Verletzungen. Auf

dem Gipfelplateau des Kahlen Bergs steigen sie vom Motorrad ab.
»Wenn wir weiterfahren würden bis zum Tal auf der anderen Seite, kämen wir ins Wüste Land«, sagt Saint grimmig.
»Ich weiß aus Erzählungen, was passiert ist. Ist es immer noch vergiftet?«
»Das kann ich dir nicht sagen. Von dort ist nie jemand zurückgekehrt, der etwas hätte berichten können.«
Saint führt Roan zu einer steil abfallenden Felswand. In der Weite, die sich vor ihnen erstreckt, deutet er auf einen Fluss, der sich meilenweit dahinschlängelt. In der Ebene verstreut liegen Dutzende kleiner Dörfer.
»Alles diesseits des Flusses, von diesem Berg aus und entlang der Ebene – die Dörfer, die Menschen, jeder Grashalm –, alles steht unter dem Schutz des Freundes.«
»Und was ist auf der anderen Seite des Flusses?«
»Jene Seite des Flusslands gehört dem Lee-Clan: Marodeure, brutale, gedungene Mörder. Und noch weiter im Süden erstreckt sich das Gebiet der Fandors, das sind die Schlimmsten und Blutrünstigsten von allen. Drei weitere Kriegsherren, einer bösartiger als der andere, herrschen über das Land hinter dem Horizont. Alle gieren nach Beute oder Tribut. Einer von ihnen hat Longlight verwüstet.«
Roan atmet schwer. Er versucht ruhig zu bleiben und kann doch nicht gegen die ungewohnte Erregung ankämpfen, die in ihm hochsteigt. »Ich möchte wissen, wer es war.«
Der große Mann verzieht das Gesicht zu einem düsteren Lächeln. Bilder stürzen auf Roan ein: vom Mann mit dem roten Totenkopf, der Stowe von ihm wegriss, von den zerschmetterten Toren Longlights, von den Knochen, die im Feuerloch wirbelten. Die Erinnerungen überwältigen ihn und schüren zugleich sein Verlangen nach Vergeltung. Er schaudert und schaut hinab. Das Tal spiegelt wie eine Landkarte Saints ehrgeizige Absichten wider. »Ihr wollt sie besiegen.«

»Der Freund lehrt uns, dass wir verpflichtet sind, das Chaos zu beenden. Um das zu erreichen, muss der Wille eines einzigen Herrschers durchgesetzt erden. Meine Aufgabe ist es, dafür zu sorgen, dass der Freund dieser Herrscher ist. Für dieses Vorhaben brauchen wir dich hier bei uns, denn mit den Büchern bringst du uns Wissen. Mit diesem Wissen verfügen wir über die geheime Waffe der Strategie und können die Taktik unseres Gegners voraussehen. Die Kriegsherren zu besiegen wird nicht schwierig sein. Die Geschichte von Qin Shi und unsere Planspiele haben mich auf ein paar hervorragende Gedanken gebracht. Aber die Stadt einzunehmen, das ist die Herausforderung. Die Stadt ist der wahre Feind, die Wurzel allen Übels, an dem wir alle leiden. Dort liegt die Ursache für den Untergang von Longlight.«

»Und welche Ursache ist das?«

Saint wendet seinen Blick nicht vom Tal ab. »Ich kenne die Antwort noch nicht, aber ich werde sie finden. Eines weiß ich schon jetzt: Die Stadt nimmt sich, was sie will, und zerstört den Rest. Von sich aus hätte keiner dieser Clans Longlight verwüstet. Nein, sie hätten vielleicht Sklaven genommen und Frauen geschändet, aber sie hätten die anderen am Leben gelassen und Tribut verlangt.«

»Ihr glaubt, die Mörder handelten im Auftrag der Stadt?«

»Das Flussland ist für die Stadt ein Ärgernis. Während der Kriege ist es der Stadt niemals gelungen, diese Gegend völlig zu unterjochen, aber sie lassen nicht von diesem Vorhaben ab. Keiner von uns ist sicher, solange die Stadt herrscht.«

»Aber habt Ihr nicht Euer Motorrad aus der Stadt und ebenso das Benzin und die Zelte?«

Saint lacht. »Wir treiben Handel mit der Stadt. Wir haben keine andere Wahl. Sie kontrolliert alles, was produziert wird. Wir kaufen ihnen Sachen ab, ja, aber dabei sammeln wir auch Informationen. Wir finden heraus, wie die Stadt arbeitet, wo ihre Schwachstellen sind. Je mehr Einblick man in ihre Beschaffenheit hat, desto mehr versteht man. Das wird entscheidend sein in unserem letzten Kampf.«

»Und wie soll eine Gruppe von fünfundsiebzig Leuten eine ganze Stadt einnehmen?«

Ein seltsam entrückter Blick tritt in Saints Augen. »Ich stand genau hier, als es geschah, Roan.«

»Als was geschah?«

»Ich kam voller Verzweiflung an diesen Platz, fühlte mich wehrlos angesichts der Macht und der Unbarmherzigkeit der Stadt. Wir Bewohner des Flusslands wurden verstreut, waren verloren, Gefangene von engstirnigen Kriegsherren, die niemals aufhörten, sich gegenseitig zu bekämpfen. Ich kam hierher um mit allem Schluss zu machen, angewidert von dem, was ich um mich herum sah. Gerade als ich mir das Schwert an die Brust gesetzt hatte, wurde ich von einem weißen Feuer geblendet. Ich sah Ihn. Den Freund. Er trat aus den Flammen und eröffnete mir, was ich tun musste: in Seinem Namen eine Armee aufstellen und in Seinem Namen die Menschen befreien. Er versprach mir, der Tag werde kommen, an dem ich Sein Volk zum Sieg über die Stadt führe.«

»War es ein Traum?«

»Siehst du die Dörfer? Dort wohnen Tausende, die gesehen haben, dass der Freund wahrhaftig ist. Sie werden sich uns anschließen, wenn die Zeit gekommen ist. Wäre es nur ein Traum gewesen, hätte es ihr Leben nicht verändert. Es ist die Tragödie von Longlight, dass sich die Menschen unserem Kampf nicht mehr anschließen konnten.«

»Ich glaube nicht, dass sie das getan hätten.«

»Das macht nichts. Ich brauche nur dich. Es war gewiss Sein Wille, dass ich dich trotz aller Gefahr gefunden habe.«

»Von welcher Gefahr sprecht Ihr?«

Saint weicht der Frage aus. »Alle großen Taten bergen Gefahren. Ohne sie gibt es keinen Wandel. Der Freund weiß, dass mir trotz aller Hilfe, die ich habe, die Kraft fehlt, den Feind zu überwinden.«

»Ihr seid stärker als alle Menschen, die ich bisher gekannt habe.«

Saint wendet sich ab, sein Blick ist verschleiert. »Roan, ich wuchs wie ein wildes Tier auf, nur darauf bedacht, zu überleben. Ungebildet und unwissend. Ich war ein Unmensch, ehe der Freund zu mir kam. Der Freund erhob mich, machte mich zum Propheten. Doch mir fehlte es noch immer an Weisheit. Deshalb wies er mir den Weg zu dir. Mit deinem Wissen und deinen ständig wachsenden Fähigkeiten als Krieger erscheint nun alles möglich.«

»Und wenn ich mich weigere zu kämpfen?«

»Longlight wurde ausgelöscht, eine unendlich grausame Tat. Soll der Mord an deinen Leuten ungesühnt bleiben?«

Roan bringt kein Wort über die Lippen, so überwältigt ist er von seinen Gefühlen.

»Was ich sage, widerspricht der Art, wie du erzogen wurdest. Aber ich spreche aus der Wahrheit. Ich sehe, wie du darauf brennst, dich an den Mördern deiner Eltern zu rächen, und ich sehe auch, wie du dich dieses Gefühls wegen schämst. Aber, Roan, man muss sich nicht schämen, wenn man nach dem rechten Weg sucht. Das ist der Kitt, der deinen Verstand, deine Seele und deine Fähigkeiten verbindet. Bekämpfe das, was du im Innersten wünschst, und du wirst schwach. Bleibe eins damit, und du wirst eine unglaubliche Kraft entfalten. Es wäre mir eine Ehre, an deiner Seite zu kämpfen.«

Warum braucht er mich um gegen die Stadt zu kämpfen?, überlegt Roan. Welche Gefahr ist es, die Saint droht?

Saint unterbricht seine Gedanken. »Du hast eine Grille.«

»Woher wisst Ihr davon?«, fragt Roan überrascht.

»Von Bruder Wolf. Die Grille zirpt während der Übungen.«

»Ich dachte nicht, dass man sie bei all dem lauten Rufen hören könnte.«

»Unterschätze niemals Bruder Wolf. Kann ich sie sehen?«

Roan öffnet seine Tasche. Die Grille liegt völlig regungslos da. Saint schaut geradewegs in ihre winzigen Augen. »Eine Schneegrille.«

»Habt Ihr schon einmal eine gesehen?«

»Nicht oft. Und nie in jemandes Tasche. Sie lässt es zu, dass du sie mit dir herumträgst?«
»Sie tut, was sie will.«
»Hat sie dich ausgewählt?«
»Ich weiß es nicht.«
Saint schüttelt den Kopf. »Roan von Longlight, du hast Geheimnisse vor mir.«
»Nicht absichtlich.«
Saint lächelt, dann wendet er sich um. Das Zwischenspiel ist beendet.
Die Fahrt bergab ist schnell und der Wind so schneidend, dass Roan sein Gesicht hinter Saints Rücken verbirgt. Als sie am Fuß des Berges angelangt sind, hält Saint an und springt vom Motorrad.
»Fahr du jetzt«, fordert er Roan auf.
»Meint Ihr das im Ernst?«
»Soll ich es mir anders überlegen?«
Ohne ein weiteres Wort setzt sich Roan auf den Fahrersitz. Saint zeigt ihm die Pedale, Griffe, Schalthebel, Gashebel und die Bremsen. »Los, versuche es.«
Roan gibt vorsichtig Gas und lässt langsam die Kupplung los. Das Motorrad macht einen Satz und er wird nach vorn geschleudert.
»Schalte in den nächsten Gang.«
Roan gehorcht, die Maschine stottert und reißt ihn beinahe vom Sitz. Er gibt mehr Gas. Das Fahrzeug schießt nach vorn. Roan lässt den Motor aufheulen, der Krach übertönt Saints Lachen.
Das Motorrad wird schneller. Sobald es ruhig läuft, schaltet Roan hoch, gibt mehr Gas, und schon saust er die Straße entlang. Jetzt, wo er selbst fährt, kommt ihm der Wind nicht mehr so schneidend vor. Roan beherrscht das wunderbare Gefährt, es röhrt, es rast dahin, es fliegt.
Nach einer Weile, als die Felsen und das Gestrüpp nur so an ihm vorbeiflitzen, bemerkt Roan, dass er Saint schon weit hinter sich

zurückgelassen hat. An einer ebenen lehmigen Stelle wendet er, wirbelt Staub dabei auf, gibt Gas und rast den Weg, den er gekommen ist, zurück, bis er Saint sieht, der ruhig dasteht und wartet. Dabei fällt ihm zum ersten Mal auf, dass es ihm noch nie in den Sinn gekommen ist zu fliehen.

Die Sonne steht tief, als Roan und Saint ins Lager zurückkehren. Sie beachten die neugierigen Blicke der Brüder und das Feixen von Bruder Rabe nicht. Saint lässt Roan absteigen und fährt zurück zu seiner Unterkunft.

Kaum ist Saint außer Sichtweite, als Bruder Leibkoch Roan verstohlen ins Kochzelt winkt. »Der erste Wein des Jahres. Zeit für eine Probe«, verkündet er. Der Junge schenkt jedem ein Glas Löwenzahnwein ein, schüttet jedoch einiges daneben.

»Wie ich sehe, hast du dich schon mit dem Wein beschäftigt«, stellt Roan amüsiert fest.

»Ich musste mich überzeugen, dass er schon trinkbar ist. Ich dachte, der Goldjunge sollte als Nächstes an der Reihe sein.«

»Goldjunge?«

»Zum Wohl«, sagt Leibkoch und stürzt noch ein Glas hinunter.

Roan kostet. »Süß. Schmeckt gut.«

Leibkoch schaut finster und lässt sich auf seinen Sitz zurückfallen. »Ich habe es satt, Wein zu machen. Ich habe es satt, Essen zu kochen. Ich habe alles satt.«

»Du bist betrunken.«

Leibkoch schüttelt den Kopf. »Ich bin nicht wie du. Ich komme nicht aus einem besonderen Ort. Ich hatte keine Eltern, die mich geliebt haben.«

»Was ist mit deinen Eltern geschehen?«

»Ich hoffe, sie sind tot.«

»Nein, das tust du nicht.«

»Du weißt gar nichts. Rate mal, was meine Eltern an meinem zehnten Geburtstag gemacht haben.«

»Was denn?«

»Sie verkauften mich an einen Bauern als Feldarbeiter.« Er nimmt noch einen Schluck Wein.
»Der Bauer war ein gemeiner Scheißkerl. Wir waren zu sechst. Wir mussten viel zu schwer arbeiten. Nachdem das dritte Kind krank wurde und starb, bin ich weggelaufen.«
»Deshalb bist du hierher gekommen.«
»Möglich. Als sie mich als Novizen aufnahmen, war dies das Größte in meinem Leben. Es war wie ein Traum, weißt du.« Er nimmt die Flasche und schenkt sich nach. »Aber ich tauge zu nichts; ich kann nicht reiten, nicht fechten, ich kann nicht einmal sandzeichnen. Deshalb bin ich jetzt Koch.« Mit trübem Blick starrt er Roan an. »Ich wünschte, ich wäre du.«
Nach diesen Worten lässt er den Kopf auf den Tisch sinken und fängt an zu schnarchen. Roan räumt die Flasche und die Gläser weg und lässt ihn seinen Rausch ausschlafen. Er fragt sich, ob wohl jeder hier im Lager eine schreckliche Geschichte mit sich herumträgt, ein tragisches Erlebnis, das ihn zur Bruderschaft führte. Vielleicht ist es gut, dass ich hier bin, denkt er. So weiß ich, wo ich hingehöre.

Geschenke

Und ein Traum kam zum Waffenschmied des Propheten. Die Hörner des großen Stiers fielen vor ihm nieder und sie lagen überkreuzt wie zwei Mondsicheln. So verhieß die Form seiner Waffe den Frieden.

Das Buch von Longlight

Die Walderdbeeren, die am südlichen Rand des Lagers wachsen, sind die ersten Früchte des Sommers. Roan, der diese Früchte liebt, lässt keine Gelegenheit aus, nach ihnen zu suchen, und ist begeistert, wie süß sie schmecken.

»Du stopfst dich so damit voll, als gäbe es morgen keine mehr.«

Roan grinst Bruder Viper mit vollem Mund an. »Man kann nie wissen.«

Bruder Viper lächelt. »Ich habe noch etwas anderes für dich zum Ausprobieren.« Er reicht Roan ein holzgeschnitztes Musikinstrument. »Die habe ich in einem der Dörfer gefunden. Nun kannst du zur Abwechslung der Grille etwas vorspielen.«

Gerührt nimmt Roan das Geschenk an. Es ist schon acht Monate her, seit Roan zum letzten Mal eine Flöte gesehen hat. Die Kunstfertigkeit, mit der dieses Instrument hergestellt wurde, kann es mit der von Longlight aufnehmen. Roan fragt sich, ob er eines solchen Geschenks würdig ist.

»Was ist, Roan?«

»Bruder Viper, wie fandet Ihr zum Freund?«

»Ich fand zu ihm durch meine Arbeit. Der Freund bot mir Schutz, unter dem ich gedeihen konnte. So kann ich denen, die leiden, besser helfen. Und nun, dem Freund sei Dank, bist du bei uns. Mit dem, was du mir vorgelesen hast, und deinen Erfahrungen aus Longlight werde ich noch viel mehr Menschen helfen können.«

Bruder Viper lächelt erneut und lässt Roan einige Töne auf seiner neuen Flöte üben. Die Freundschaft des Mannes erweckt in Roan ein Gefühl der Schuld, denn er hat damit begonnen, Vorbereitungen für den Tag zu treffen, an dem er diesen Ort und diese Menschen verlassen wird. Seine Brüder.

Roan hatte gerade angefangen sich an das Leben im Lager zu gewöhnen, als er eines Abends beim Essen die alte Ziegenfrau hörte.

»Steck es in deine Tasche.«

Roan blickte auf und sah das Wesen aus der Vorzeit. Er schaute furchtsam um sich, ob jemand sonst sie gesehen oder gehört hatte, aber die Brüder aßen weiter, als sei überhaupt nichts geschehen.

»Steck das Dörrfleisch in deine Tasche«, sagte die Ziegenfrau. »Fang an und sammle Essbares. Du wirst es brauchen, wenn du gehst. Denke daran, nimm jedes Mal nur wenig, oder es wird bemerkt werden.«

Bevor Roan Einspruch erheben konnte, war sie verschwunden. Er hätte gerne gesagt: Mir gefällt es hier. Ich mag mein Zelt, meine Gespräche mit Bruder Viper, meinen Unterricht bei Bruder Stachel und Bruder Wolf. Saint ist zu mir wie ein Vater. Die Brüder kümmern sich um mich, sie schätzen mich. Mit ihrer Hilfe könnte ich für Longlight Rache nehmen und vielleicht sogar Stowe wiederfinden. Abgesehen von dem widerlichen Bruder Rabe kann man hier gut leben. Warum also sollte ich fortgehen?

Andererseits, rechnete sich Roan aus, konnte es auch nicht schaden, vorbereitet zu sein. So stopfte er einen Streifen geschnittenen Dörrfleischs in seine Tasche. Von jetzt an legte er von jeder Mahlzeit etwas beiseite in ein Versteck.

Die Übungen bei Bruder Wolf sind immer anspruchsvoller geworden, je länger die Tage wurden. Er treibt Roan an, lässt ihn härter trainieren als die anderen. Aber trotz der Hitze kann Roan jedes Tempo mithalten, das Wolf vorgibt. Heute ist das Training besonders hart und Roans Muskeln zittern vor Erschöpfung, als Bruder Wolf auf ihn zukommt.
»Fabelhaft. Du machst außergewöhnlich große Fortschritte, Roan.«
»Danke, Bruder Wolf.«
»Du hast einige der schwierigsten Übungen gemeistert. Aber du bist noch lange nicht an die Grenzen deiner Schnelligkeit und deiner Stärke gegangen.«
»Ich werde versuchen mich zu bessern, Bruder Wolf«, sagt Roan. Seine Stimme klingt unverdächtig, aber insgeheim fürchtet er, dass sich sein geheimes Training bemerkbar machen könnte.
Wolf drückt ihm einen in Stoff eingewickelten Gegenstand in die Hand. »Das kann dir dabei helfen.«
Aufgeregt entfernt Roan die Umhüllung. Zum Vorschein kommt ein Mondschwert, es ist federleicht und liegt perfekt in der Hand.
»Ist das für mich?«, fragt Roan, überwältigt von dem großzügigen Geschenk.
»Mein Vater hat nie mit dem Schwert gekämpft, aber er war ein unübertroffener Waffenschmied. Er fertigte zwei von diesen Schwertern an, die sich in Stärke und Aussehen völlig gleichen. Eines machte er für mich, das andere, wie er sagte, für meinen besten Schüler. Ich habe viele Jahre lang unterrichtet. Dieses Schwert gehört dir.«
»Es ist eine Ehre für mich«, sagt Roan und verneigt sich tief.
»Du hast es verdient«, antwortet Bruder Wolf. Er geht, ohne ein weiteres Wort zu sagen.

Roan durchschneidet mit dem Schwert die Luft. Es fühlt sich an, als sei es Teil seiner Hand. Aber ein Schatten legt sich über seine Freude, als ihm die einzige Person, die er fürchtet, über den Weg läuft. Es ist Bruder Rabe, der von einer seiner Ernteaktionen zurück ist.

Roan ist überglücklich, wenn Rabe weg ist, und das ist manchmal mehrere Tage lang der Fall. Jede Woche kommt eine Wagenladung mit frischen Früchten und Gemüse, begleitet von einer Gruppe von Brüdern zu Pferd, die von Bruder Rabe angeführt werden. Fünf Brüder brauchen mitunter mehr als eine Stunde um die Wagen abzuladen. Zu Roans Freude wird einiges davon zum Essen zubereitet, der Rest wird unter Leibkochs Anleitung von den Brüdern eingelagert: Mais, Erbsen, Tomaten, Gurken, Birnen, Aprikosen und vieles mehr. Schon die bloße Menge erstaunt Roan. Ist es möglich, dass diese ganzen Herrlichkeiten – wie Rabe stets versichert – Geschenke von »Freunden und Bewunderern« sind?

»Ein prachtvolles Schwert«, sagt Rabe und unterbricht Roans Übung. »Das ist sicherlich eine von Bruder Wolfs allseits gepriesenen Waffen.«

»So ist es.«

»Nun denn«, sagt Rabe und wirft ihm einen gelben Apfel zu. »Hier hast du noch ein Geschenk. Das sind die besten Äpfel, die du jemals gegessen hast.«

Roan fängt ihn auf, hält ihn unter die Nase und genießt den Duft. Ein gelber Apfel, so wie die Äpfel in Longlight. Wie vertraut ihm der Duft ist! Stammt er vielleicht aus den Obstgärten dort? Wäre das möglich? Ob Rabe das weiß?

Roan blickt auf und sieht, wie Rabe ihn scharf mustert. »Du fragst dich, wo er herkommt?«

Roan behält seine Gedanken für sich und beißt in die Frucht, die erste seit einem Jahr. Der letzte Apfel, den er gegessen hat, war einer aus dem Dutzend, das ihm seine Mutter gab, damit er es unter seinen Freunden aufteilte. Roan erinnert sich, wie er und

Aiden mit den Äpfeln geradewegs zum Alten Riesen gelaufen sind und Stowe und die anderen hinter ihnen herriefen. In der Baumspitze taten sie so, als hätten sie alle gegessen, und Stowe schrie Zeter und Mordio, bis sie alle Äpfel herausgaben, kein einziger fehlte. Er muss an ihr Gekicher und an Aidens Lachen denken und wie der Saft von ihren Gesichtern herabtroff, und Trauer und Schmerz überwältigen ihn.

Roan schiebt die Erinnerung weg und starrt auf den Apfel, den Rabe ihm gegeben hat; er zögert weiterzuessen. Es sähe diesem Mann ähnlich, ihn derart zu verspotten. Aber woher kann er das nur wissen?

Die Stimme von Bruder Stachel macht der angespannten Situation ein Ende. »Du sollst zu einer Versammlung der Fünf kommen.«

Roan ist erschrocken, als er die ernste Miene von Bruder Stachel sieht. Vielleicht hat jemand sein Essensversteck entdeckt oder Rabe hat seine geheimen Übungen belauscht. Welche Strafe ist dafür vorgesehen?

Aber als sie am Fluss ankommen, wo Wolf, Viper und Saint bereits warten, wird Roan klar, dass er aus einem ganz anderen Grund hierher bestellt wurde.

»Es ist an der Zeit, dass du dich entscheidest«, verkündet Saint feierlich.

Bruder Wolf wirft einen prüfenden Blick auf Roan. »Du bist so weit um in die Gesellschaft der Freunde aufgenommen zu werden.«

Bruder Viper fragt: »Bist du bereit, einer der Unseren zu werden?«

Roan wirft einen flüchtigen Blick auf Bruder Rabe, der hinterlistig grinst. Einen Augenblick zögert Roan, dann blickt er sie der Reihe nach an: den selbstlosen Bruder Viper, Bruder Wolf, dessen Großmut ganz im Widerspruch zu seinem schroffen Äußeren steht, Bruder Stachel, der so klug und anregend ist, und Saint, der Roan mehr schätzt als alle anderen.

Plötzlich herrscht eine unwirkliche Stille. Und Roan hört die Stimme der alten Ziegenfrau, klar und deutlich.

»Zögere nicht. Dies ist dein Weg.«

Angesporntvon ihrer Zustimmung antwortet Roan mit fester Stimme: »Es ist eine Ehre für mich.«
Sie steigen eine Anhöhe hinauf. Roan sieht, dass sich viele der Brüder versammelt haben um der Ankündigung beizuwohnen. Saint legt beide Hände auf Roans Schultern und nickt stolz.
»Seine Prüfungen beginnen«, ruft Saint den Brüdern zu, die ihre Arme hochreißen und rufen: »Für den Freund!«
»Du wirst jetzt fasten«, sagt Bruder Wolf.
Bruder Stachel schaut Roan mit leuchtenden Augen an. »Verlier dein Ziel nicht aus den Augen.«
»Ich bin sehr stolz auf dich«, sagt Bruder Viper und klopft ihm auf die Schulter.
Bruder Rabe, der grinst, dass man alle seine schlechten Zähne sieht, zwinkert Roan zu.
Roan nimmt die Glückwünsche mit Dank entgegen, dann verabschiedet er sich um seinen Pflichten nachzugehen.

Es ist der Nachmittag eines Vollmondtags und Roan beeilt sich zu seinem Sandgemälde zurückzukehren. Über die Hälfte des Bilds ist fertig und das Wesentliche ist schon zu erkennen. Es zeigt den Freund, Seine Augen blitzen, Seine riesigen Arme sind nach unten gestreckt. Der obere Teil eines Stierkopfs ist ebenfalls bereits sichtbar, seine Hörner stoßen in die Haut des Freundes. Man kann sich kaum vorstellen, dass dieses kunstvolle Bild nur aus einfachen Sandkörnern bestehen soll, die auf einen Stein gestreut wurden. Die Kunstfertigkeit ist außergewöhnlich. Roan kann es kaum erwarten, bis das Bild vollendet ist.
»Willst du eine Kartoffel?«, fragt Leibkoch, der kurz bei ihm vorbeischaut.
»Nein, danke. Ich kann nicht. Ich faste.«
»Sie ist köstlich. Über dem Feuer gebraten.«
Leibkoch spricht freundlich, aber Roan entgeht nicht sein finsterer Blick.
»Was ist los mit dir, Leibkoch?«

»Ich nehme an, du bist jetzt glücklich.«
»Ja, das bin ich.«
»Du weißt, sobald du dazugehörst und in die Geheimnisse eingeweiht bist, gibt es kein Zurück mehr. Die Freunde werden dich nie mehr weglassen. Es ist für immer und ewig.«
»Nichts ist für ewig.«
»Doch – für manche schon. Der eine kommt, der andere geht.«
»Wovon sprichst du?«
Leibkoch lächelt gezwungen. »Vergiss es, es war nur ein dummer Spruch.« Er schüttelt Roans Hand. »Glückwunsch. Du verdienst es.«
Etwas ist merkwürdig an Leibkochs aufgesetztem Lächeln, und während Roan zu begreifen versucht, was er gesagt hat, stürzt der Junge auf und davon. Von einem nahe gelegenen Wäldchen aus beobachtet ihn Bruder Rabe. Was will er herausbekommen? Roan überlegt, ihn direkt danach zu fragen, aber eine Gruppe von Brüdern, die ihn erneut beglückwünscht, hält ihn davon ab.
Als der Vollmond in seiner ganzen Größe im Osten aufgeht, arbeitet Roan mit Bruder Viper in der Schmiede. Waffen und Werkzeuge werden dort hergestellt. An diesem Abend hält Roan mit einer Zange ein Stück rot glühendes Eisen, das Viper breit klopft und zu einer Schaufel formt. Als sie fertig sind, wendet sich Bruder Viper besorgt an Roan.
»Du hast Kummer.«
Roan wählt seine Worte sorgsam. »Ich hörte, wie einige Brüder redeten, als ich eingeladen wurde, die Prüfungen für meine Initiation zu beginnen ...«
Bruder Viper nimmt einen Schluck Wasser und reicht Roan die Flasche.
»Jeder nimmt großen Anteil daran, dass du dich uns anschließt.«
»Was bedeutet: Der eine kommt, der andere geht?«
»Das stammt aus unserer Gründungsgeschichte. Der erste Prüfling war der Freund selbst. Seine letzte Aufgabe bestand darin, einen Stier zu töten. Der Ausspruch ›Der eine kommt, der andere

geht‹ ist bei uns so etwas wie ein Segenswunsch für die Prüflinge.«
»Es klang aber nicht wie ein Segenswunsch.«
»Das liegt vielleicht daran, dass du den Hintergrund nicht kanntest.«
»Das mag sein«, sagt Roan und beschließt, nicht weiter darüber zu sprechen.
»Du brauchst nichts zu fürchten, Roan von Longlight.«
Aber zum ersten Mal trösten ihn Vipers Worte nicht.

Vor dem Morgengrauen wird Roan aus tiefem Schlaf gerissen. Mühsam öffnet er die Augen und schaut in einen Kegel von Laternenlichtern. Bruder Stachel lächelt ihn an.
»Es ist Zeit für die erste Prüfung, Roan.«
Einer der Brüder nimmt ein Tuch und wirft es über Roans Kopf, hüllt ihn in tiefste Dunkelheit. Zitternd und orientierungslos tritt Roan hinaus in die kalte Nachtluft. Hände fassen Roan, führen ihn vorwärts. Seine nackten Füße straucheln auf dem holprigen Boden. Nach einiger Zeit hört er das Geräusch von fließendem Wasser. Sie müssen in der Nähe des Flusses sein. Als das Geräusch immer lauter wird, weiß er, dass sie sich dem Berg nähern, der Quelle des Flusses.
Allmählich schwillt das Rauschen zu einem lauten Getöse an. Bruder Stachels Stimme übertönt das Donnern des Wassers.
»Die Welt war ein Nichts. Dann barst der große Stein und der Freund war geboren. Er vertrieb die Dunkelheit und wir konnten sehen.«
Das Tuch wird von Roans Kopf gezogen. Geblendet von den Strahlen der aufgehenden Sonne, wendet er sich um und sieht hinter sich fünfundsiebzig Brüder. Der Wasserfall, der den Fluss speist, stürzt einige Schritte entfernt über eine Felswand. Roans Hände sind gebunden, ein Bruder überprüft den Sitz der beiden Seile. Sie führen ihn zum Wasserfall, dann breiten sie seine Arme mit den Seilen aus und stellen ihn darunter. Roan gelingt es

gerade noch, tief Luft zu holen, bevor der Sturzbach erbarmungslos auf ihn niederprasselt. Das Wasser donnert auf seinen Kopf, die Schultern, aber Roan bleibt aufrecht stehen. Minute um Minute vergeht, während er den Atem anhält und seine aufkommende Panik bekämpft. Schließlich fordert der Luftmangel seinen Tribut, Roan fühlt sich unaufhaltsam fortgerissen, das Wasser drückt ihn nach unten. Mit einem Mal lockern sich die Seile und er stürzt auf die Knie. Mit aller Kraft kämpft er sich unter dem Sturzbach hervor und schnappt in tiefen Zügen nach Luft.

Die Brüder lösen die Fesseln an seinen Handgelenken. Saint steht über ihm, ein langes, glänzendes Schwert in der Hand.

»Seine Liebe erhellt die Welt«, sagt der Prophet. »Sein Schwert befreit sie.«

Saint streckt seinen linken Arm aus, das Narbenmuster leuchtet weiß. Mit seinem Schwert schneidet er zwischen zwei der Narben in die Haut, sodass Blut hervorquillt. Sogleich nimmt er Roans nassen Arm und macht einen ähnlichen Schnitt. Dann lässt er sein eigenes Blut in Roans Wunde tropfen.

»Wir sind Brüder. In alle Ewigkeit.«

Die versammelten Freunde wiederholen: »Brüder. In alle Ewigkeit.«

Einer nach dem anderen pressen die Brüder den Arm gegen Roans Arm, drücken die eigene Narbe an Roans offene Wunde und sagen: »Wir sind Brüder.« Nachdem jeder der fünfundsiebzig dies getan hat, reicht Saint Roan das Schwert.

»Sein Schwert wird die Welt befreien. Wir dienen dem Freund.«

Sechsundsiebzig Stimmen fallen ein. »Sein Schwert wird die Welt befreien. Wir dienen dem Freund.«

Zehn Hände helfen ihm auf. Der Rat der Fünf umringt ihn.

Saint schaut Roan in die Augen. »Der Freund heißt dich willkommen.«

»Sei uns willkommen«, rufen alle Brüder und jubeln ihm zu.

Noch nie hat sich Roan so geehrt gefühlt.

»Sie lassen dich Stärke fühlen.«

Ihm schwindelt, er fühlt sich erregt und auserwählt.
»Sie lassen dich Liebe fühlen.«
Als einige der Brüder seine Hand schütteln, ihm auf den Rücken klopfen, ihn umarmen, strahlt er vor Entzücken.
»Und du? Fühlst du es? Fühlst du es wirklich?«
Roan sieht die Ratte aus seinen Träumen am Ufer sitzen.
»Wer ist der Freund? Wer sind diese Brüder?«
Roan betrachtet seine neuen Brüder. Er sieht Leibkoch am Ufer stehen, alles eifersüchtig beobachtend, obgleich er sich bemüht zu lächeln, so gut er kann. Rabe grinst, aber gleichzeitig mustert er Roans Körper, so als suche er nach der besten Stelle, um mit einem Messer zuzustechen. Saint, stolz, triumphierend, ist ihm ein einziges großes Rätsel.
Es ist wahr. Trotz der langen Zeit, die er hier verbracht hat, weiß Roan gar nichts von diesen Männern.
»Nein. Du fühlst es nicht.«
Die Brüder tragen Roan auf ihren Schultern den Fluss hinunter. Seine Hochstimmung ist dahin. All der Jubel und die Glückwünsche erscheinen ihm nun unbedeutend. Sie gehen ins Speisezelt, um bei gebratenen Eiern, frischem Saft und Fleisch zu feiern. Während der ganzen Zeit lächelt Roan die Brüder an und bedankt sich für ihre guten Wünsche. Aber das Essen schmeckt schal.

Die rothaarige Frau

Über die Herkunft des Propheten gibt es viele Gerüchte. Nicht von einer Frau geboren, sondern aus Eis und Feuer. Das Eis steht für den kalten Stahl, mit dem er die Kriegsherren bekämpfte. Das Feuer steht für das neue Leben, das er den Seelen jener einhauchte, die er von der Knechtschaft befreite.

Orins Geschichte des Freundes

»Wir müssen miteinander reden.«

Entschlossen, Leibkochs rätselhaften Äußerungen auf den Grund zu gehen, hat Roan ihm aufgelauert. Er beschließt den Stier bei den Hörnern zu packen.

»Worüber?«, murmelt Leibkoch und schaut dabei nicht von dem Kohl auf, den er schneidet.

»Was hast du damit gemeint: ›Einer kommt, der andere geht‹?«

»Es ist ein Segenswunsch«, weicht der Junge aus. »Wir wünschen das allen Prüflingen.«

Leibkoch schaut an Roan vorbei. Das Geräusch von Saints Motorrad ist zu hören. Ohne Roan eines weiteren Blicks zu würdigen, nimmt er den Kohl und geht ins Zelt zurück.

Saint hält an, lässt den Motor laufen und winkt Roan zu sich.

»Hast du Streit mit ihm?«, fragt er.

»Nicht der Rede wert«, wiegelt Roan ab.

»Gut, ich muss dir etwas ganz Besonderes zeigen.«

Roan steigt auf und sie fahren einen Pfad entlang, der in die fruchtbaren Ebenen führt. Sie kommen an Feldern vorbei, auf denen sonnengegerbte Bauern die Ernte einbringen. Die Menschen lächeln und winken Saint zu; Saint hebt die Hand und grüßt zurück.
»Dort drüben!«, ruft er über den Fahrtwind hinweg nach hinten. Er zeigt auf ein großes Feld, auf dem Kräuter wachsen, wie sie Roan mit Bruder Viper gesammelt hat.
»Das alles haben wir urbar gemacht, mit deiner Hilfe!«
Roan betrachtet die Felder mit Freude. Die Bauern haben das angewandt, was er in dem Buch über Bodenentgiftung gefunden hat. Sein Vater wäre stolz auf ihn gewesen.

Saint braust weiter und nach einiger Zeit kommen sie zu einem Dorftor. Die Mauer ist um einen Schutzwall ergänzt, der aus einer merkwürdigen Mischung aus aufgebogenen alten Fässern, alten Autoteilen und Metallplatten besteht. Eine Frau, deren rote Haare bis auf die Schultern herabfallen, schaut vom Wachturm herab und lacht übers ganze Gesicht. Sie steckt die Finger in den Mund und pfeift laut. Das Tor geht auf und Saint und Roan fahren hindurch.
Vom Wachturm und von den Mauern herab wird Saint von einem Dutzend wehrhafter Frauen begrüßt, die mit Armbrust und Speeren bewaffnet sind.
Saint schaltet den Motor aus und sie steigen ab. Roan ist überrascht, wie kräftig die Frauen sind. Seit er bei den Brüdern lebt, sind dies die ersten Frauen, die er sieht.
»Das ist mein Dorf«, sagt Saint, als die rothaarige Frau auch schon auf sie zugelaufen kommt und ihn auf den Mund küsst.
»Roan, das ist Kira. Kira, Roan.«
Kira ist hoch gewachsen und durchtrainiert, ungefähr gleich alt und ebenso groß wie Roan. Sie gibt Roan einen kräftigen Klaps auf die Schulter. »Du hältst schon was aus, oder? Saint hat mir alles über dich erzählt, Roan von Longlight.«

»Was hat er dir denn erzählt?«, fragt Roan.
»Das verrate ich dir besser nicht«, lacht sie. Saint wird rot und stimmt in ihr Lachen ein.
Kira knufft Roan in die Seite. »Nur Gutes, Junge. Er prahlt ständig mit dir. Komm, lasst uns etwas essen.«
Sie legt den Arm um Roan und führt ihn einen gepflasterten Weg entlang. Als sie an den Häusern vorbeigehen, deren Wände aus Alteisen bestehen und mit Gras gedeckt sind, wundert sich Roan, wie ungezwungen Kira mit Saint spricht. Mit ihrem kleinen Scherz hat sie den erhabenen Mann zum Erröten gebracht!

Als sie Kiras Haus betreten, ist Roan verblüfft über den Überfluss, der dort herrscht. Mit Sonnenenergie betriebene Öfen gibt es, ebenso Lampen, bemaltes Glas, polierte Holztische. Er geht einen Flur entlang; durch einen Vorhang aus Perlenschnüren sieht er ein liebevoll ausgestattetes Kinderzimmer. Er geht weiter ins Wohnzimmer, wo ein übergroßes Wandgemälde einen bewaffneten Krieger zeigt, der aus einem Felsen hervorsprengt, das Schwert zum Himmel erhoben. Der Freund. Roan schaut nach oben. Ein Deckengemälde zeigt die gleiche Szene wie die Statue auf Saints Altar. Der Freund tötet den Stier, umgeben von Hund, Schlange, Vogel und Skorpion.
»Gefällt es dir?«, fragt Saint.
»Es ist wundervoll. Wie lange habt Ihr hier gelebt?«
»Überhaupt nicht. Ich komme nur oft zu Besuch«, meint Saint schmunzelnd. »Kira gehört niemandem.«
»Aber er könnte mir gehören, wenn ich wollte«, lächelt Kira. »Es ist schön, einen Propheten zu lieben, aber ich kann mir nichts Schlimmeres vorstellen, als mit einem zu leben!«
Saint lacht und küsst sie.
Die Art und Weise, wie Saint mit Kira umgeht, wie sie miteinander scherzen, erinnert Roan an seine Eltern. Einen Augenblick lang überlässt sich Roan seinen Träumereien, dann fällt sein Blick auf den Kaminsims, wo zwei menschliche Schädel liegen.

Kira geht zu ihnen hinüber. »Dieser hier gehört meiner Mutter und dieser dem Mann, der sie getötet hat.« Kira deutet auf ein Loch in dem zweiten Schädel. »Hier habe ich ihn mit dem Speer getroffen. Seit diesem Augenblick lebe ich wieder.« Sie blickt Roan aus traurigen Augen an. »Saint hat mir erzählt, was mit deinen Leuten passiert ist. Es tut mir Leid, dass du bis jetzt noch nicht Gelegenheit hattest, deinen Frieden zu machen. Am Tag, da du die Mörder deiner Eltern töten wirst, an diesem Tag wird der Schmerz, der dich erstickt, nachlassen.«
Einen Augenblick lang stellt sich Roan vor, dass sein Vater neben ihm steht, die beiden Totenschädel betrachtet, schweigend, mit Tränen in den Augen. Roan sehnt sich so sehr nach seinem Vater, sehnt sich danach, ihn zu umarmen, ihn um Rat zu fragen.
Saint klopft Roan auf die Schulter. »Dieser Tag wird kommen, mein Freund, ich schwöre es.«

Der Duft, der einem dampfenden Topf entströmt, ruft sie zu Tisch. Kira steht an der Kopfseite, hinter ihrem Stuhl, und sagt: »Freund, der Du uns diese Speisen schenkst, wir danken Dir. Freund, der Du uns zusammengeführt hast, wir danken Dir. Wir beten, dass der Tag kommen möge, an dem Du herrschst.«
»So sei es«, sagt Saint. Die drei setzen sich und Kira hebt den Deckel.
Die Mahlzeit ist einfach, ein Eintopf aus Ziegenfleisch mit Kartoffeln und Blauschoten. Obwohl Roan daran zweifelt, dass er sich jemals an den Geruch von Fleisch gewöhnen wird, isst er Kiras schmackhaftes Gericht mit Appetit. Leibkoch könnte einiges von ihr lernen.
»Seid ihr beide hier im Dorf aufgewachsen?«, fragt Roan schließlich.
»Nein«, antwortet Kira und ein düsterer Ton schwingt in ihrer Stimme mit.
»Das heißt, du kamst erst nach dem Tod deiner Mutter hierher?«

»Ja.«
»Wie alt warst du, als du den Mord an deiner Mutter gerächt hast?«
»Jünger als du. Aber wir lebten schon viele Jahre lang als Sklaven, ehe ich die Gelegenheit zur Rache fand.«
»Wie ist es, als Sklave zu leben?«
Sofort wünscht Roan, er hätte nicht so unhöflich gefragt. Aber Kira scheint das nichts auszumachen. »Ich verstehe deine Neugier.« Ihre Augen funkeln. »Bevor der Freund in mein Leben trat, wünschte ich mir jeden Tag, ich wäre tot.« Roan schaut hinüber zu Saint. Der Prophet beißt die Zähne zusammen, seine Gesichtsmuskeln zucken.
»Das sind Erfahrungen, die wir beide teilen«, murmelt Saint.
Roan nimmt eine Bewegung wahr. Die Grille kitzelt das Innere seiner Handfläche. Er ertappt sich dabei, wie er Saint und Kira betrachtet, durch sie hindurch in ihre Vergangenheit blickt. Schläge, Quälereien, der Mord an den geliebten Menschen, den sie mit ansehen mussten; es gab nichts, das sie lieben konnten, und viel, was sie zu fürchten hatten: Hunger, Schmerzen, Einsamkeit. Sie bewahrten sich ihre Würde, indem sie das Vergnügen ihrer Peiniger an ihren Leiden ignorierten. Sie wuchsen in einer gewalttätigen Welt auf und nun üben sie selbst Gewalt aus. Roan denkt an sein Leben in Longlight zurück: Jeder Tag war ein Geschenk, jeder Tag war dazu bestimmt, ihn stärker werden zu lassen. Vor allem aber umgab ihn Liebe, die ihn beschützte.
Kira zieht die schmale Flöte aus Roans Tasche. »Kannst du darauf spielen?«
»Ich lerne noch.«
»Spiel mir etwas vor.«
»Ich bin noch ein Anfänger …«
»Bitte«, überredet sie ihn.
Roan seufzt, setzt die Flöte an die Lippen und spielt eine einfache Melodie aus Longlight, eine Melodie, wie sie seine Mutter oft vor sich hin summte.

»Was für ein schönes Lied«, sagt Kira. »Wer hat dir das Flötenspiel beigebracht?«
»Niemand. Aber einer meiner Freunde hatte Unterricht. Er begann mit einfachen Liedern wie diesem hier.«
»Haben viele Menschen in Longlight musiziert?«
»So gut wie alle. Ich sollte Gitarre lernen.«
»Stattdessen wirst du nun Flöte spielen«, sagt Kira.
»Vermutlich«, antwortet Roan, traurig darüber, dass die Musik von Longlight für immer verstummt ist.

Als sie gegessen haben, schiebt Saint seinen Teller weg.
»Ich muss einige Dinge mit Kira besprechen«, sagt er zu Roan. »Warum siehst du dich in der Zwischenzeit nicht im Dorf um?«
»Hier hast du etwas, das deinen Tag versüßen wird«, sagt Kira und steckt ihm einige Bonbons zu.
Roan geht nach draußen; die Sonne scheint warm in sein Gesicht und er lässt etwas von den Süßigkeiten auf der Zunge zergehen. Kiras Haus ist völlig mit Metall umkleidet, selbst das Dach besteht aus poliertem Blech. Neugierig geht er am Haus entlang und bestaunt die ungewöhnliche Kunstfertigkeit der Erbauer. In Longlight wäre es unmöglich gewesen, solche Mengen von Metall zu beschaffen, wie man sie hier sieht.
Als er unter einem Fenster vorbeigeht, hört er Saint leise sprechen; seine Stimme bebt vor Ärger. Lautlos schleicht Roan sich näher heran und lauscht.
»Ich traue Rabe nicht. Er reist überall herum und tut, was er will.«
Dann, nach einer Pause, spricht Kira, ihre Stimme klingt verzweifelt: »Wir haben das Baby verloren.«
»Nicht schon wieder.«
»Wir haben alles versucht.«
Saint seufzt. »Es werden wieder Babys geboren.«
»Und Roan?«

»Ich hoffe, ich erhalte eine Antwort, bevor die anderen sie erhalten.«
»Hast du noch nicht herausbekommen, weshalb sie beide brauchen?«, fragt Kira.
»Nein. Er hat viele Fähigkeiten. Er liest und lernt unglaublich schnell. Er ist genauso gut wie unsere besten Kämpfer, dabei hat er nur einige Monate lang trainiert. Bruder Stachel sagt, seine Konzentrationsfähigkeit sei außerordentlich. Er vermutet, dass da noch mehr unter der Oberfläche verborgen ist, was Roan sich aber jetzt noch nicht zu zeigen traut. Aber warum will die Stadt sie unbedingt beide? Mein Gefühl sagt mir, dass es irgendetwas mit der Grille zu tun hat.«
»Manche sagen, die Schneegrille ist ein Zeichen.«
»Ein Zeichen, an dem man Staubesser erkennt.«
Dann herrscht Stille. Nach einer Weile sagt Saint zögernd: »Es muss eine Verbindung geben.«
»Was wäre, wenn …«
»*Das* dürfen wir nicht einmal denken.«
»Das ist der Grund, weshalb dich der Freund zu ihm geführt hat.« Saint seufzt. »Wir werden auf ihn aufpassen.«
»Aber wie lange? Eines Tages wird er die Wahrheit erfahren.«
»Er wird bekommen, was er will, wenn die Zeit reif ist. Jetzt, da du ihn kennen gelernt hast, kannst du mir da Vorwürfe machen?«
»Nein.«
Stille. Roan spitzt die Ohren, aber sie sprechen nicht weiter. Langsam geht er den gepflasterten Weg entlang und denkt angestrengt über das nach, was er soeben gehört hat. Er fragt sich, ob Kira und Saint geahnt haben, dass er zuhörte, es vielleicht sogar beabsichtigten? Aber spielt das eine Rolle? Was haben sie mit »beide« gemeint – ihn und seine Schwester Stowe? Weiß Saint, dass die Stadt sie gefangen hält? Und was ist ein Staubesser?
»Wir sind Staubesser.«
»Wer sind wir?«
Keine Antwort. Roan bemüht sich mit aller Kraft seine Traumleh-

rer heraufzubeschwören, er will mehr erfahren. Er konzentriert sich auf sie, ruft sie in seinen Gedanken herbei. Aber sie zeigen sich nicht.

Roans vergebliche Konzentrationsversuche werden jäh von Trommelschlägen unterbrochen. Er geht in die Richtung, aus der die dröhnenden Schläge kommen. Als er um eine Ecke biegt, stürzt eine Flut von Bildern, Gerüchen und Geräuschen auf ihn ein. Ein Marktplatz. Menschen, farbenfroh gekleidet in zinnoberrote, scharlachrote und smaragdgrüne Gewänder, bevölkern den Platz. Sie feilschen, manche über den Preis von Obst und Gemüse, andere über den Preis von Sachen, die Roan nur aus Büchern kennt, Überbleibsel, die aus der Zeit des Grauens hinübergerettet wurden.

Er bestaunt die Waren. Da liegen Dutzende von Armbanduhren – runde, eckige, silberne und goldene – und auch andere, laut tickende Uhren, die alle eine unterschiedliche Zeit anzeigen. Dort gibt es gelbe Gummienten, grüne Plastikfrösche, rote und blaue Fische, alle Arten von Plastikbehältern, einige an den Rändern angeschmolzen; Tausende glänzender Scheiben, große und kleine, auf denen seltsame Bilder abgedruckt sind, Fernsehgeräte, Toaster, Mixer, Computer, Telefone. Viele von den Geräten sehen so aus, als würden sie noch funktionieren, wenn es nur Stromanschlüsse gäbe. Roan betrachtet sie alle.

»Gummienten gefällig?«, ruft eine Frau laut, die so groß und kräftig wie Kira ist. »Ich mache dir einen Sonderpreis, wenn du mehr als drei nimmst.« Roan tritt hinter der Auslage hervor. Als die Frau sein Gewand sieht, ändert sich ihre Miene. »Entschuldige, Bruder, es war nicht böse gemeint.«

»Keine Ursache«, antwortet Roan.

»Du bist nicht zufällig der Novize, oder?«

»Doch, das bin ich.« Roan nickt zustimmend. Die Frau tritt einen Schritt zurück und ein breites Lächeln überzieht ihr Gesicht. »Dann warst du es, der Bruder Viper so viel beigebracht hat!«

»Nein, nein, er ist mein Lehrer.«

»Aber du hast Viper das Buch vorgelesen.«
»Er kann lesen?«, fragt einer der Umstehenden, der zugehört hat.
»Ich habe dem Bruder nur dieses eine Buch vorgelesen.«
Im Nu haben sich mehrere Leute um ihn versammelt. Ein dicklicher Mann ruft: »Dank deiner Hilfe, Bruder, können wir viele Morgen Ackerland bebauen.«
Roan fühlt sich geschmeichelt, verbessert ihn jedoch: »Ich bin noch kein Bruder.«
»Dank sei dem Freund, der dich in unser Land geführt hat«, sagt der Mann.
»Du kennst den Propheten?«, fragt eine Frau mit traurigem Blick. Sie ist nur wenige Jahre älter als Roan und offensichtlich schwanger.
»Ja.«
»Gesegnet seist du. Wir verdanken dir alles.« Sie schaut auf Roans Arm und bestaunt die Wunde der Blutsbrüderschaft. »Hat es sehr wehgetan?«
»Nicht sehr«, antwortet Roan. »Gewiss kaum im Vergleich zu einer Geburt.«
Die Frau errötet und kämpft gegen die Tränen an. Rasch geht sie weiter. Roan, der glaubt sie beleidigt zu haben, verneigt sich vor den Umstehenden und will ihr nachfolgen. Als er sich in ihre Richtung wendet, ist die Frau bereits verschwunden.
Roan bahnt sich einen Weg durch die verwinkelten Gassen und versucht sie wiederzufinden; schließlich gelangt er zu einem Spielplatz mit Schaukeln, Rutschen und Klettergerüsten. Von der Frau ist nichts zu sehen. In seinem Dorf gab es auch einen Spielplatz, aber er war nichts, verglichen mit diesem hier. Er will gerade weitergehen, als sich die Grille in seiner Tasche bewegt. Roan hält inne und schaut sich genauer um. Nur wenige Kinder spielen hier. Ein Junge hinkt, einem anderen fehlt eine Hand.
Ein Mädchen sitzt allein da und ist ganz vertieft darin, mit einem Stock Figuren in den Staub zu malen. Der Anblick wühlt ihn auf. Sie ist zierlich und hat strohblondes Haar, und von seinem Blick-

winkel aus ... Er kommt näher – und seufzt enttäuscht. Das Mädchen ist bestimmt ein Jahr jünger als Stowe und seine Gesichtszüge sind völlig anders, es hat eine spitze Nase und schmale Lippen. Die Kleine hat den Boden um sich herum mit der immer gleichen Zeichnung bemalt: ein auf dem Kopf stehendes Dreieck mit einem Kreis darüber.

»Was ist das?«

Das Mädchen ist so vertieft, dass es Roan nicht zur Kenntnis nimmt.

»Ich bin neugierig«, sagt er hartnäckig. »Was malst du da?«

Sie sieht seine Füße und ihr Blick wandert die Beine hoch bis in sein Gesicht. In ihrem schmutzigen Gesicht sind Tränenspuren. Roan langt in seine Tasche und holt etwas von Kiras Süßigkeiten hervor. Das Mädchen greift danach und steckt es in den Mund.

»Warum weinst du?«

Das Kind sagt nichts, deutet nur auf eines der Dreiecke.

»Ist es das, was dich traurig macht?«

Sie zeigt auf sich selbst und schüttelt den Kopf. Mit einem Schlag wird es ihm klar. Sie ist stumm.

»Kannst du mich hören?«, fragt er und deutet auf seine Ohren.

Sie verneint mit einem Kopfschütteln.

Ein Schatten fällt auf sie beide. Saint. Er wirkt riesig neben dem kleinen Mädchen, seine Miene ist grimmig. Aber als das Mädchen aufblickt, um ihn zu grüßen, lächelt er.

»Hallo, Marla.« Saint spricht langsam, damit sie jedes Wort von seinen Lippen ablesen kann. »Bist du traurig heute?«

Sie nickt.

»Wisst Ihr, was diese Zeichnung bedeuten soll?«, fragt Roan.

Saint schüttelt den Kopf und wendet sich wieder dem Kind zu. »Hast du gerade ein schönes Bild gemalt, Marla?«

Marla runzelt die Stirn und zeichnet das gleiche Bild noch einmal.

Saint hebt sie hoch und küsst sie auf die Stirn.

»Flussaufwärts stand ein Kraftwerk. Während der Zeit des Grauens wurde es zerstört. Alle möglichen Gifte sickerten in die

Erde. Noch drei Generationen später leiden Kinder wie Marla darunter. Aber dank deiner Hilfe wird dieses Leiden bald der Vergangenheit angehören.«
»Bruder Viper hat die ganze Arbeit gemacht.«
»Ihr in Longlight wart belesen, ihr hattet das Wissen, euch selbst zu helfen. Nun helft ihr uns.« Saint trägt Marla zu einem Sandkasten, gibt ihr noch einen Kuss und setzt sie ab.

Die Nacht ist schon hereingebrochen, als sie zum Motorrad zurückkehren. Saint bleibt alle paar Schritte stehen und spricht die Segensworte, um die man ihn bittet. Als sie das Motorrad erreichen, drückt er Roan eine merkwürdig aussehende Brille in die Hand.
»Hast du so etwas schon mal gesehen?«
Roan hält sich das große Okular vor die Augen.
»Nachtsichtgläser«, erklärt Saint. »Setz sie auf. Du bist der Lotse.« Er winkt Kira zum Abschied noch einmal zu, dann lässt er den Motor an und sie fahren durch die Tore, begleitet von Winken und Rufen.
Roan späht angestrengt durch die dicke Brille, aber er kann nichts sehen, bis er schließlich in einiger Entfernung eine Konstruktion bemerkt, die ihm bekannt vorkommt. Er klopft auf Saints Arm. Saint nickt, gibt Gas und fährt darauf zu. Im Lichtschein des Motorrads ist ein großes Wasserrad zu sehen, das sich an einem Gebäude am Flussufer dreht. Sie steigen ab und Roan läuft zu dem Rad hin.
»Das ist eine Filtrieranlage von der Art, wie ich sie Bruder Viper beschrieben habe.«
Saint klopft Roan auf die Schulter. »Ich dachte, vielleicht möchtest du das Wasser kosten?«
»Sehr gern«, sagt Roan. Er fängt das Wasser mit den Händen auf und nimmt einen Schluck. »Nicht schlecht.«
Saint folgt seinem Beispiel und nickt zustimmend. »Viper hat eine gute Hand für so etwas.«

»Ich wünschte, ich hätte beim Bau mithelfen können.«
»Du hast Wichtigeres zu tun«, sagt Saint zu ihm und geht langsam zum Motorrad zurück. Bevor er aufsitzt, dreht er sich zu Roan um. »Was hältst du von Kira?«
»Sie ist großartig«, antwortet Roan und fragt dann: »Habt ihr beide Kinder?«
Saint antwortet nicht.
»Kira hat ein Kinderzimmer.«
Saint schweigt weiter. Roan will die Frage gerade wiederholen, doch dann überlegt er es sich anders. Er schaut zum sternenübersäten Himmel empor und wechselt das Thema.
»Dort ist der Stier.«
Saint schaut ihn an. »Wovon sprichst du?«
Roan ist völlig überrascht. »Der Stier. Das Sternbild.«
»Zeig es mir.«
Roan deutet auf die Sternenkonstellation. »Seht Ihr den hellen Stern? Das ist Aldebaran. Das Auge des Stiers.«
»Büchergeschwätz«, murmelt Saint abfällig, aber Roan sieht ihm sein Unbehagen an. »Seit wann heißt er so?«
»Seit Tausenden von Jahren. Dort oben gibt es ein ganzes Band von Sternenbildern; alle Symbole des Ersten Freundes sind dort zu finden: der Kleine Hund, Canis minor, dann Hydra, die Schlange, und natürlich Corvus, der Rabe ...«
»Das reicht!«
Der Ton, in dem Saint spricht, macht Roan Angst. »Habe ich etwas Falsches gesagt? Warum seid Ihr zornig?«
»Du darfst nie wieder darüber sprechen«, herrscht Saint ihn an. »Manche könnten das für Ketzerei halten.«
»Warum?«
»Weil ich die Erleuchtung von Ihm empfangen habe. Das hat nichts mit irgendwelchen Sternennamen zu tun, die vor Urzeiten jemand erdacht hat. Ich habe es direkt von Ihm, dem Freund.«
Saint lässt das Motorrad an und sie fahren in die Nacht hinein. Die Grille in Roans Tasche zappelt hin und her. Währenddessen

denkt Roan darüber nach, weshalb Saint so aufgebracht ist. Was macht es schon aus, dass er die Sternbilder nicht kennt, nichts von den Gestirnen weiß?
Dann wird ihm klar: Was Saint nicht kennt, davor fürchtet er sich.

Die Prüfungen

Der Dachs gräbt und lebt im Verborgenen bei Tage, aber des Nachts jagt er. Er ist zwar klein, doch ungewöhnlich stark, und seine Beute entkommt ihm selten.

Weisheit der Geschichtenerzähler

Die Tage werden kürzer. Obwohl es noch Monate dauert, bis der Winter einkehrt, schenkt Saint Roan Stiefel und einen Mantel aus Schafswolle, den die Brüder angefertigt haben. Bruder Wolf achtet bei den Übungen inzwischen auf jede Kleinigkeit, sie sind ausgefeilt, schwierig und lebensgefährlich für jeden Gegner. Er spornt Roan unablässig an, treibt ihn an die Grenzen seiner körperlichen Leistungsfähigkeit, und so wachsen Roans Kräfte und seine technischen Fertigkeiten gleichermaßen. Er lernt, Hände, Kopf, Füße, Ellenbogen und Knie als Waffe zu gebrauchen und seinen Atem zu kontrollieren, um damit Kraft in seine Knochen und Sehnen zu leiten. Er beherrscht die Kreistechnik, die es einem einzelnen Kämpfer ermöglicht, einer ganzen Gruppe von Angreifern zu entkommen. Wolf lehrt ihn auch, wie man einen Gegner ablenkt, wie man einen Feind zum Angriff zwingt und wie man ausweicht, wenn man angegriffen wird, wie man ausweicht, sich zurückzieht und dann, wenn es der Gegner am wenigsten erwartet, einen Ausfall macht. Roan weiß inzwischen genau, wann und wie man hart oder weich zuschlägt. Er weiß, wann er Wind, Berg oder Tiger sein muss.

Nach einer der Lesestunden mit Saint leiht Roan ein Buch mit dem Titel *Die Kunst des Krieges* aus Saints Bibliothek aus. Sein Vater hat dieses Buch gelesen, er selbst aber hat zuvor nie einen Blick hineingeworfen. Es beschreibt, wie wichtig es ist, seine Absichten zu verbergen. Für Roan ist dieses Buch eine beständige Mahnung. Er erzählt niemals jemandem, wie er den Geruch nach Sägemehl auf der Haut seiner Mutter vermisst oder den Anblick von Vaters kreidebestäubten Händen am Ende eines Schultags oder die Stimme von Aiden, der ihn zum Spielen ruft. Roan spricht niemals über die Angst, die er fühlte, als Stowes Hand seinem Griff entwunden wurde in jener schrecklichen Nacht. Oder wie er manchmal, wenn er eine neue Tötungstechnik vervollkommnet hat, von Erschöpfung und Ekel vor sich selbst so überwältigt ist, dass er speien möchte. Seine wahren Gefühle und Fähigkeiten zu verbergen ist ein immer währender Kampf für ihn.
Obwohl Saint ihn niemals drängt, geht Roan davon aus, dass der Prophet sich Informationen von ihm erhofft. Saint will wirklich alles über Longlight wissen, fragt nach den banalsten Dingen: nach dem Leben im Dorf, nach den Arbeitsgewohnheiten der Eltern, nach der Ernährung, nach den Möbeln, die Roans Mutter so gerne hat. Er wird nicht müde, von Stowe zu hören, von den Spielen der Geschwister, von den Streichen, mit denen sie ihre Vettern neckten, vor allem aber auch von den Geschichten, die man ihnen erzählt hat und die sie besonders mochten.
Wenn Roan nach dem Grund für dieses Interesse fragt, gibt Saint zur Antwort, dass sich ihre Lebensläufe ähneln. Auch seine Eltern und Geschwister wurden getötet, als er noch jung war. Die Erzählungen von Roans Familie hielten seine Erinnerung wach.
Roan wünscht, er könnte in Erfahrung bringen, wonach Saint sucht. Je länger er über die Unterhaltung zwischen Saint und Kira nachdenkt, die er zufällig belauscht hat, desto mehr ist er davon überzeugt, dass eine Verbindung zwischen ihm, Stowe und der Stadt bestehen muss. Falls seine Schwester tatsächlich dort ist, wird er in die Stadt gehen und sie finden.

Bruder Wolfs Übungen erweisen sich als gute Vorbereitung für Roans zweite Prüfung. Eines Morgens, fast noch in der Dämmerung, die Sonne ist eben erst aufgegangen, wird Roan von Stachel und drei anderen Brüdern zum Fluss begleitet. Dort geben sie ihm eine Hacke und fordern ihn auf, einen großen Steinbrocken auszugraben. Der Schlamm ist fest und zäh und Roan kostet es große Anstrengung, den massiven Stein freizulegen.

Inzwischen haben sich viele Brüder eingefunden um zuzusehen.

»Hebe ihn auf«, befiehlt Stachel. Roan geht in die Knie und umklammert den unbehauenen Stein. Mit einem lauten Keuchen richtet er sich auf und hebt den Felsbrocken an. Saint schreitet durch die versammelten Brüder auf ihn zu.

»Der Freund erwartet diese Opfergabe auf dem Gipfel unseres Berges«, verkündet er. »Sie darf den Boden nicht berühren, bis sie bei Ihm ist.«

»Die zweite Prüfung beginnt!«, ruft Stachel laut. Die Brüder jubeln.

Stachel geht voraus. Bruder Viper dicht hinter sich, läuft Roan am Ufer entlang. Der Felsbrocken ist schwer und Roans Gang ein wenig unsicher, deshalb muss er langsamer laufen als gewöhnlich. Als sie am Wasserfall ankommen, ist Roan schweißgebadet. Der Stein schneidet in die Finger und Roans Beine tun weh.

Stachel spritzt Roan etwas Wasser in den Mund und Bruder Viper sieht ihn aufmunternd an. »Das machst du gut«, sagt er mit einer lautlosen Mundbewegung.

Bruder Wolf fixiert Roan eindringlich. »Nun fängt die eigentliche Prüfung an.«

Der Anstieg zum Berg führt einen ausgetretenen Pfad entlang, aber er ist steil und windet sich in Kurven empor. Roan atmet gleichmäßig, trotzdem dauert es nicht lange, bis ihm vor Anstrengung schwindelig wird. Er spürt, wie das Blut von seiner Hand auf die nackten Füße tropft. Schweiß rinnt in seine Augen. Er blinzelt, um sehen zu können, versucht sich auf den Weg zu konzentrieren, setzt einen Fuß vor den anderen. Jeder Schritt schmerzt, und wenn er auftritt, pflanzt sich die Erschütterung durch seinen ganzen Körper fort. Halb blind und am ganzen Körper wund, stolpert Roan weiter. Er strauchelt und kann sich gerade noch aufrecht halten, indem er sich gegen den Felsbrocken stemmt. Ein stechender Schmerz durchzuckt ihn. Der Fels rutscht, aber Roan hält ihn auf halber Höhe fest.

Die Brüder feuern ihn an: »Der Freund wartet. Der Freund wartet.«

Roan schaut nach oben: Das Ende des Wegs ist noch immer nicht in Sicht. Er blickt auf den Stein herab, will ihn den Abhang hinunterschleudern. Da vernimmt er die Stimme der Ratte.

»Gib nicht auf.«

Bruder Viper eilt zu ihm. »Ist alles in Ordnung mit dir?«

»Ja.«

»Die Schmerzen treiben dich an, Roan. Du musst lernen, in jeder Lage stark zu sein.«

»Bist du sicher, dass du weitermachen willst?«

»Ja.«

»Nutze den Schmerz. Du wirst den Gipfel erreichen. Wir haben es gesehen.«

Mit brennendem Gesicht quält sich Roan vorwärts, sein Brustkorb hebt und senkt sich vor Anstrengung, die Beine sind steif und wund. So schleppt er sich voran und hält nicht inne, bis er den Gipfel erreicht hat, wo eine Statue des Freunds steht und ins Tal hinabschaut. Zu Füßen der Statue liegen Dutzende und Aberdutzende großer Steine, wie Roan einen trägt.

»Der Freund erhob sich aus dem Stein«, verkündet Saint.

Als Roan der Statue entgegentaumelt, rufen die Brüder: »Aus Stein geboren, aus Stein geboren«, bis er den Felsbrocken fallen lässt und neben ihm zu Boden sinkt. Die Brüder klatschen Beifall. Roan liegt im Staub, ringt nach Luft; jede Muskelfaser brennt.

Doch als die Grille zu zirpen anfängt, nimmt er die Jubelrufe nur noch wie aus weiter Ferne wahr. Roan spürt das kleine Tier in seiner Tasche, das mit seinem Lied die Schmerzen lindert.

Roan darf sich von den Anstrengungen seiner zweiten Prüfung einige Tage lang erholen, bevor er wieder seinen gewohnten Beschäftigungen nachgeht. Während er sich in seinem Zelt ausruht, spielt er gerne Blockflöte. Sein Können reicht bei weitem nicht an das der besten Musiker in Longlight heran, aber er übt mit Fleiß. Der Grille gefallen seine Lieder. Sie sitzt auf seinem Knie und scheint mit großer Aufmerksamkeit zuzuhören, und dabei zittern ihre Fühler. Unbewusst stimmt Roan eine Melodie aus der Vergangenheit an: das Lieblingslied seiner Schwester. Sie sang es so oft, dass Roan damit drohte, ihr den Mund zuzunähen. »Dann singe ich eben mit meiner Nase«, gab sie ungerührt zurück und summte die alte Weise durch die Nase und grinste Roan triumphierend an.

Nun spielt er dieses Lied und denkt dabei an sie, betet, dass sie noch lebt, hofft, dass sie in Sicherheit ist. Ich werde dich finden, Stowe, sobald ich diese Prüfungen abgelegt habe.

Eine Woche später, nach der täglichen Sonnenuntergangsfeier, findet die dritte Prüfung statt. Als die Sonne am Horizont verschwunden ist, ruft Saint Roan zu sich.

»Die dritte Prüfung. Der Novize hält Zwiesprache mit dem Freund.«

Die Brüder nicken zustimmend.

Bruder Viper, der Roan nach vorne begleitet, flüstert: »Die nächsten Prüfungen werden die schwierigsten sein. Bist du sicher, dass du dazu bereit bist?«

»Ja«, sagt Roan. »Ich bin bereit.«

Er wendet sich der Versammlung zu. Im selben Moment hört er ein Blöken. Die Brüder treten zur Seite. Roan sieht Leibkoch auf sich zukommen, der einen Widder an einem Seil führt. Leibkoch und Wolf fesseln die Beine des Widders, dann legen sie das Tier vor Roan auf eine Steinplatte.

Bruder Wolf wendet sich an Roan. »Bevor man Zwiesprache mit dem Freund hält, muss ihm ein Opfer dargebracht werden.«

Bruder Rabe gibt Roan ein Messer. »Für den Freund.«
»Für den Freund«, wiederholen die versammelten Brüder.
Roan blickt in die dunklen Augen des Tieres. Vorsätzlich das Blut eines Lebewesens zu vergießen betrachteten die Menschen in Longlight als die größte aller Sünden.
»Du hast mein Blut vergossen«, sagt der Berglöwe.
Alle Augen richten sich erwartungsvoll auf Roan.
»Du isst Fleisch, dann kannst du ihn auch töten.«
Roan erkennt, dass es sinnlos, ja sogar gefährlich wäre, sich zu weigern; er streicht über den Kopf des Widders und flüstert: »Verzeih mir.« Zitternd holt er tief Luft, hält den Atem an und schlitzt mit der Klinge die Kehle des Widders auf. Blut spritzt hervor, das Tier windet sich und zuckt, dann erschlafft es.
Bruder Wolf hebt das Gefäß, in dem das Blut aufgefangen wurde, empor, sodass es alle sehen können. Dann tauchen die Brüder die Fingerspitzen hinein und malen einen Streifen auf die Stirn. Roan, der am ganzen Körper zittert, folgt ihrem Beispiel.
»Blutzeichen der Gemeinschaft«, sagt Saint und nickt Roan zufrieden zu.
Als Nächstes tragen zwei Brüder einen bunt bemalten sargähnlichen Kasten nach vorn. Er ist auf allen Seiten kunstvoll mit Bildern des Freundes geschmückt. Die Brüder nehmen den Deckel ab und fordern Roan auf hineinzusteigen.
»Denk an deine Übungen«, flüstert Bruder Stachel.
Saint legt die Hand auf Roans Schulter. »Gehe zum Freund, Roan von Longlight. Er erwartet dich.«
Roan steigt in den engen Kasten und legt sich auf den Rücken. Als der Deckel wieder aufgesetzt und befestigt wird, ist es stockdunkel um ihn herum. Nur durch winzige Luftlöcher, die in das Holz gebohrt sind, dringt etwas Licht. Er vernimmt die Schritte der Brüder, als diese weggehen. Nach kurzer Zeit ist es totenstill. Roan ist allein, gefangen in einer Kiste. Die Finger und Zehen kann er bewegen, viel mehr aber auch nicht.
Roans Schienbein fängt an zu jucken. Er versucht sich am Deckel

zu kratzen, aber es gelingt ihm nicht. Stattdessen kratzt er sich am Oberschenkel und hofft, auf diese Weise den Juckreiz ein wenig zu lindern. Aber auch das hilft nicht. Er kneift sich selbst und versucht sich abzulenken. Aber seine Anstrengungen verstärken das unangenehme Gefühl nur noch mehr. Ich werde verrückt, denkt Roan. Nun juckt es überall, jedes seiner Glieder schreit danach, sich zu bewegen, sich zu drehen, sich zu winden. Sein Herz rast. Er möchte losbrüllen, gegen den Deckel schlagen, seinen Weg nach draußen freistemmen.

Roan konzentriert sich auf seinen Atem um gegen das Gefühl der Panik anzukämpfen. Er spürt, wie die Luft durch seine Nase strömt und an seiner Haut entlangstreift. Die Grille bewegt sich in seiner Tasche, faltet die Flügel zusammen und zirpt einige Male. Roan fühlt sich schwerelos, er schwebt neben seinem Körper, ist nicht länger in dieser Kiste eingeschlossen.

Roan sitzt auf einem Stein inmitten eines grasbewachsenen Feldes. Er schaut auf seine Hand und bemerkt, dass er die Flöte hält. Er führt sie an die Lippen und spielt. Es ist Stowes Lied.

Die Ziegenfrau erscheint. »Das ist kein guter Einfall.«

»Es ist nur ein Lied.« Er spielt weiter.

»Halt ein.«

»Warum?«

»Sie wird dich hören.«

»Umso mehr Grund zu spielen.«

»Sie ist bei den Staubessern in der Stadt. Bei den Abtrünnigen.«

»Muss ich sie fürchten?«

»Alle fürchten sich vor ihnen.«

»Bist du nicht auch ein Staubesser?«

»Sie und ich haben nichts miteinander gemein. Und du unterscheidest dich von allen. Du bist etwas Besonderes.«

»Was ist mit Stowe?«

Er hört eine Stimme in der Ferne. Die Stimme seiner Schwester. »Roan!«

Die Ziegenfrau hebt die Hand, verschließt Roans Mund. Er schreit, aber kein Laut ist zu hören.
»Die Gefahr ist zu groß. Deine Schwester lebt. Du wirst sie finden. Aber nicht jetzt. Triffst du sie, bevor es an der Zeit ist, wirst du sie für immer verlieren.«

Roan starrt angestrengt in die Dunkelheit, er ist noch immer in dem Kasten gefangen. Er öffnet den Mund, bewegt die Lippen, wie um zu testen, ob er noch sprechen kann. »Sie lebt«, sagt er laut. »Es ist wahr, meine Schwester lebt. Die Staubesser in der Stadt halten sie fest. Aber wer sind diese Leute? Was wollen sie?«
Langsam kommt er zur Ruhe. Er zieht die Luft ein, zählt seine Atemzüge, bis er einschlummert.
Er erwacht vom Geräusch der Schrauben, die vom Kasten gelöst werden. Der Deckel wird angehoben. Hilfreiche Hände stützen Roan, der taumelt und vom hellen Licht der Sonne geblendet ist. Die Brüder umringen ihn.
Saint fasst ihn am Arm. »Hast du den Freund getroffen?«
Roan will nicht lügen und sagt: »Ich habe Seine Gegenwart gespürt.«
Saint umarmt ihn. »Gut gemacht. Gepriesen sei der Freund!«
»Gepriesen sei der Freund«, wiederholen die Brüder.

Spät in der Nacht erscheint Leibkoch im Eingang von Roans Zelt; er ist blass und zerzaust. »Das Sandgemälde ist beinahe fertig. In ein paar Wochen ist alles vorbei.«
»Hast du uns zugesehen?«
»Nach deiner nächsten Prüfung wirst du getauft.«
Roan nickt. »Mit Blut getauft.«
»Du sagst es.«
»Eigentlich braucht man dafür das Blut eines Stiers, wie auf den Bildern. Aber das geht nicht. Die Zeit des Grauens hat uns kein Vieh mehr gelassen.«
»Nein«, murmelt Leibkoch. »Man hat einen Stier gefunden. Jedes

Jahr wird einer gefunden. Du wirst mit dem Blut eines Stiers getauft werden.«
Ohne ein weiteres Wort dreht Leibkoch sich um und geht. Roan folgt ihm nach draußen, wo er wie üblich Bruder Rabe vorfindet.
»Er scheint aufgeregt zu sein«, sagt Rabe mit einem aufgesetzten Lächeln.
»Findet Ihr?«, fragt Roan.
»Ich könnte schwören, er hat von einem Stier gesprochen.«
»Er sagt, Ihr hättet einen gefunden.«
Bruder Rabe seufzt. »Er sollte es eigentlich besser wissen und nicht mit dir über die Riten sprechen. Aber ich weiß schon, er ist natürlich eifersüchtig.«
»Welchen Grund hätte er dazu?«
»Du bist ein Liebling des Rates der Fünf. Du isst mit dem Propheten und fährst mit ihm Motorrad. Und dank Bruder Viper feiern sie dich in den Dörfern als Helden. Bruder Stachel ist überzeugt, dass du über eine besondere Begabung verfügst. Von Bruder Wolf hast du eine legendäre Waffe bekommen und du genießt meine ungeteilte Aufmerksamkeit. Der arme Leibkoch dagegen ... Nun, lass es mich so sagen: Er war eine einzige Enttäuschung. Aber mach dir deswegen keine Sorgen, ich werde mit ihm sprechen.«
Roans Besorgnis ist nach diesem Gespräch nur noch größer geworden. Warum hat Leibkoch ihn aufgesucht? Was wollte er ihm mitteilen? Er wirkte so ... verängstigt. Roan ist entschlossen den Grund dafür herauszufinden.
Am nächsten Abend, als Roan unterwegs ist zu Saint, um ihm vorzulesen, bemerkt er zwei Gestalten, deren Umrisse sich im Kerzenlicht auf Bruder Rabes Zeltwand abzeichnen. Eine von ihnen sitzt, die andere beugt sich im Stehen über sie. Der Stehende scheint Bruder Rabe zu sein und beim ersten Wort weiß Roan auch, wer die zweite Person ist.
»Ja ... ja ... ja«, ist alles, was sie sagt, aber Roan erkennt die Stimme sofort. Es ist Bruder Leibkoch.

Roan versteht die weiteren Worte nicht, aber es ist offensichtlich, dass Rabe auf den Koch einredet. Roan beschließt, Leibkoch bei der nächsten Gelegenheit darauf anzusprechen.
Als er den Wohnraum in Saints Zelt betritt, brennen überall Kerzen. Auf dem Tisch vor dem Propheten steht eine Flasche, auf deren Grund ein brauner Skorpion schwimmt.
»Sechzehn Jahre bist du heute alt. Alles Gute zum Geburtstag, Roan von Longlight.«
»Woher wisst Ihr das?«
»Bruder Viper hat es mir gesagt. Ich denke, das muss gefeiert werden.«
Saint öffnet die Flasche. Ihr entströmt ein dumpfer, säuerlicher Geruch, der Roan bekannt vorkommt. »Skorpionbrand.«
Saint schenkt zwei kleine Gläser ein und gibt eines davon Roan. »Dies ist ein bedeutender Augenblick. Wir stoßen darauf an, dass du nun ein Mann bist.« Er erhebt sein Glas. »Auf Roan von Longlight, den jüngsten unserer Brüder.«
»So weit bin ich noch nicht«, wehrt Roan ab.
»In wenigen Wochen bist du es. Aber schon jetzt zeichnest du dich aus, sodass es erlaubt ist, dich Bruder zu nennen. Du bist ein großer Gewinn für unsere Mission.«
Saint stürzt sein Glas hinunter. Roan nimmt nur einen winzigen Schluck und sofort scheint sein Mund zu explodieren. Er krümmt sich in einem Hustenanfall. Saint klopft ihm auf den Rücken, vor Lachen bleibt ihm selbst beinahe die Luft weg.
»Braune Skorpione sind zwar klein, aber ihr Gift hat eine durchschlagende Wirkung«, sagt er und reicht Roan einen Krug mit Wasser.
Roan trinkt hastig, um das üble Zeug fortzuspülen.
»Mit der Zeit wirst du schon noch auf den Geschmack kommen«, sagt Saint lächelnd.
Roan nimmt sein Glas und schluckt auch den Rest des widerlichen Gebräus hinunter. Er schafft es, den Fusel bei sich zu behalten, indem er sich fest am Tischrand festklammert. Nach ein

paar Minuten atmet er tief aus und ist überrascht, dass alle seine inneren Organe noch zu funktionieren scheinen.
»Es gibt nichts Besseres«, sagt Saint.
»Wahrscheinlich habt Ihr Recht«, antwortet Roan und fühlt sich dabei etwas schwindelig.
»Behalte die Flasche.«
»Meint Ihr das ernst?«
»Bring sie zurück, wenn du sie ausgetrunken hast, dann essen wir den Skorpion gemeinsam.«
»Das kann eine Weile dauern.«
»Wir haben Zeit genug.« Saint lacht leise in sich hinein.
»Was ist?«
»Als ich sechzehn war, hätte die Flasche nicht einmal für eine Nacht gereicht.«
»Ihr hättet eine ganze Flasche davon trinken können?«
»Ich habe alles getrunken, was mir in die Finger kam. Ich war damals von vielen Dämonen besessen und glaubte, mit dem Trinken könnte ich sie austreiben.« Er schaut Roan eindringlich an. »Aber meine Dämonen waren älter und schlauer als ich. Ich brauchte den Beistand des Freundes um mit ihnen fertig zu werden. Du bist klüger. Du eignest dir Wissen an, daher werden sich dir viele Möglichkeiten eröffnen. Und du kannst abwarten, Roan von Longlight. Du bist ein Vorbild.«
Ein Pfiff vor der Tür kündigt einen Besucher an. Saint ruft ihn herein. Es ist Bruder Wolf.
»Es tut mir Leid, Bruder Saint, aber da sind noch einige Vorbereitungen zu erledigen ...«
Saint flucht leise. Er entschuldigt sich eilig bei Wolf und wendet sich an Roan. »Geh und suche einige neue Bücher aus. In ein bis zwei Stunden bin ich wieder zurück.«
Sobald er gegangen ist, wickelt Roan die Flasche in ein Tuch und steckt sie in seine Umhängetasche. Der Skorpiontrank könnte sich noch einmal als sehr nützlich erweisen.
In dem Raum, in dem Saint die Bücher aufbewahrt, zündet Roan

ein paar Kerzen an und fängt an zu stöbern. Er legt die Bände, die er aus der Bibliothek seines Vaters kennt, auf einen kleinen Stapel. Er wird sie in seine eigene Unterkunft mitnehmen und dort lesen. Platons *Staat,* eine Geschichte der Französischen Revolution, Machiavellis *Fürst*, das *Tao-Te-King,* eine Sammlung philosophischer Sinnsprüche, *das Tibetische Totenbuch* und *Satyagraha in Südafrika* von Mahatma Gandhi. Sein Vater hat oft von Gandhi gesprochen. Er nannte ihn den »Kämpfer, der niemals kämpfte«. Roan schlägt das Buch auf und liest eine Erklärung des Begriffs »Satyagraha«, der eigentlich drei Bedeutungen in sich vereint. »Sat« bedeutet Wahrheit, die Pflicht, sie zu erkennen und zu verkünden. »Ahimsa« ist das Verbot, anderen Menschen Schaden zuzufügen. Um Ahimsa gerecht zu werden, muss man seine Widersacher aufrichtig lieben. »Tapasya« ist die Bereitschaft zur Selbstaufgabe – nicht um einen Sieg zu erringen, sondern um seinem Gegner dabei zu helfen, ebenfalls die Wahrheit zu erkennen. Roan brennen die Augen. Er möchte die Seiten am liebsten herausreißen. Wegen dieser Grundsätze sind seine Eltern gestorben, wurde Longlight ausgelöscht. Aber was ist der tiefere Grund dafür, dass sich seine Leute selbst geopfert haben? Es muss mehr dahinter stecken als die simple Weigerung zu kämpfen. Gandhi lehrte Satyagraha als einen Weg zur Freiheit. Für welche Wahrheit ist Longlight gestorben?

Als er das Buch seines Vaters in seine Umhängetasche steckt, bemerkt Roan, wie die Schneegrille aus seiner Hemdtasche hüpft. Sie landet bei der Tür und springt davon. Vom Skorpionbrand leicht schwankend, folgt er der Grille in den mit Segeltuch überspannten Vorraum. Und wieder springt das kleine Tier davon.

Roan folgt ihm und betritt einen Raum, der Saints Schlafzimmer sein muss. Er ist einfach ausgestattet, nur eine wollene Matratze und Teppiche liegen auf dem Boden. Die Grille hüpft auf einen Teppich neben dem Bett. Roan zögert. Dies ist Saints privater Bereich. Aber er will die Grille nicht zurücklassen, deshalb tritt er näher. Das Insekt verschwindet unter dem Teppich. Roan ist verblüfft und hebt den Stoff hoch. Die Grille sitzt regungslos auf dem glatten Steinboden.

Als Roan seine Hand nach ihr ausstreckt, bemerkt er einen dünnen Spalt im Stein. Er beugt sich näher und folgt ihm mit den Augen, bis er einen Umriss erkennen kann. Eine Öffnung. Roan holt sein Messer heraus, stößt es in die Fuge und hebt den Stein an. Darunter befindet sich eine Metallkiste. Er will sie öffnen, zögert aber. Bestimmt enthält sie private Dinge. Er hat nicht das Recht, das zu tun. Roan will das Geheimfach wieder schließen, aber die Grille springt auf die Metallkiste und hüpft munter auf dem dunkel gemusterten Deckel umher; Roan kann nicht länger widerstehen. Er greift nach dem Deckel und hebt ihn hoch. In der Kiste liegt ein Buch: *Religion im Alten Rom.*

Roan nimmt das Buch und blättert darin. Sein Blick fällt auf ein Bild, das einen Mann zeigt, der einen Stier tötet; um ihn herum ein Vogel, eine Schlange, ein Skorpion und ein Hund. Das Kapitel heißt »Der Mithras-Kult«. Darin wird erklärt, der Kult gehe auf religiöse Gebräuche römischer Soldaten zurück, und eine Abbildung zeigt eine Gruppe von Kriegern, die beten, während ein junger Soldat in einem Fluss getauft wird. Auf einem anderen Bild ist der Gott Mithras zu sehen, wie er aus einem Stein geboren wird und sein Schwert emporstreckt. Zu seinen Füßen liegen zersprengte Steine. Eine weitere Abbildung zeigt eine Höhle, Mithräum genannt, die mit Zeichnungen von Mithras ausgeschmückt ist. Soldaten bringen ihrem Gott einen Stier dar, sein Blut fließt auf ein neues Mitglied der Gemeinschaft.

Gefesselt liest Roan weiter. Er erfährt, dass vor vielen Tausenden von Jahren die Sonne an jeder Frühjahrs-Tag-und-Nacht-Gleiche im Sternbild Taurus, des Stiers, aufgegangen ist. Während dieses Sternbild am Himmel regierte, wanderte der Himmelsäquator durch die Sternbilder Taurus, dann durch Canis minor, den Kleinen Hund, Hydra, die Schlange, und Corvus, den Raben. Genau diese Sternbilder hat er Saint an dem Abend gezeigt, als sie aus Kiras Dorf zurückkehrten.

Im Laufe vieler Jahre änderte sich die Position des Stiers am Himmel, wie das Buch berichtet, und an die Stelle des Stiers trat allmählich das Sternbild Aries, der Widder. Man glaubte, dass Mithras, dessen Name aus dem alten Persien stammt, das Universum bewegt habe. Er tötete Taurus, den Stier, und so brach durch ihn das Zeitalter des Widders an.

Roan ist überwältigt von dem, was er sieht und liest, und er bemüht sich, es richtig zu verstehen. Vor ihm liegt ein geheimes Buch, in dem Worte stehen, die der Prophet nicht lesen kann. Aber er kann die Bilder verstehen. Der Vogel, die Schlange, der Skorpion und der Hund. Bruder Rabe, Bruder Viper, Bruder Stachel, Bruder Wolf.

»Roan!«

Roan gefriert das Blut in den Adern, als er Saints Stimme hört. Er antwortet nicht, er atmet nicht. Lautlos legt er das Buch in die Kiste zurück, schließt den Deckel und beginnt den Stein an seine ursprüngliche Stelle zurückzuschieben. Aber die Einfassung ist zu eng, der Stein schließt nicht. Er hört Schritte.

»Roan!«

Zuvor saß der Stein ganz fest, doch nun scheint er nicht mehr zu passen. Roan hört Saints Schritte näher kommen.

Obwohl sein Herz bis zum Hals klopft, zwingt sich Roan ruhig zu bleiben. Er denkt an nichts anderes, konzentriert sich nur auf den Stein, hebt ihn an, senkt ihn gleichmäßig in die Fassung. Dann legt er den Teppich darüber und steckt die Schneegrille in seine Tasche.

»Wo bist du?«

Leise huscht Roan hinaus. Im Vorraum ist niemand zu sehen. Er schleicht weiter, doch es bleibt nicht unbemerkt. Plötzlich steht Saint vor ihm und blickt ihn aus zusammengekniffenen Augen an.

»Wo bist du gewesen?«

Roan, noch immer voll konzentriert, antwortet achselzuckend: »Bei der Latrine.«

»Das wollte ich dir geben«, sagt Saint und reicht ihm eine kleine Schachtel. »Ein Geburtstagsgeschenk.«

»Danke«, sagt Roan. In der Schachtel ist ein mattsilberner Ring, dessen Oberfläche bearbeitet ist und einen Dachs darstellt. »Hat das eine besondere Bedeutung?«

»Wenn Dachse jagen, hören sie nicht eher auf, bis sie die Beute erlegt haben. Sie sind beharrlich. Wir müssen ebenso sein, wenn wir die Stadt besiegen wollen. Von Dachsen können wir lernen, unsere Bestimmung nicht aus den Augen zu verlieren. Streif ihn über.«

»Er ist so leicht«, sagt Roan, der unwillkürlich von dem ungewöhnlichen Geschenk fasziniert ist.

»Hast du ein Buch gefunden, das mich interessiert?«, fragt Saint. Spielt Saint Katz und Maus mit ihm? Hat er ihn entdeckt? Mit einem Kribbeln im Magen forscht Roan in Saints Miene. Nicht das leiseste Anzeichen eines Verdachts ist darin zu lesen. Erleichtert sagt er: »Wie wäre es mit einem Buch über die Französische Revolution?«

»Gut. Fangen wir an.«

Roan versucht, sich den inneren Aufruhr über seine neue Entdeckung nicht anmerken zu lassen, und liest Saint die Berichte von Intrigen und Verrat und dem Tod Tausender vor. Saint hört ihm aufmerksam zu. Wie üblich liest Roan so lange, bis Saint schläfrig wird. Dann kehrt er in sein eigenes Zelt zurück, froh darüber, dass wenigstens diesmal Bruder Rabe nicht nebenan lauert. Im Zelt leert er sorgfältig seine Tragetasche aus, versteckt die Flasche Skorpionbrand und verstaut die Bücher im Rucksack seiner Mutter.

Dann legt er sich aufs Bett und versucht sich einen Reim auf seine neuen Erkenntnisse zu machen. Je mehr er darüber nachdenkt, desto offenkundiger und bestürzender stellen sich ihm die Zusammenhänge dar. Saint muss sich die Religion der Bruderschaft, angeregt durch die Bilder in dem geheimen Buch, ausgedacht haben. Es ist nichts als Schwindelei, dass ihm die Lehre vom Freund auf dem Berg offenbart wurde, und ganz sicher ist dieser ihm nicht in einer weißen Feuerwolke erschienen. Das würde auch

Saints Angst in jenem Moment erklären, als Roan ihm die Sternbilder zeigte. Wüssten die Brüder davon, wäre Saints Macht als Anführer dahin. Deshalb ist dieses Wissen gefährlich. Was, wenn Saint erführe, dass Roan die Wahrheit über seinen Gott kennt?
Vor Roan liegt noch eine Prüfung, dann wird er mit Blut getauft. Mit dem Blut eines Stiers, gerade so, wie er es in dem Buch gesehen hat. Doch hier gibt es weit und breit keine Stiere. Das weiß Roan, und der Gedanke daran, was an die Stelle eines Stiers treten könnte, beunruhigt ihn.
Roan fühlt sich gefangen wie vor kurzem in der Kiste, doch jetzt ist seine Furcht noch viel größer. Damals wusste er wenigstens, dass die Prüfung irgendwann ein Ende nehmen würde. Er atmet tief und versucht so, die Angst zu vertreiben, aber es gelingt ihm nicht. Die Angst wächst und wächst, bis ein kleines Geschöpf auf sein Bett kriecht. Dankbar sieht Roan zu, wie die Grille ihre Flügel aneinander reibt und zu singen beginnt.

Auf einem flachen, gelben Stein liegt der Berglöwe schläfrig in der Sonne.
»Die Antworten auf deine Fragen findest du in der Höhle, in der roter Fels sich blau verfärbt«, sagt er.
»Wie kann ich sie finden?«, fragt Roan.
»Schau in den Sand …«

Die Höhle

Dort gibt es großartige Bilder, die niemand je erblickt hat noch je erblicken wird. Die Brüder erschaffen sie aus Sand, und wenn der Atem des Freunds sie mit dem Wind davonträgt, ist die Zeit der Heimsuchung gekommen.

Orins Geschichte des Freundes

Noch vor dem Morgengrauen schleicht sich Roan heimlich am Zelt des schnarchenden Rabe vorbei. Es gibt einige andere Frühaufsteher, die schon mit der Arbeit begonnen haben, ehe die Brüder zusammengerufen werden, um die Sonne aufgehen zu lassen. Aber wie Roan vermutet hat, sitzt noch niemand am Sandgemälde, und die Überdachung bietet einen zusätzlichen Schutz vor neugierigen Blicken. Bis jetzt hat Roan nur auf seinen eigenen, winzigen Ausschnitt des Bildes geachtet. Zwar verfolgte er, wie das Gemälde Gestalt annahm und wuchs, jedoch nur insofern er die künstlerische Ausdruckskraft bewunderte. Aber nun steht er im Schein einer Fackel vor dem riesigen Gemälde, prägt es sich ein und sucht nach verborgenen Hinweisen.

Er sieht, dass der Stier in einer Höhle am Rande eines Berges getötet wird. Rund um die Höhle finden sich wunderschöne Muster in den unterschiedlichsten Farben. Roan betrachtet sie aufmerksam, versucht ihren Sinn zu entschlüsseln, aber er kann das Rätsel nicht lösen.

Die Morgenglocke läutet, die Zeit wird knapp. Roan holt tief

Luft. Ruhig richtet er seine ganze Aufmerksamkeit auf das Gesamtbild, so wie er sich sonst auf die winzigen Sandkörnchen konzentriert, aus denen es besteht.
Ein langer, blauer Streifen schlängelt sich durch das Bild und endet an einem Wasserfall nahe der Höhle. Natürlich, das ist der Fluss, begreift Roan. Der Fluss, der an dem Bergkamm etwa eine Meile südlich entspringt. Wenn er seinem Lauf folgt, wird er auch die Höhle finden.
Roan macht sich an dem großen Behälter zu schaffen, in dem sich der Vorrat an rotbraunem Sand, seinem Sand, befindet, und füllt bis auf einen kleinen Rest alles in seinen Beutel, den er dann zwischen den Bäumen am Flussbett versteckt. Danach eilt er zur Morgenzeremonie.

Nach dem Frühstück macht sich Roan zum Kochzelt auf. Rabe hat Leibkoch Angst eingejagt und Roan will etwas dagegen unternehmen.
»Du warst gestern Abend im Zelt von Rabe.«
Leibkoch lächelt geheimnisvoll. Ohne ein Wort zu sagen nimmt er die Karotten, die er gerade geschält hat, und will weggehen. Roan fasst ihn am Arm. Dabei bemerkt er eine Schnittwunde hinter Leibkochs Ohr. Er streckt die Hand aus um sie zu berühren.
»Was ist das?«
Leibkoch wendet sich ab.
»Gar nichts.«
»Es sieht aus, als hättest du dich geschnitten. Du bist verletzt.«
»Nein, ich bin in Ordnung.«
Leibkoch blickt Roan unbewegt an. Seine Haltung ist aufrecht, beinahe stolz.
»Du bist anders heute.«
»Weil ich jetzt weiß, wer ich bin. Ja, ich weiß, wer ich bin.«
»Was hat Rabe mit dir gemacht?«
Leibkoch lächelt weiter sein aufgesetztes Lächeln; er überhört Roans Frage und schlendert aus dem Kochzelt.

Das war nicht der Bruder Leibkoch, den Roan kennt. Er ist nicht er selbst, denkt Roan. Leibkochs Lippen bewegen sich, aber es sind nicht seine eigenen Worte, die er spricht. Er ist wie verwandelt und diese Veränderung hat etwas mit der rätselhaften Wunde zu tun.

An diesem Abend ist Roan allein in seinem Zelt und übt. Tritte, Sprünge, Rollen, Schwertführung. Innerhalb eines Jahres ist er kräftiger und schneller geworden, doch außer ihm selbst weiß niemand, wie groß seine Fortschritte tatsächlich sind. Als sein Schweiß in Strömen fließt, holt Roan den Skorpionbrand aus seiner Tasche hervor, öffnet den Verschluss, nimmt einen Schluck davon in den Mund und spült ihn aus, dann spuckt er das Getränk auf den Boden. Mit der Flasche in der Hand stolpert er in die Nachtluft hinaus, überzeugt davon, dass sein Wachhund jeden Augenblick auftauchen wird. Bruder Rabe lässt nicht auf sich warten; augenblicklich ist er zur Stelle.

»Schwester Rabe, sieh mal, was mir der Prophet zum Geburtstag geschenkt hat!« Roan legt den Arm um Rabe, wie um Halt zu finden, und bläst ihm seinen Atem direkt ins Gesicht. »Wünsche mir alles Gute, alles, alles ...«

Rabes Blick ist starr auf die Flasche gerichtet. »Alles Gute zum Geburtstag.«

»Willst du hier nur rumstehen?«, lallt Roan. »Komm und trink einen mit!«

»Lieber nicht, es ist schon spät.«

»Ach, komm schon, mein lieber Rabe, nur einen.«

»Wenn du darauf bestehst«, sagt Rabe. Er setzt die Flasche an den Mund und nimmt einen langen, tiefen Schluck von dem scharfen Getränk. Genussvoll lässt er den Nachgeschmack auf der Zunge zergehen und betrachtet den schwankenden Roan. »Das ist das beste Stachelgebräu, das ich jemals probiert habe.«

Roan lehnt sich an ihn. »Wenn es das beste ist, dann trink noch einen.«

Rabe genehmigt sich einen zweiten Schluck. »Außerordentlich.«

»Lass es dir schmecken!«, sagt Roan. Er schwankt und stolpert, beinahe fällt er der Länge nach hin. Er hält inne, versucht eine möglichst ausdruckslose Miene aufzusetzen und grinst Rabe dümmlich an. »Weißt du was? Ich muss schleunigst ins Bett. Gute Nacht, Bruder, du bist ein feiner Kerl.«
Roan taumelt und fällt durch den Eingang seines Zelts. »Nichts passiert, nichts passiert!«, ruft er. Sobald er im Zelt ist, späht er durch eine Lücke im Türvorhang nach draußen. Rabe nimmt noch einen tiefen Schluck und bleibt mit der Flasche in der Hand stehen und wartet, ob Roan sie wiederhaben möchte. Nach einigen Augenblicken lächelt er zufrieden und kehrt, die Flasche gierig umklammernd, in sein Zelt zurück.

Am nächsten Morgen huscht Roan zu Rabes Zelt und lauscht. Nach so viel Skorpionbrand wird der trinkfreudige Bruder sicherlich bis in den späten Vormittag hinein schnarchen.
Die Unterrichtsstunde bei Bruder Wolf ist so schwierig wie nie, weil Roan immerfort an das denken muss, was er heute vorhat. Als er vor dem Sandgemälde steht, begrüßt er die Brüder mit einer Verneigung, nimmt sein kleines Sandgefäß und richtet seine ganze Aufmerksamkeit darauf, die Sandkörner auf ihren Platz fallen zu lassen. Sobald das Gefäß leer ist, geht er zu dem großen Vorratsbehälter, taucht seinen Topf hinein und klopft dann Bruder Stachel sachte auf die Schulter. Es ist kein Sand mehr da.
Erstaunt sucht Stachel das Gefäß nach Löchern ab. »Geh zum Flussbett und hole neuen Sand.« Mehr sagt er nicht, aber Roan hat auf ebendiese Reaktion gehofft. Schnell läuft er am Flussbett entlang, bis er zu der Stelle kommt, an der sich der sienafarbene Sand am Ufer häuft. Er bleibt kurz stehen und prüft, ob ihm jemand gefolgt ist. Niemand ist zu sehen. Roan zögert nicht länger und packt die Gelegenheit beim Schopf. Nach einer halben Stunde ist er am Fuße des Bergs angekommen. Im Laufe des vergangenen Jahres hat Roan zusammen mit Bruder Viper die Grenzen des Lagers erkundet. Und Saint hat ihn in weit entfernte

Gegenden mitgenommen, in entlegene Dörfer und auf den Kahlen Berg, aber niemals sind sie in die Nähe dieses Ortes gekommen. Warum?

Die Felsen sind vielfarbig, ihre Tönung reicht von Gelb über Orange bis Rot. Aber nirgends ein blauer Fels, nirgends eine Farbe, die auch nur im Entferntesten an Blau erinnert. Wovon hat der Berglöwe gesprochen? Enttäuscht sieht Roan sich um. Die Felswand zieht sich meilenweit hin und nirgendwo ist die Spur einer Höhle zu sehen.

Er holt die Schneegrille aus seiner Tasche, vielleicht kann sie ihn ja zu dem gesuchten Ort führen. Aber die Grille verharrt regungslos.

Roan setzt sich hin und mustert die Felswand. Seiner Einschätzung nach bleibt ihm gut eine Stunde Zeit, bis er wieder zurück am Sandgemälde sein muss. Eigentlich dürfte er gar nicht so lange brauchen, aber die Brüder sind so in ihre Arbeit vertieft, dass sie kaum bemerken werden, wie viel Zeit verstrichen ist.

Während der nächsten halben Stunde starrt er den vielfarbigen Fels an, der in der Sonne flimmert. Gerade als er sein Vorhaben aufgeben will, zieht eine Wolke vorbei. Da sieht Roan es: Der Wolkenschatten lässt die Farben kräftiger hervortreten. An einer Stelle etwas weiter östlich, wo sich ein moosgrünes Gewächs am Felsen hochrankt, färben sich die Rottöne im Schatten blau.

Roan rennt dorthin und bemerkt, dass die Moosdecke nur locker auf dem Stein aufliegt. Er berührt sie und sie gibt nach. Das Moos ist in ein Tarnnetz eingewebt ähnlich wie bei jenen Matten, die die Zelte im Lager bedecken. Roan tastet den Rand der Moosdecke ab und findet eine Lasche. Als er daran zieht, schwingt das Netz zurück und gibt eine große Felsöffnung frei. Er tritt ein.

Genau über der Schwelle sind eine Fackel und ein Feuerstein angebracht. An einer Kette hängt ein Eisen herab. Schlägt man mit dem Eisen gegen den Stein, fliegen Funken und entzünden die Fackel. Roan tastet sich langsam vorwärts, bis er vor einem riesigen behauenen Block steht. Es ist eine Statue, die den Freund zeigt, wie er den Stier tötet. Als er die Fackel in die Höhe hält, bemerkt er über sich ein großes Gitter, das an einem Seilzug befestigt ist. Daran binden sie vermutlich das Opfertier fest und stellen sich darunter, überlegt er. Im flackernden Fackelschein fallen ihm die Farben an den Wänden auf. Als er näher tritt, kann er einzelne Bilder erkennen. Die meisten hat er schon früher gesehen: den Freund, seine Geburt aus dem Stein, die Tötung des Stiers. Aber ein Bild zeigt einen Menschen, der hoch in der Luft auf einem Gitterrost festgebunden ist. Sein Blut strömt auf die Brüder herab, die sich unter ihm versammelt haben. Roans Magen krampft sich zusammen. Das Opfer wird ein Mensch sein.

Mit klopfendem Herzen hält Roan die Fackel vor eine andere Zeichnung. Sie zeigt ein brennendes Dorf und darüber eine Hand, die ein Schwert schwingt. Der Arm des Schwertträgers ist zu sehen. Er ist von einem Muster aus dünnen, parallel verlaufenden Narben überzogen. Neben den Bildern hängt ein langes Tuch. Roan hebt es an und gelangt in eine benachbarte Höhle.

Ihm ist, als würde ihm das Herz aus der Brust gerissen. Das Gewölbe ist voll von Masken. Totenköpfe, knöcherne Fratzen. Die abscheulichste Maske von allen ist rot. Es ist die rote Totenkopfmaske, die der Entführer seiner Schwester trug.

Roan stürzt hinaus, ringt nach Luft. Er hat es bereits vermutet und sich dennoch geweigert es zu glauben. Aber jetzt hat er Gewissheit.

Hass und wilder Zorn steigen in ihm hoch. Er will die Zelte der Brüder anzünden, will sie schreien hören, wenn sie in ihren Betten liegen und in den Flammen eingeschlossen sind. Er will sie erdolchen, erstechen, ihnen die Kehle durchschneiden, den Schädel zertrümmern, sie verbluten lassen, bis nichts mehr von ihnen übrig ist.

Wir haben gesehen, wie Rache die Welt verzehrt. Wir haben uns davon abgewandt. Wir haben die Gemeinschaft von Longlight gegründet und werden niemals wieder die Waffen erheben aus

Furcht vor dem, was Gewalt aus uns macht. Krieg schafft keinen Frieden. Vergiss das nicht, Roan, vergiss das nicht.

Aber die Worte seines Vaters gelten für Roan nicht mehr. Er schreit in die Dunkelheit der Höhle hinein: »Ich werde kämpfen, Vater!«

Ja, er wird kämpfen. Aber erst, wenn er sicher sein kann, den Kampf zu gewinnen. Bis dahin wird er abwarten. Warten und seine Gelegenheit suchen. Ich habe ein Ziel, denkt Roan beschwörend. Ich werde Stowe finden und ich werde die Zerstörung von Longlight rächen. Aber im Moment habe ich keine andere Wahl, ich muss meine Pläne geheim halten und warten.

Wieder im Tageslicht, fühlt Roan sich wund und nackt. Er rennt am Fluss entlang zurück und fragt sich, wie er diese grauenhafte Entdeckung für sich behalten kann. In der Nähe des Lagers holt er den Beutel mit Sand aus dem Versteck. Niemand hebt auch nur den Kopf, als er zurückkehrt.

Er nimmt seinen Platz am Gemälde ein und streut Sand auf die vorbezeichnete Stelle. Er beobachtet den Fall jedes einzelnen Sandkorns; so gelingt es ihm, seiner Gefühle Herr zu werden. Keinesfalls darf er sich vor den Brüdern etwas anmerken lassen. Und während die Sandkörnchen rieseln, plant er seine Flucht.

Beim Essen sitzt Roan neben einem verschlafen dreinblickenden Bruder Rabe. Saint stimmt den Segensspruch an. »Sein himmlisches Schwert befreite uns von dem Bösen.«

Dieses himmlische Schwert brachte das Unglück in unsere Häuser, denkt Roan. Er kann kaum an sich halten, so groß ist sein Zorn hinter der Fassade gespielter Ruhe. Wie kann Saint so tun, als sei er mein Freund? Wie konnte er mich so lange belügen? Wie konnte er ein solches Gemetzel verantworten? Nur mit größter Anstrengung bewahrt Roan die Fassung, während er sich dem Ritual gemäß zusammen mit den anderen Brüdern verneigt.

Saint beendet das Gebet. »Mit Seiner Liebe werden wir die Welt befreien.«

»Wir sind Brüder. Wir sind Freunde.«
Insgeheim schwört Roan: »Ich bin dein Feind, eines Tages werde ich dich vernichten.«
»Der große Tag steht bald bevor. Schon aufgeregt, Roan?«
Mit geheuchelter Freude blickt Roan zu Rabe auf: »Sehr.«
Beim Anblick von Rabes aufgedunsenen Gesichtszügen fällt es ihm plötzlich wie Schuppen von den Augen. Er sieht das Bild vor sich, wie Rabe im Zelt mit Leibkoch flüstert, denkt an die Schnittwunde hinter Leibkochs Ohr. Und mit einem Mal wird ihm klar, dass die Person auf dem Gitter Leibkoch sein wird. Roan soll mit Leibkochs Blut getauft werden.
Rabe setzt sein falsches Lächeln auf. »Wer weiß, ob du auch die letzte Prüfung ohne Schwierigkeiten bestehst?«
Scheinbar ungerührt zuckt Roan die Achseln.
Nach dem Essen sucht er sich einen erhöhten Platz und im gedämpften Licht der untergehenden Sonne sinnt er über seine Fluchtpläne nach. Im Süden liegt Fandor, wo eine Sippe herrscht, die Saint noch nicht unterworfen hat. Doch wenn man Saint auch nur ein Wort glauben darf, handelt es sich dabei um blutrünstige, wilde Gesellen. Im Osten befand sich einst Longlight. Inzwischen wird das ganze Land dort von den Freunden beherrscht. Die einzige Möglichkeit, die ihm bleibt, ist nach Westen zu gehen, über den Kahlen Berg, mitten in das Wüste Land hinein. Er wird Zeit brauchen, vielleicht eine Woche, um alles zu beschaffen, was er für die Reise benötigt. Vor allem aber braucht er das Motorrad.
»Jetzt ist die schönste Zeit des Tages, nicht wahr?«, erklingt Saints Stimme freundlich hinter ihm.
»Ja, gewiss.«
»Du stehst kurz vor deiner endgültigen Aufnahme in unsere Gemeinschaft, Roan. Deine nächste Prüfung bringt die Entscheidung. Wenn du sie bestehst, wirst du als einer unserer Brüder getauft.« Saint legt die Hand auf seine Schulter. »Du weißt, dass du niemals Frieden finden wirst, solange Longlight nicht Gerechtigkeit widerfahren ist. Dieser Knoten muss durchschlagen werden.«

»Ich stimme Euch zu.«
»Roan, ich möchte dich an meiner Seite sehen. Aber dazu musst du nach vorne schauen, nicht zurück. Sobald du die Prüfung abgelegt hast, wirst du an einer Visitation teilnehmen.«
»An einer Visitation?«
»Wie du weißt, gehen Bruder Wolf und ich von Zeit zu Zeit mit einigen Brüdern weg. Man hat dir gesagt, es seien Handelsreisen. Doch nun, da du den dritten Grad erlangt hast, kannst du die Wahrheit darüber erfahren. Eines Tages werden wir alle Länder vereinen und die Stadt erobern. Dazu müssen wir stark sein, bis ins Innerste gestählt. Die Visitationen sind unsere Art, ein vollkommenes Gleichgewicht zu finden. In ihnen verwandeln wir uns. Wir werden darin zum reinigenden Feuersturm. Die Visitation vergeht wie ein Traum. Wir tun dies um höherer Ziele willen.«
Während des Großen Wahnsinns nannte man Völkermord heilig, nannte ihn Reinigung.
Die Worte seines Vaters im Kopf, verneigt Roan sich respektvoll. »Ich würde mich glücklich schätzen, daran teilzunehmen. Vielen Dank.«
»Du machst mich glücklich, Roan von Longlight.«
Hinter allem, was Saint tut, steht die Absicht, mich an ihn zu binden, denkt Roan. Weil er glaubt, ich verfüge über eine besondere Kraft. Über etwas, das die Stadt braucht. Etwas, das den Herren der Stadt nützen kann. Etwas, das ich nicht sehe. Aber was?

Zurück in seinem Zelt, holt Roan den Rucksack seiner Mutter hervor. Eine Decke, eine Wasserflasche und ein wenig Proviant sind darin. Aber Roan braucht mehr Vorräte. Frisches Wasser. Er fühlt zwei Gegenstände in den Außentaschen und sieht nach. Der Schuh seines Vaters. Die Puppe seiner Schwester. Er hält sie fest und sieht die Gesichter ihrer Besitzer vor sich.

Roan schwimmt auf einem Kissen aus Zweigen auf dem Wasser. Das Wasser des Sees ist aufgewühlt.

»Roan!« Es ist die Stimme von Stowe. »Roan!«
»Ich komme, Stowe! Ich gehe bald von hier weg!«, ruft er laut, doch ein schriller Schrei übertönt seine Worte.
Die alte Ziegenfrau sitzt auf der Kante des Floßes. »Komm zuerst zu mir«, sagt sie. »Du musst zu mir kommen.«

Die Letzte Prüfung

Es kommt bei Nacht und beißt.
Den Stachel lässt's in dir zurück.
Du schreist nicht, vergehst nicht,
doch ein falsches Wort ist dein Tod.

Weisheit der Geschichtenerzähler

Der Mond blinkt schwach hinter einer leuchtenden Dunstwolke am orange-schwarzen Nachthimmel. Vor dem Zelt von Bruder Rabe muss Roan lächeln, als er dessen lautes Schnarchen hört. Rabe hat sich von dem Rausch am Vorabend noch immer nicht erholt. Vorsichtig schleicht Roan zum anderen Ende des Lagers und findet dort auch Leibkoch schlafend vor. Sachte rüttelt er ihn wach. Leibkoch öffnet die Augen und setzt sich ruckartig auf.

»Was machst du hier?«

»Psst!«, flüstert Roan. »Du wolltest mir damals sagen, was passieren wird. ›Einer kommt, der andere geht‹, hast du gesagt. Ich weiß jetzt, was das bedeutet. Im Lager sind immer nur fünfundsiebzig Brüder. Kommt ein neuer Bruder, wird ein anderer für ihn geopfert. In diesem Jahr bist du es, der für mich sterben wird.«

»Ich habe das große Los gezogen.« Leibkoch lächelt. »Zum ersten Mal in meinem ganzen Leben habe ich Glück.«

»Du musst nicht sterben. Wir können gemeinsam fliehen.«

»Das ist unmöglich.«

»Es ist schwierig, aber wir könnten es versuchen.«

Leibkoch schüttelt den Kopf. »Ich bleibe.«
»Weshalb?«
»Ich habe endlich meine Bestimmung gefunden.«
»Wie meinst du das?«
Ein beseelter Ausdruck huscht über Leibkochs Gesicht. »Vorher begriff ich nichts. Ich hatte Angst vor allem und jedem. Aber dann ist etwas Wunderbares passiert. Bruder Wolf hat stundenlang mit mir gesprochen. Bruder Rabe hat mich in sein Zelt eingeladen. Sie halfen mir zu erkennen, wer ich bin. Sie halfen mir dabei, meine Bestimmung zu finden. Siehst du, ich werde also nicht sterben. Ich werde leben. Für immer.«
»Sie haben etwas mit dir angestellt, Leibkoch. Dir vielleicht irgendeine Droge verabreicht. Der Schnitt hinter deinem Ohr …«
»Vorher dachten alle Brüder, ich sei ein Narr, in meiner Küche eingesperrt, zu schwach zum Kämpfen, zu ängstlich, um auf Visitationen zu gehen. Nun nehmen sie mich ernst. Du solltest sehen, wie sie mich anschauen. Wie sie mich achten.«
»Leibkoch, sie wollen dich abschlachten.«
»Du bist nur neidisch. Es wäre dir lieber, ich wäre schwach, dann könntest du dich als etwas Besseres aufspielen. Aber ich bin stark. Ich fürchte mich nicht länger.«
»Dann lass uns zusammen weggehen.«
Leibkoch starrt Roan aus wilden, glasigen Augen an. Im fahlen Licht sieht man die Wunde hinter seinem Ohr pulsieren. »Ich werde bleiben und du wirst es auch. Wenn du gehst, verdirbst du mir alles. Dann habe ich verloren. Du darfst nicht gehen. Das lasse ich nicht zu.«
Um seine eigene Flucht nicht zu gefährden, lenkt Roan ein. »Du hast Recht, Leibkoch. Ich wusste nicht, dass es dein Wunsch ist.«
»Ich wünsche es mir mehr als irgendetwas auf der Welt.«
»Du wirst bekommen, was du dir wünschst. Aber du darfst niemandem erzählen, dass ich vorgeschlagen habe zu fliehen. Sonst vertrauen sie mir nicht mehr und sagen meine Aufnahme in die Bruderschaft ab, und dann ist deine Chance dahin.«

Leibkoch zuckt zusammen. »Das dürfen sie nicht.«
»Das werden sie auch nicht, nicht, solange sie davon überzeugt sind, dass ich hundertprozentig mitmache. Aber sobald sie irgendeinen Zweifel hegen, ist es vorbei.«
»Ich werde kein Wort sagen.«
»Danke, Leibkoch. Ich musste mich davon überzeugen, dass es auch dein Wille ist. Schlaf gut.«
Roan hat keine Zeit mehr zu verlieren. Er muss auf der Stelle gehen. Doch zuvor muss er sich Vorräte beschaffen, auch ohne Leibkochs Hilfe.
Auf leisen Sohlen schleicht er ins Kochzelt. Im flackernden Licht, das die Fackel am Eingang spendet, stopft er seinen Rucksack mit gedörrtem Ziegenfleisch und Obst voll und füllt seine Wasserflasche an der Zisterne. Dann plötzlich – ein Geräusch. Er versteckt sich hinter einem Hackblock.
Zwei Stimmen, schwer von Alkohol.
»Bleib da, ich hole mir nur eine Hand voll.«
Einer der Brüder betritt das Zelt.
Roan beobachtet, wie sein Schatten über den Hackblock huscht und eine Hand in das Gefäß mit den getrockneten Früchten greift. Roan hält den Atem an. Der Bruder lässt ein Stück Obst fallen. Es trifft Roan am Kopf und fällt auf den Lehmboden.
»Verdammt!« Der Bruder bückt sich, um den verlorenen Bissen aufzuheben, nur Zentimeter von dem schreckensstarren Roan entfernt.
»Beeil dich«, brummt die andere Stimme von draußen.
»Ich komm ja schon«, zischt der Bruder und tastet immer noch nach dem Obst. Roan ist aufs Äußerste angespannt, bereit, jeden Augenblick aufzuspringen und wegzulaufen.
»Komm schon oder ich trinke die Flasche alleine.«
Der Bruder seufzt und schlurft widerstrebend davon.
Roan atmet erleichtert auf, dann holt er tief Luft. Sobald er sicher ist, dass die beiden Brüder außer Hörweite sind, schultert er den Rucksack und späht durch die Eingangstür. Weit und breit ist nie-

mand zu sehen. Leise schleicht er zu dem kleinen Verschlag hinter Saints Zelt. Er hebt die Plane hoch, will auf das Motorrad springen. Sein Atem stockt. Das Motorrad ist weg.
Saint ist damit weggefahren. Was soll er nun machen? Tausend Fragen schießen Roan durch den Kopf. Ohne Motorrad keine Flucht; Roan würde nicht mehr als ein paar Meilen weit kommen. Der einzige Grund, heute Nacht noch zu fliehen, ist seine Angst, dass Leibkoch redet. Er muss warten. Und beten, dass Leibkoch schweigt.

Nach dem Weckläuten am nächsten Morgen schlendert Roan an Saints Zelt vorbei.
»Er ist noch nicht zurück«, sagt Rabe, der wie aus dem Nichts hinter ihm aufgetaucht ist.
»Wohin ist er gegangen?«, fragt Roan beiläufig.
»Ach, hat er es dir nicht gesagt?«
Rabe tätschelt Roans Wange. Roan zuckt zurück. »Es beunruhigt dich, nicht wahr? Denn wie anders wäre dein Leben ohne Saint! Du weißt, die letzte Prüfung ist die einfachste und die schwerste zugleich. Aber keine Sorge, bald wirst du ganz zu uns gehören.«
»Ist Bruder Saint deshalb gegangen? Um meine Prüfung vorzubereiten?«
»Sei bereit. Er kann jederzeit zurückkommen!«
Roan ist erleichtert; ganz offensichtlich hat Rabe noch nicht mit Leibkoch gesprochen. Roan macht sich auf zum Unterricht bei Bruder Wolf, aber nur, um festzustellen, dass er heute ausfällt. Bruder Wolf und seine Schützlinge wurden weggerufen. Also kehrt Roan in sein Zelt zurück und trifft letzte Vorbereitungen. Er stopft die Kissen, die er beim Sandmalen benutzt hat, ganz oben in den Rucksack, um seine Vorräte zu verstecken. Dann nimmt er das Mondschwert und geht zum Übungsplatz, wo er bis zum Glockenläuten trainiert. Auf diese Weise bekommt er seine aufkeimende Angst wenigstens etwas unter Kontrolle. Er nimmt seine Waffe, steckt sie in die Scheide und hofft, dass man seinen Ruck-

sack für seine Sandmal-Utensilien halten wird; dann geht er zum Mittagsmahl.

Roan lässt sich etwas abseits von den anderen nieder und beobachtet alles. Leibkoch bringt die Suppe herein. Es ist offensichtlich, wie sich die Haltung der Brüder ihm gegenüber verändert hat. Sie behandeln ihn nicht mehr wie Luft. Stattdessen unterhalten sie sich mit ihm, scherzen und machen ihm Komplimente wegen seiner Kochkünste. Wessen Suppe werdet ihr essen, wenn das Blut von Leibkoch an euren Händen klebt?, fragt sich Roan.

Bruder Viper setzt sich zu Roan an den Tisch. Roan sieht ihn forschend an und wundert sich, wie er sich so in einem Menschen täuschen konnte.

»Du siehst bekümmert aus, Roan.«

»Saint hat mir von den Visitationen erzählt«, sagt Roan mit leiser Stimme. »Ich habe mich gefragt, was Ihr selbst über diese Ausflüge denkt.«

Viper seufzt. »Die Visitationen sind ein wichtiger Teil unserer Arbeit.«

»Aber Ihr seid ein Heilkundiger.«

»Ich heile die Brüder und alle, die den Freund verehren.«

»Und was ist mit den anderen?«

Bruder Viper blickt auf seinen Teller. »Wenn sie nicht im Lichtschein des Freundes stehen, sieht man sie nicht.«

Ein Hornsignal beendet jäh ihr Zwiegespräch. Hohe, heulende Trillergeräusche und das Knattern von Saints Motorrad ziehen die allgemeine Aufmerksamkeit aller auf sich. Bruder Rabe steigt auf einen Tisch und ruft: »Alle zum Versammlungsplatz. Ein glorreicher Sieg für den Freund. Kommt!«

Im Nu springen alle Brüder erregt von ihren Sitzen. Bruder Viper ergreift Roans Hand. »Das ist der Augenblick, auf den du gewartet hast. Komm!«

Roan nimmt seinen Rucksack, bindet ihn auf dem Rücken fest und er und Viper gesellen sich zu den anderen.

Kaum haben die Brüder sich auf den Sitzrängen niedergelassen,

fährt Saint in die Mitte des Versammlungsplatzes, steigt von seinem Motorrad und spricht zu seinen Getreuen.
»Brüder, der Freund ist groß!«
»Der Freund ist groß!«
»Viele Jahre lang haben wir die rebellischen Führer von Fandor vergeblich gejagt. Doch dieses Geschwür in den Augen des Freunds gibt es nicht mehr. Heute sind wir mit einer kleinen Schar unserer Besten nach Fandor gezogen und mit dem Segen des Freunds haben wir ihren Anführer und seinen Stellvertreter befreit.«
Die Brüder stampfen mit den Füßen und jubeln, als Bruder Wolf, in einem zerrissenen und blutverschmierten Gewand, an der Spitze der vom Kampf gezeichneten Brüder auftaucht. Hinter sich her schleifen sie an groben Hanfseilen zwei schwer gezeichnete, hinkende Männer, die verwundet und mit Blutergüssen übersät sind.
»Roan von Longlight!«, ruft Saint. »Komm zu uns. Hier sind diejenigen, die deine Leute ermordet und Longlight verwüstet haben.«
Roan geht hinunter zu den Gefangenen. Sein Herz rast, alle Augen sind auf ihn gerichtet.
»Ich habe dir versprochen, dass dir Gerechtigkeit widerfahren wird, Roan. Jetzt ist es so weit.«
Wut und Schmerz kochen in Roan hoch. Er starrt die vermeintlichen Mörder an. »Ihr habt Longlight angegriffen? Ihr habt meine Leute umgebracht?«
Der Größere der beiden blickt benommen auf Roan. »Ja«, sagt er tonlos. »Wir haben alle getötet.«
»Warum?«
Der Gefangene kann nur mit Mühe sprechen. Seine Zähne sind ausgeschlagen und Blut quillt aus seinem Mund. »Die Stadt hat es uns befohlen. Nehmt die beiden, hieß es, und tötet alle anderen.«
»Wen meinst du mit ›die beiden‹.«
»Dich und das Mädchen.«

»Und in welcher Absicht?«
»Das ist alles, was ich weiß.«
»In welcher Absicht?«, schreit Roan.
»Ich weiß es nicht«, wiederholt der Mann. Er blickt zu Boden. Roan bemerkt die pulsierende Wunde direkt hinter dem Ohr des Gefangenen. Es ist die gleiche Wunde wie bei Leibkoch. Was immer das ist, die Freunde bringen den Menschen diese Wunde bei und anschließend sagen und denken die Gezeichneten genau das, was die Freunde wollen. Aber Roan kennt die Wahrheit. Diese beiden Männer sind unschuldig. Die wahren Mörder stehen rings um ihn herum.
»Bist du nun zufrieden?«, fragt Saint.
Saint hat nicht den geringsten Zweifel an mir, denkt Roan. Das ist sein schwacher Punkt.
Roan nickt beinahe unmerklich. Er lässt seinen Blick über die Versammlung schweifen, schaut in die ausdruckslosen Gesichter der Brüder. Sie alle haben nur den einen Wunsch, die Wahrheit zu verschleiern und Roan zufrieden zu stellen, damit er einer der Ihren wird.
»Die Zeit für deine letzte Prüfung ist nun gekommen«, sagt Saint. »Aber es wird für dich eher Freude denn Anstrengung sein. Dir wird die Ehre zuteil, das Opfer darzubringen.«
»Nimm deine Waffe«, sagt Bruder Wolf und deutet mit dem Kopf auf das kostbare Mondschwert, das sein eigener Vater geschaffen hat. »Für den Freund. Für deine Familie.« Wolf zieht das Schwert, das seitlich an Roans Rucksack hängt, aus der Scheide und drückt es Roan in die Hand.
Saint lächelt Roan an. »Darauf hast du immer gewartet. Gerechtigkeit. Verschaff sie dir.«
Roan rührt sich nicht vom Fleck.
Der Prophet flüstert Roan ins Ohr: »Der Gedanke daran, jemanden zu töten, fällt dir schwer. Deshalb ist dies deine letzte Prüfung. Zögere nicht. Du hast geschworen, jene zu töten, die Longlight zerstört haben.«

»Das habe ich.«
»Die Gelegenheit ist da. Nimm dein Schwert. Vollende die Rache.«
»Vollende sie, vollende sie, vollende sie«, feuern ihn die Brüder an.
Das Schwert umklammernd, steht Roan da.
Wieder flüstert der Prophet: »Jetzt, Roan. Schlag zu!«
Roan schaut auf die Brüder, blickt in ihre von Blutgier verzerrten Gesichter. Ihr Singsang hat sich verändert. »Töte, töte, töte!«, rufen sie.
»Roan!«, schreit Saint. Roan sieht ihn an und für einen Augenblick scheint die Zeit stillzustehen. Roan weiß, wo er diese Augen schon einmal gesehen hat, jetzt endlich erinnert er sich. Es sind die Augen hinter der roten Totenschädelmaske. Es sind die Augen des Mannes, der seine Schwester geraubt hat, die Augen des Mannes, der schuld am Tod all jener ist, die Roan einmal geliebt hat.
»Ich habe dich gesehen«, schreit Roan. Er springt auf ihn zu und schwingt das Schwert. Die Klinge trifft Saints Kopf, ein Ohr, den Nacken.
Blutüberströmt und ohne den geringsten Laut stürzt der Prophet zu Boden. Bruder Wolf macht einen Satz auf Roan zu, doch der weicht ihm blitzschnell aus und zwingt ihn mit einem Stoß vor die Brust in die Knie. Die anderen Brüder drängen von allen Seiten auf ihn ein, aber Roan sieht den Weg, den er zwischen ihnen hindurch nehmen muss, so deutlich, als ob die Männer langsam fallende Sandkörner wären. Er geht mitten durch sie hindurch, springt auf Saints Motorrad, lässt den Motor an und rast davon.

Das wüste Land

Dies ist die Art der Bluttrinker. Am dritten Tag ihres dreizehnten Jahrs werden alle ihre Zähne spitz geschliffen, sodann die Ohren abgeschnitten und verbrannt. Und von diesem Tag an ist allein Blut ihr Lebenselixier.

Aus den Kriegschroniken

Als die Sonne ihre letzten Strahlen aussendet, fährt Roan den Kahlen Berg empor. Wohin er auch blickt, leuchten zarte bernsteinfarbene Blüten. Ihr süßer Duft berauscht, doch die Verlockung ist ebenso reizvoll wie trügerisch, denn es sind die Blüten der tödlichen Kriechliane. Roan achtet daher sorgsam auf den Weg. Die Berührung mit einem einzigen schwarzen Dorn dieser Pflanze kann tödlich sein.

Roan hält nicht an, ehe er den Gipfel erreicht hat. Sturmwolken haben sich inzwischen über dem Berg zusammengezogen. Er späht nach unten, doch es ist zu dunkel, er kann in dem plötzlich einsetzenden Wolkenbruch kaum noch etwas erkennen. Aber der Regen wird seine Spuren verwischen, wie er vielleicht auch die Spuren seiner Tat von seinen Kleidern abwaschen wird. Roan hält das Gesicht in den peitschenden Regen, und die Wucht seiner Tat überwältigt ihn. Er hat Blut vergossen. Er hat einen anderen Menschen im Zorn angegriffen. In einem Moment der Erregung hat er die Kontrolle über sich verloren, hat alle Regeln missachtet, die man ihn je gelehrt hat, und ein anderes menschliches Wesen

tödlich verletzt. Er ist ein Ungeheuer geworden, wie die Freunde es sind.
Morgen wird er das Wüste Land erreichen und dort vermutlich bis an sein Lebensende herumirren müssen. Aber er hat es nicht anders verdient.
Bis auf die Haut durchnässt, zieht Roan das Mondschwert aus der Scheide. Er holt aus, will die Waffe über den Abhang schleudern. In diesem Moment bewegt sich die Grille. Sie kriecht aus dem Hemd hervor, krabbelt seinen Arm entlang und setzt sich auf das Schwert.
Roan versucht die Grille zu verscheuchen, aber sie harrt aus. Schließlich gibt er auf. Er will das Schwert wegwerfen, um zu vergessen, was er getan hat. Aber es scheint, als wollte die Grille ihm sagen: Behalte es. Um dich daran zu erinnern.
Er zieht eine Tuchplane aus seinem Rucksack, wirft sie über das Motorrad und errichtet so einen notdürftigen Unterschlupf. Unter dem provisorischen Dach wickelt er sich in seine Decke. Die Nässe, die Kälte und seine aufgewühlten Gefühle lassen ihn zittern; so wartet er auf das Hereinbrechen der Nacht.
Seine Gedanken kreisen unaufhörlich um das Geschehene. Er vergegenwärtigt sich noch einmal das Gefühl, als das Schwert Saint traf. Wie leicht es in sein Fleisch schnitt. Wie Saint niederstürzte. Habe ich ihn getötet? Ich hoffe, ich habe ihn getötet. Roan spürt seinen Finger, den Finger mit Saints Ring. Alles in ihm lehnt sich dagegen auf, den Ring zu tragen, doch dann beschließt er: Ich werde ihn behalten. Um mich an das zu erinnern, was ich getan habe. Um nicht zu vergessen, wer ich bin. Er will weinen, aber der Aufruhr in seinem Inneren hält die Tränen zurück.
Beim ersten Morgenlicht steht Roan auf und blickt von der Anhöhe aus übers Land. In der Ferne sieht er Reiter. Die Brüder, die nach Rache dürsten. Sie werden ihn verfolgen wie ein Schwarm wild gewordener Hornissen. Der Regen der letzten Nacht hat seine Spuren weggespült, also haben sie keine Fährte, der sie folgen können. Bestimmt werden sie den Weg zur anderen

Seite des Flusses einschlagen, der in das Land des Lee-Clans führt. Sie werden zunächst annehmen, dass er zu ihren Feinden übergelaufen ist, aber sobald sie das Flussgebiet abgesucht haben, werden sie in das Wüste Land reiten. Wie viel Zeit mag ihm wohl noch bleiben? Eine Woche vielleicht, wenn er Glück hat, auch zwei. Mehr nicht.

Roan schiebt das Motorrad über den Bergkamm auf die andere Seite. Dort verläuft zwar kein richtiger Pfad, aber doch so etwas wie ein ausgetrockneter Bachlauf mit ausgewaschenen Kieselsteinen. Er startet den Motor und fährt die holprige Rinne hinab. Es ist immer noch früh am Morgen, als er das Tal der Zerstörung erreicht. Kein Baum ist zu sehen, kein einziger Vogel. Rechts und links erheben sich steile, kohlschwarze Berghänge. Vor ihm liegen, so weit das Auge reicht, Krater, in denen ekelhafter blau-schwarzer Schaum blubbert. Roan hatte von diesem Ort gehört. Hier unterhielten die letzten Widerstandskämpfer ein geheimes Lager. Hier waren sie gut versteckt, aber zugleich saßen sie in einer unentrinnbaren Falle. Es kamen Flugzeuge, die Gift und Bomben abwarfen und die saftigen Wiesen in eine Mondlandschaft verwandelten. Die Rebellen wurden bis auf den letzten Mann niedergemetzelt und das Land für immer verseucht. Wohin er schaut, sieht Roan verrenkt daliegende Skelette. Wegen der Verseuchung konnte damals niemand die Gegend betreten und die Toten bestatten, ohne sein Leben zu gefährden.

Aber inzwischen ist jemand da gewesen, erst vor kurzem, denn überall auf diesem entsetzlichen Friedhof verstreut finden sich Zeichen des Gedenkens, ärmliche Grabmale aus zerrissenen Stofffetzen und verwelkten Blumen. Jemand denkt an diese Menschen und hält die Erinnerung an sie wach. Roan hofft, die Besucher des Tals mögen nicht feindselig sein.

Er hat keine Zeit, um die zu trauern, die hier starben. Einst kannte er ihre Geschichte, aber wozu haben sie gekämpft? Ging es nur darum, sich der Stadt zu widersetzen? Er weiß es nicht mehr. Roan fährt schneller. Die Krater nehmen kein Ende, der Gestank,

der aus ihnen entweicht, wird schlimmer und Roans Angst wird größer. Die Sonne hat ihren höchsten Punkt bereits überschritten, als das Motorrad stotternd stehen bleibt.
Zuerst weigert sich Roan, es zu glauben. Wieder und wieder versucht er den Motor anzuwerfen. Schließlich muss er einsehen: Er hat kein Benzin mehr. Von jetzt an muss er zu Fuß weitergehen. Nirgends ist eine Stelle, an der man das Motorrad verstecken könnte, deshalb schnallt er seine Sachen los, schiebt es an den Rand eines Kraters und lässt es hineinrollen. Das modrige Wasser erwacht glucksend zum Leben. Saints geliebtes Motorrad löst sich in nichts auf.
Als der Tag zu Ende geht, hat er den letzten stinkenden Krater hinter sich gelassen. Die Luft riecht angenehmer, Gras wächst auf der Ebene. Roan wendet sich um und lauscht. Niemand, der ihn verfolgt. Bis jetzt. Er macht sich auf die Suche nach einem geschützten Platz für die Nacht. Plötzlich gibt der Boden unter seinen Füßen ein wenig nach, die Mulde ist gerade so tief, dass er sich hineinlegen kann. Aus der Ferne wird man ihn hier nicht bemerken. Er rollt seine Decke aus, trinkt einen Schluck Wasser, isst etwas von Leibkochs Ziegenfleisch und schlägt Platons *Staat* auf, die Zukunftsvision einer vollkommenen Gesellschaft, die von Philosophenkönigen ohne Gewalt regiert wird. Im fahler werdenden Licht überfliegt er die ersten Worte. Roan hofft, dass seine Flucht das blutige Opfer abgewendet hat und sein früherer Freund noch lebt, obwohl es ihm Leibkoch sicher nie verzeihen wird, dass er ihn um seinen Ruhm für die Ewigkeit gebracht hat. Während er versucht seine Augen und seine Gedanken auf das Buch zu richten, schläft er ein.

Die schwarzen Augen der Ratte halten Roans Blick fest. »Du bist beunruhigt.«
»Ich habe jemanden getötet.«
»Und wenn dieser Mensch stirbt, damit zwei andere weiterleben?«
»Es ist Mord. Sein Blut klebt an mir.«

»Sorge dich nicht. Er wird noch viele töten.«
»Willst du damit sagen, er lebt?«
»Das ist etwas, das dir noch Leid tun könnte.«

Roan schrickt aus dem Schlaf hoch, gerade als die Sonne durch die schlammgelben Wolken bricht.
Saint noch am Leben? Wenn das stimmt, wird ihn nichts aufhalten, gar nichts.
In der Nähe frisst die Schneegrille im Gras. Vorsichtig steckt Roan das wertvolle Buch in seinen Rucksack zurück, kriecht aus der Mulde und prüft die Umgebung. Nach Westen hin erstreckt sich meilenweit Gras mit orange gefärbten Spitzen. Bald werden Saint und die Brüder auftauchen. Seine einzige Hoffnung besteht darin, so schnell wie möglich voranzukommen. Er beeilt sich, rollt seine Decke zusammen und verwischt die Spuren seiner Anwesenheit. Nachdem er etwas gegessen und getrunken hat, setzt er die Grille vorsichtig mit der hohlen Hand in seine Tasche zurück und taucht in den Schutz des hohen Grases ein. Es wird nicht einfach sein, hier zu gehen, aber zumindest ist er gut getarnt.
Am frühen Nachmittag erreicht er eine Stelle, an der sich das Tal zu einer großen Ebene hin öffnet, und er sieht Rauch aufsteigen. Ein Dorf vielleicht? Soll er sich aus seiner Deckung hervorwagen? Die Grille zappelt aufgeregt hin und her. Wieder schaut Roan in die Richtung, aus der die Rauchwolke aufsteigt. Sie zieht langsam weiter. Es ist Staub. Seine Verfolger können es nicht sein, sie kommen aus der entgegengesetzten Richtung. Er beschließt abzuwarten und verbirgt sich im hohen Gras.
Nach wenigen Minuten beginnt die Erde zu beben. Wesen, wie sie Roan noch nie zuvor gesehen hat, nähern sich mit großer Geschwindigkeit. Die seltsamen Kreaturen haben kein Fell, Hufe an den Füßen und kurze, krumme Hörner. Ihre Haut ist faltig, blasenübersät und voller Schrunden. Acht von ihnen galoppieren direkt auf ihn zu.
Dann hört Roan ein schrilles Pfeifen. Hinter den Ungeheuern

erscheint ein halbes Dutzend Männer zu Pferd. Als sie näher kommen, sieht Roan ihre wächserne Haut und die rötlich schimmernden Augen. In den weit aufgerissenen Mündern blitzen scharfe Fangzähne. Ohren haben diese Schreckensgestalten offenbar nicht. Die grässlich anzusehenden Albino-Reiter schwingen dicke Seile über ihren Köpfen und schleudern sie mit einem lauten Kreischen nach vorn. Surrend fliegen die Enden durch die Luft und verheddern sich in den Beinen der Tiere. Eines nach dem anderen stürzt kopfüber, bis die ganze Herde keuchend am Boden liegt.
Die schauerlichen Reiter springen von ihren Pferden und machen sich über die erschöpften Tiere her. Von Ekel geschüttelt, beobachtet Roan, wie jeder der Männer sich eins der Tiere greift, die Arme um seinen Nacken schlingt und die Fangzähne in die Kehle des Tiers schlägt. Die Angreifer schlürfen literweise Blut, während ihre Opfer nach Luft schnappend und mit verdrehten Augen am Boden liegen.
Einer der Bluttrinker kommt so nahe, dass Roan die Narben an den Stellen erkennen kann, wo früher die Ohren waren. Gierig saugt der Mann an dem zitternden Tier. Dann hebt er den Kopf. Blut spritzt über seinen Rumpf; sein Mund ist ein einziges rotes Loch. Prüfend schnüffelt er umher. Roan verharrt regungslos. Angstvoll denkt er an seine blutverschmierte Kleidung. Aber nach einem qualvoll gedehnten Augenblick trinkt die Kreatur weiter.
Endlich sind die Reiter satt. Sie gehen zu ihren Pferden zurück und holen große Plastikflaschen aus den Satteltaschen. Roan weiß, wie schwer Flaschen dieser Größe zu beschaffen sind; es ist schon Jahrzehnte her, seit das letzte Plastik hergestellt wurde. Es sei denn, die Herren der Stadt haben inzwischen eine neue Möglichkeit gefunden.
Die Männer mit den Fangzähnen füllen die Flaschen mit Tierblut. Widerstandslos lassen die Tiere die Prozedur über sich ergehen. Dann binden sie die Tiere los, kehren zu ihren Pferden zurück und verschwinden. Auf schwankenden Beinen machen sich die geschwächten Tiere davon.

Roan wartet, obwohl Reiter wie auch Tiere längst verschwunden sind, bevor er sich hervorwagt. Beim Anblick des blutgetränkten Erdbodens überläuft ihn ein Schauder.
So schnell er kann, läuft Roan weiter, bis seine Füße schmerzen und die Augen vom dauernden Spähen brennen. Schließlich bleibt ihm nichts anderes übrig, als Halt zu machen. Morgen, nimmt er sich vor, wird er seine Kräfte besser einteilen.
Auf der Suche nach einem Lagerplatz für die Nacht stolpert Roan über etwas, das er für einen Baumstamm hält. Aber wo sollte ein Baumstamm herkommen, wo doch im Umkreis von Meilen kein Baum zu sehen ist? Misstrauisch bückt er sich und streift das Gras zur Seite.
Es sind die vertrockneten Überreste eines Menschen. Er bemerkt die Einstiche am Nacken und vermutet, dass die Blut saugenden Reiter auch zweibeinige Beute nicht verschmähen. Der Tote ist ungefähr so alt wie Roans Vater.
Alles, was er bislang aus seinen Gedanken verdrängt hat, stürzt mit einem Mal auf Roan ein. Er sieht das schmerzerfüllte Gesicht seines Vaters vor sich, stellt sich vor, was er gefühlt haben muss, als Saint und seine blindwütigen Brüder das Dorf verwüstet haben und die Häuser in Brand steckten. Hat sich sein Vater schützend über seine weinende Mutter geworfen und versucht, sie vor den tödlichen Schlägen, die auf sie niederprasselten, zu bewahren? Er sieht seine Freunde Aiden, Rolf, Esta und die anderen, die schreiend vor den maskierten Eindringlingen davonlaufen. Aber aus dem Feuerloch gibt es kein Entrinnen. Das also war die Visitation. Saints heiliger Feldzug. Roan fühlt einen Hass, der so schwarz und schwer ist, dass er ihn schmecken kann. Als der Zorn in ihm aufwallt, hört er die Stimme seines Vaters.
Das ist nicht unsere Art, das mögen andere so machen.
Aber ich bin jetzt ein anderer, Vater. Meine Hände sind mit Blut befleckt. Ich kann niemals wieder der werden, der ich war.
Roan findet eine bequeme Stelle in dem hohen Gras, ein paar Schritte von dem Toten entfernt. Er legt sich nieder und schließt

die Augen. Er wird neben einem Toten schlafen. Die Toten sind seine Brüder.

»Roan! Roan!«
Weit weg, auf der Straße, ist Stowe. Sie sitzt auf einem Pferdewagen, schaut sich nach allen Seiten um und sucht nach ihrem Bruder. Roan läuft auf sie zu, aber der Boden unter seinen Füßen verwandelt sich in Treibsand und hindert ihn am Weitergehen. Er hört, wie Stowe nach ihm ruft.
»Roan? Vater und Mutter sind tot. Der große Mann hat sie getötet, nicht wahr, Roan? Er hat sie doch getötet, Roan, oder?«
Roan versucht ihr eine Antwort zuzuschreien, aber sein Mund ist voller Sand.
»Ich weiß, dass du da bist, Roan. Ich kann es dir zeigen. Gemeinsam können wir den großen Mann vernichten. Wir könnten ihn töten, Roan. Wir könnten ihn töten.«
Der Pferdewagen setzt sich in Bewegung.
»Roan … Roan?«
Eine Woge Sand erhebt sich, spült den Wagen mit sich fort.
»Roan? Mutter und Vater sind tot. Der große Mann hat sie getötet, oder? Er hat sie doch getötet?« Sie wiederholt immer wieder diesen einen Satz.
Bestürzt lässt Roan es geschehen, dass der Wagen mit seiner Schwester langsam verschwindet, während ihre Rufe leiser werden.

Roan erwacht in kalten Schweiß gebadet. Es ist noch dunkel. Der Mond steht wie eine ausgebrannte Hülse am Himmel; sogar die Dunkelheit scheint verkohlt. Roan setzt sich auf und lauscht. Die Schneegrille zirpt. Roan weiß nicht, warum er weint, aber seine Tränen strömen unaufhörlich.
Ich habe meinen Vater nicht begraben. Ich habe meine Mutter nicht begraben. Aber ich kann dich begraben. Roan sitzt in der trostlosen Finsternis und trauert um den toten Mann. Trauert um all das, was sie beide verloren haben.

Als der fahle Lichtschein der Dämmerung heraufzieht, sucht Roan nach Steinen, um den Mann zu bedecken, findet aber nur Gras. Er nimmt das Mondschwert, sticht in die Erde und löst die oberste Bodenschicht ab.
Roan holt den Schuh seines Vaters, stellt ihn neben den Toten und breitet die Graserde über ihn. Er kniet nieder, um das Gebet zu sprechen, das ihm am Feuerloch nicht über die Lippen gekommen war. Das Requiem von Longlight. Für den unbekannten Toten, für seine Eltern, für alle Menschen von Longlight.

Auf dass die Liebe, die du geschenkt hast, Früchte tragen möge,
bleibe ich zurück.
Auf dass ich von deinem Geiste Zeugnis ablegen möge,
bleibe ich zurück.
Auf dass dein Licht hell in meinem Herzen brenne,
bleibe ich zurück.
Ich bleibe zurück und fliege in Gedanken mit dir.

Dann ist es Zeit zu gehen.
Den ganzen Tag über, am nächsten Tag und auch am übernächsten hält Roan nur an, um zu essen, zu trinken oder um seine Notdurft zu verrichten. Im Schlaf träumt er vom Sand, in dem er ertrinkt, und von den gequälten Rufen seiner Schwester. Die Angst ist sein ständiger Begleiter.
Am achten Abend erreicht er das Ende des Graslands und ist froh, dass die Sonne untergeht. Er hat gehört, dass früher die Herbsttage kühl waren und schrittweise den Winter ankündigten. Aber seit der Zeit des Grauens schwankt die Witterung extrem. Oft ist es bis in den Spätherbst hinein heiß, und es ist unmöglich vorherzusagen, wann der erste Schnee fällt. Heute brannte die Sonne vom Himmel. Aber nun schlägt das Wetter um. Den letzten Tropfen Wasser hat Roan an diesem Morgen getrunken, seinen letzten Bissen am Abend zuvor gegessen. Ein plötzlicher Schneesturm wäre sein Ende. Er fragt sich, wie lange er noch durchhält.

Er hat meditiert, um seinen Durst zu beherrschen, dennoch ist er froh, als er auf einen seichten, moosbedeckten Wasserlauf stößt, an dessen Ufer ein paar Bäume wachsen. Das Wasser rinnt schwach, ein viel versprechendes Zeichen. Roan hält seine Nase dicht an die Oberfläche und riecht. Frisch und köstlich. Das herrliche Wasser rieselt nur sachte dahin; das ist gut, denn Roan ist völlig ausgetrocknet und könnte sonst zu schnell trinken. Er legt sich mit dem Gesicht voran an das schlammige Ufer, trinkt in langsamen Schlucken und genießt den Duft des kühlen Wassers. Was noch besser ist: Im Schutze der Uferböschung wartet hier ein sicherer Rastplatz auf ihn.

Er ruht sich aus und vergisst die Zeit. Als er den ersten Biss spürt, döst er vor sich hin. Er schnellt hoch und schlägt auf seinen Nacken. Ein Insekt taumelt zu Boden. Es ist eine schwarzflügelige Fliege, sie zappelt noch. Roan stöhnt auf, als er den nächsten Biss verspürt, diesmal auf seiner Hand. Etwa zehn weitere Insekten stürzen sich auf dieselbe Stelle. Mit einem Mal wimmelt es nur so von ihnen, Hunderte, Tausende von langsam schwebenden, schwarzflügeligen Insekten greifen ihn an.

Roan läuft, schlägt um sich, klatscht gegen seine Ohren, seine Augen, aber es sind zu viele. Sie beißen ihn in einem fort. Halb wahnsinnig vor Schmerz stolpert er und landet im Wasserlauf. Sein Mund ist voller Schlamm und er schnappt nach Luft. Dann erkennt er, dass der Schlamm seine Rettung ist. Verzweifelt wühlt er ein Loch in die Uferböschung und bedeckt sich mit Morast. Das lindert seine Schmerzen und macht dem Beißen ein Ende. Als das Loch groß genug ist, kriecht er hinein und vergräbt sich, sodass nur noch sein Mund hervorschaut.

In seinem Grab aus Schlamm denkt Roan mit Sorge an die Schneegrille. Er glaubt, ihr Zappeln in seiner Tasche zu fühlen, aber er ist sich nicht sicher. Ebenso gut könnte es ein Schwarzflügler sein, der sich in seiner Kleidung versteckt.

Roan rätselt, woher die Fliegen gekommen sind. In dieser für die Jahreszeit ungewöhnlichen Hitze sind sie sicher in dem Wasserlauf geschlüpft und suchen nun in der Dämmerung nach Nahrung. Roan hätte zu keinem ungünstigeren Zeitpunkt kommen können. Er kann nur hoffen, dass der Spuk am Morgen vorbei ist.

Entschlossen, sich nicht aus der Ruhe bringen zu lassen, atmet er tief ein und aus und zählt seine Atemzüge. Sein Puls wird ruhiger und Roan schläft ein.

Der Berglöwe leckt über Roans Gesicht. Seine Zunge, die rau wie Schleifpapier ist, fühlt sich warm und feucht an.

»Was ist mit meiner Schwester? Warum lasst ihr mich nicht zu ihr?«

»Wir lassen sie nicht zu dir. Nur so bist du sicher.«

»Die Stadt wollte uns beide haben, hat Saint gesagt. Warum?«

»Sie hat ihre Gründe.«

»Werden die Herren der Stadt Stowe ohne mich am Leben lassen?«

Der Berglöwe schweigt.

»Warum antwortest du nicht?«

»Am Leben, ja. Sie werden sie behalten. Lebend.«

Plötzlich würgt es Roan. Eine Fliege ist in seinen Mund gekrabbelt. Er hustet und spuckt sie aus. Haben sie einen Weg in sein Versteck gefunden? Greifen sie ihn wieder an? Er lauscht, versucht durch den verkrusteten Schlamm hindurch etwas zu hören. Nichts. Als er merkt, dass keine weiteren Fliegen da sind, beruhigt er sich. Was würde Stowe denken, wenn sie ihn jetzt so sähe: lebendig begraben, in Angst vor seinen Verfolgern und den schwarzen Fliegen? Er schläft ein und träumt von Feuer, Insekten und einem roten Himmel.

BeuLe

Sie werden gegen eure Tore anrennen. Haltet sie verschlossen. Sie werden um Gnade flehen. Lasst euch nicht erweichen. Und wenn sie euch umarmen, richtet die Scheiterhaufen auf.

Aus den Kriegschroniken

Die Sonne brennt heiß und Roan kocht in seinem Schlammversteck. Seine Glieder sind steif und schmerzen. Er lauscht auf jedes Geräusch, doch alles, was er hört, ist ein lautes Knurren. Es kommt von seinem Magen.

Ohne Vorwarnung springt etwas vom Ufer her auf ihn zu. Scharfe Klauen graben sich in den Lehm. Mit einem lauten Schrei befreit Roan sich aus seinem Kokon und springt auf. Vielleicht kann er den Angreifer abschrecken. Er wischt sich den getrockneten Schlamm von den Augen und sieht verschwommen einen räudigen braunen Hund vor sich.

»Hau ab!«, ruft er. Der Hund fletscht seine gelben Zähne und knurrt.

Mit einem schnellen Blick stellt Roan fest, dass sein Rucksack und das Mondschwert außer Reichweite sind. Aber ein langer Ast liegt nah genug. Er bückt sich und packt den Ast, gerade als der Hund einen Satz auf ihn zumacht. Mit einer Drehung des Körpers erwischt Roan das Tier an der Flanke. Der Hund landet hart auf der Erde. Ehe er wieder aufspringt, hat Roan bereits das Ufer erklommen. Vielleicht hat das Tier ja nach Roans Attacke genug

und lässt von ihm ab. Der Hund bellt so laut, dass Roans Ohren dröhnen.
Er spricht mit fester Stimme zu dem Tier: »Ich werde jetzt gehen, mein Freund, und du bleibst da und rührst dich nicht vom Fleck.« Langsam weicht er ein paar Schritte zurück. Sein Herz klopft wie verrückt; er hofft, dass das Schlimmste überstanden ist. Doch da tauchen fünf weitere Wildhunde auf und knurren ihn an.
Einer schnappt nach seinen Füßen. Roan versetzt ihm einen Tritt, und als der Hund trotzdem nicht von ihm ablässt, zielt er auf das Vorderbein. Zwei andere setzen zum Sprung an; Roan wehrt sie mit dem Ast ab und trifft ein Tier am Rücken, dem anderen versetzt er einen Hieb auf die Schnauze. Nun bekommt er es mit dem Anführer des Rudels zu tun. Das große Tier springt Roan an und beißt ihn in die Wade. Roan schwingt den Ast nach allen Seiten, aber es sind zu viele, sie zerren an seinen Kleidern, zielen auf seinen Bauch. Bald wird er ermüden, dann werden die Hunde nicht viel mehr von ihm übrig lassen als ein paar in der Ödnis verstreute Knochen.
Ein schriller, ohrenbetäubender Pfiff ertönt. Die Hunde erstarren. Gegen die grelle Sonne zeichnen sich die Konturen einer in Umhang und Kapuze gehüllten Gestalt ab. Die Hunde knurren, als die Gestalt ihre Kapuze zurückzieht und ein scharfes Zischen von sich gibt. Der Rudelführer weicht zurück und trollt sich dann, gefolgt von den anderen. Das war's. Einen Augenblick später sind die Hunde verschwunden.
Mit einem raschen Blick versucht Roan herauszufinden, ob der Fremde bewaffnet ist, aber es ist schwer, gegen das Sonnenlicht etwas zu erkennen. Alles was er sieht, ist der große Rucksack auf dem Rücken des Fremden.
»Sind das deine Hunde?«, fragt Roan.
Die gesichtslose Gestalt lacht und antwortet mit dunkler, rauer Stimme: »Ganz bestimmt nicht.«
»Vielen Dank für die Hilfe. Wenn du allerdings selbst vorhaben

solltest mich aufzuessen, warne ich dich. Ich lasse mich von einem lauten Pfiff nicht in die Flucht schlagen.«

»Ich esse keine Menschen«, sagt der Fremde und wendet sich zum Gehen.

Roan hält ihn zurück. »Bist du allein unterwegs?«

»Ja, immer.«

»Dann können wir vielleicht eine Zeit lang gemeinsam gehen.«

Von dem Fremden ist nur ein leises Schnauben zu hören.

»Ich kenne mich in dieser Gegend nicht aus«, sagt Roan. »Ich könnte einen Führer gut gebrauchen.«

»Aber mich ganz sicher nicht«, antwortet der Fremde. Er schlägt die Kapuze zurück und tritt aus dem grellen Sonnenlicht.

Roan schnappt nach Luft. Vor ihm steht ein Junge, ungefähr in seinem Alter. Sein Gesicht ist bedeckt mit Beulen und tiefen Löchern, die an den Rändern wulstig sind und von denen ein dünner grüner Schleim tropft. In der Kraterlandschaft sind die Augen des Jungen auf den ersten Blick kaum zu erkennen.

Die Andeutung eines Lächelns, einer Grimasse ähnlicher, huscht über das versehrte Gesicht. »Du läufst nicht weg?«

»Sollte ich das?«

»Die meisten Leute glauben, ich sei ansteckend, und ergreifen entweder die Flucht oder versuchen mich zu töten.«

»Ich verdanke dir mein Leben. Lass mich an deiner Seite gegen sie kämpfen.«

»Ich kämpfe nicht.«

»Dann kämpfe ich für dich.«

Der Junge setzt die Kapuze wieder auf.

»Meinetwegen musst du dich nicht bedecken«, sagt Roan. »Ich habe zu viele Tote gesehen, als dass mich dein Aussehen erschrecken könnte.«

Der Junge bricht in wildes Gelächter aus. »Er findet, ich sehe immerhin besser aus als ein verrotteter Leichnam!« Erneut wendet er sich zum Gehen, hält jedoch unvermittelt inne und starrt auf Roans Brust.

»Woher hast du die?«

Verwirrt blickt Roan an sich herab und sieht, dass die Schneegrille sich auf den obersten Knopf seines Gewands gesetzt hat.

»Sie war in unserem Dorf. Auf der anderen Seite des Kahlen Bergs.«

»Und sie bleibt bei dir?«

Roan nickt. »Am Morgen nach dem Überfall auf unser Dorf ist sie zu mir gestoßen. Seither ist sie bei mir.«

»Schneegrillen gesellen sich nicht so leicht zu Menschen, aber wenn sie dir einmal ihr Vertrauen geschenkt haben, verlassen sie dich nie mehr.«

In der darauf folgenden Stille bemerkt Roan eine Veränderung im Verhalten des Fremden. Nach einer Weile nimmt der Junge das Gespräch wieder auf.

»Haben sie dich gebissen?«

Roan versteht die Frage nicht sofort. Es dauert einen Moment, bis er begreift, denn er hat die Wildhunde beinahe schon vergessen. Im selben Moment jedoch verspürt er den brennenden Schmerz.

»Haben sie dich gebissen?«

»Am Bein.«

Der Junge nickt. »Ich kann dir helfen.«

Er bückt sich und fängt an, schwarzes Moos zu sammeln, das am Flussufer wächst. Mit einem Stöhnen kauert Roan sich nieder um ihm zu helfen. Er pflückt mehrere Hand voll von dem dürren, lockeren Geflecht. Der Fremde geht weiter zu einer Stelle, wo die Uferböschung wie ein Bergvorsprung überhängt und eine Art Halbdach bildet. Er nimmt seinen voll bepackten Rucksack ab und holt einen Feuerstein und ein Stück Stahl daraus hervor.

»Ich heiße Roan. Und du?«

»Beule«, sagt der Junge und schiebt die Kapuze zurück. Wieder huscht ein schiefes Lächeln über das entstellte Gesicht. Er reibt den Stahl gegen den Feuerstein und zündet mit dem Funken das Moos an. »Es brennt zwar nicht gerade lichterloh, macht dafür

jedoch kaum Rauch. Und das ist wichtig, wenn man niemanden auf sich aufmerksam machen will.«
Beule zieht eine kleine Schale und ein altes Glasgefäß aus seinem Rucksack. Er stellt die Schale aufs Feuer, entnimmt dem Glasgefäß Reste einer Heilsalbe, erwärmt sie in der Schale und bestreicht Roans Wunde damit, bis alles aufgebraucht ist.
»Woher hast du dieses Zeug?«, will Roan wissen.
Anstelle einer Antwort holt Beule eine Hand voll von etwas, das wie Dörrfleisch aussieht, aus seinem Rucksack und reicht es an Roan weiter.
»Kaue es langsam«, sagt er. »Das ist alles, was ich noch habe.«
Roan bedankt sich und fängt an zu essen. Von dem intensiven, würzigen Geruch wird ihm ein wenig schwindelig.
»Wo kriegt man mehr davon?«
»Ich war gerade auf dem Weg dorthin, als du und die Hunde mich abgelenkt haben.«
»Ich habe nichts zu essen bei mir und könnte Proviant gut gebrauchen.«
Beule nimmt einen Vorratsschlauch aus Ziegenleder und taucht ihn ins Wasser. Roan folgt seinem Beispiel. Aber Beule warnt ihn.
»Wenn wir diesen Ort nicht vor Sonnenuntergang verlassen haben, werden uns die Schwarzflügel bei lebendigem Leib auffressen.«
»Das habe ich bemerkt«, sagt Roan mit einem Grinsen und wischt etwas von dem eingetrockneten Schlamm weg, der Kleidung, Gesicht und Haare bedeckt.
Nachdem sie die Wasserschläuche gefüllt haben, schultern sie die Rucksäcke und brechen auf. Sie marschieren über das Grasland den Fluss entlang und erreichen schließlich felsiges Terrain. Die Verletzung an Roans Bein scheint nur oberflächlich zu sein und die Heilsalbe hat den Schmerz erträglich gemacht. Stundenlang gehen sie weiter, immer im Schutz der Felsen, und sprechen dabei kein einziges Wort. Roans Kopf schwirrt nur so von Fragen und alle drehen sich um den fremden, entstellten Jungen. Beule

hat ihn gerettet, ihm Essen gegeben und seine Wunden versorgt. Aber Roan ist schon einmal von Fremden gut versorgt worden, die sich später alles andere als vertrauenswürdig herausgestellt haben.

Nach Sonnenuntergang erreichen die beiden einen Kiefernhain. Die dürren Baumstämme sind knotig und verdreht. Beule nimmt den Rucksack ab und stellt ihn auf den Boden.

»Deck dich zu.« Er holt eine Decke aus dem Rucksack und lässt sich auf den Boden fallen. »Ich liebe Kiefernduft.« Er schließt die Augen und bald darauf ist sein lautes Schnarchen zu hören.

Roan breitet seine Schlafdecke aus und setzt sich darauf. Das Mondschwert legt er griffbereit neben sich. Er ist müde, aber die Zweifel über seinen seltsamen Reisegefährten lassen ihn nicht den ersehnten Schlaf finden. Beule könnte in Saints Diensten stehen und Roan in einen Hinterhalt locken. Vielleicht hat er ihm seine letzte Medizin nur deshalb überlassen, um ihn in Sicherheit zu wiegen.

Entschlossen, wach zu bleiben, stützt Roan sich auf seinen Rucksack. Er stellt seine Sinne auf die Umgebung ein, nimmt jedes Geräusch, jeden Geruch ganz bewusst wahr, damit sein Geist wachsam bleibt. Aber die Erschöpfung gewinnt schließlich die Oberhand. Seine Augenlider fallen zu, der Kopf sinkt vornüber und endlich sackt auch der Körper zusammen und rutscht langsam zu Boden.

Roan schreckt hoch und stellt fest, dass Beule mitsamt den Rucksäcken verschwunden ist. Wütend auf sich selbst, weil er ohne es zu wollen eingeschlafen ist, springt er auf. Zu schnell. Bei der hastigen Bewegung platzt der zarte Wundverschluss am Bein auf. Ohne darauf zu achten stürzt Roan unter den Bäumen hervor, bereit, den Dieb bis ans Ende der Welt zu verfolgen.

Plong. Roan wirbelt herum. Sein Rucksack landet direkt vor seinen Füßen.

»Ich dachte schon, du würdest nie mehr wach werden«, sagt Beule.
»Was hattest du mit meinen Sachen vor?«
»Fass dir ans Gesicht.«
Roan tut, wie ihm geheißen. Auf seiner Wange spürt er einen klebrigen, zähen Saft.
»Das Harz tropfte auf die Rucksäcke, daher habe ich sie weggestellt. Passt dir das nicht?«
»Doch, natürlich«, versichert Roan rasch. »Danke.«
»Gern geschehen«, erwidert Beule. »Und jetzt gibt's Frühstück. Frisch und köstlich. Komm mit.«
Die Gegend ist ausgedörrt, nur hie und da stehen vereinzelt Schierlingstannen. Früher einmal, so vermutet Roan, befand sich hier ein dichter Wald, aber die Verwüstungen und die daraus folgende Erosion haben eine Einöde daraus gemacht. Während Beule und er von Baum zu Baum laufen und auch sonst Deckung suchen, sooft es geht, wird aus Roans leichtem Appetit bohrender Hunger. Die Aussicht auf eine herzhafte Mahlzeit macht es ihm schwer, sich auf etwas anderes zu konzentrieren, und das Wasser läuft im schon im Mund zusammen. Vor einem etwa sechs Fuß hohen, spitz zulaufenden Erdhügel bleibt Beule unvermittelt stehen.
»Was ist das?«, fragt Roan.
»Frühstück«, antwortet Beule knapp und versetzt dem Erdhügel einen kräftigen Tritt. Aus einem Loch krabbeln Hunderte von daumenlangen Termiten hervor um ihren Bau zu verteidigen. Beule schnappt sich eine davon, zupft die Füße ab und stopft das zappelnde Tier in den Mund.
»Na los, bedien dich«, fordert er Roan auf und greift nach der nächsten Termite.
Roan steht da und starrt auf die wimmelnden Insekten. »Waren die auch das Dörrfleisch, von dem du mir etwas abgegeben hast?«, fragt er mit einem flauen Gefühl im Magen.
»Hat es dir nicht geschmeckt?«

»Doch, das hat es.«
»Frisch schmecken sie noch besser.«
Roan holt tief Luft, pickt eine fette Termite heraus und steckt sie in den Mund. Ehe er zubeißen kann, ist sie auch schon wieder aus seinem Mund gehüpft und verschwindet in einer Ritze der ausgetrockneten Erde.
»Reiß zuerst die Beine aus«, empfiehlt Beule.
Die nächste Termite zappelt zwischen Roans Fingern, aber dann gelingt es ihm, die Füße auszureißen. Das geht jedoch nur, wenn er das Tier dabei ansieht, wonach es ihm allerdings noch schwerer fällt, das Insekt in den Mund zu stopfen. Aber er will sich keine Blöße geben, zumal er Beules prüfenden Blick spürt. Also beißt er und kaut und schluckt. Es ist kein sehr angenehmes Gefühl, aber ganz so schlimm, wie er befürchtet hat, ist es nicht. Außerdem hat eine lebendige Termite den gleichen herzhaften Geschmack wie eine gedörrte.
»Ich habe mir die kleinen Panzer irgendwie härter vorgestellt«, sagt Roan und verschlingt ein weiteres Insekt.
»Das sind sogar die besten Teile«, sagt Beule.
Nachdem sie ausgiebig gespeist haben, setzt Roan sich hin und sieht zu, wie Beule das Glasgefäß aus seinem Rucksack hervorholt. Als er es zuletzt sah, war es leer, inzwischen ist es wieder gefüllt.
Beule nimmt einen flachen Stecken und fängt an, den Inhalt des Gefäßes auf den trockenen, aufgesprungenen Lehmboden zu streichen. Er zieht eine Spur bis zu einer Hecke vor einer steinigen Erhebung und streicht die wertvolle, klebrige Masse glatt. »Diesen süßen Baumsaft mögen sie am liebsten.«
Innerhalb weniger Sekunden kommt eine Arbeitertermite aus dem Hügel gekrochen, steuert auf die Leckerei zu, probiert sie und krabbelt eilig in den Bau zurück.
»Mach dich bereit!«, ruft Beule. Einen Augenblick später explodiert der Hügel beinahe von einem Schwarm Insekten, die sich auf die klebrige Köstlichkeit stürzen.

Beule macht sich daran, die Termiten mit den Füßen zu zerquetschen.
»Was tust du da?«, fragt Roan verblüfft.
»Ich kümmere mich um unser Abendessen!«, erwidert Beule. Roan folgt seinem Beispiel. Zuerst noch etwas zögerlich, zertritt er schon bald mit grimmigem Vergnügen die Insekten.
Nachdem sie etwa eine halbe Stunde lang ihre grausige Arbeit verrichtet haben, sammelt Beule die toten Insekten ein. Im Schutz der Hecke zeigt er Roan, wie man »Dörrfleisch« daraus macht, indem man die Termiten zermalmt und mit etwas Honig zu einer Paste verrührt und die zähe Masse zu Streifen formt. Dann nimmt er ein wenig schwarzes Moos aus seinem Rucksack und zündet es an, hält seinen Umhang schützend vor die Flamme und trocknet die Streifen.
»Die Insekten fressen uns und wir die Insekten. Das ist ausgleichende Gerechtigkeit, meinst du nicht auch?«
Es dauert bis zum Abend, doch dann haben sie genug Nahrung für die nächsten paar Wochen. Sie setzen sich im Schutz der Hecke nieder und langsam schließt die blaue Dunkelheit sie ein. Beule holt einen weichen Stein hervor und massiert damit eine besonders wulstige Stelle in seinem Gesicht. Er sieht Roan aus dunklen Augen an. »Vor wem läufst du eigentlich davon?«
Roans Magen verkrampft sich. »Warum willst du das wissen?«
»Ich möchte mir klar darüber werden, gegen wen ich notfalls kämpfen muss.«
Roan zögert, denn was Beule angeht, fehlt ihm die allerletzte Gewissheit. Schließlich gibt er sich einen Ruck und blickt dem Jungen direkt in die Augen. »Saint.«
Beule quittiert die Antwort mit einem tiefen Grummeln.
»Saint hat meine Familie ermordet«, fährt Roan leise fort. »Und mich hat er gefangen genommen.«
»Aber du bist geflohen?«
»Nicht sofort.«
Beule steht abrupt auf. »Du warst einer von ihnen.«

»Nein, niemals.«
»Das musst du mir erklären.«
»Ich habe ihm vorgelesen.«
»Du kannst lesen? Wo hast du das gelernt?«
»Zu Hause, in meinem Dorf. In Longlight.«
Beule starrt Roan argwöhnisch an, setzt sich aber wieder neben ihn. »Longlight?«
»Hast du davon gehört?«
»Willst du mir allen Ernstes weismachen, du kämst aus Longlight?«
»Ja.«
»Und du glaubst, ich nehme dir das ab? Jedermann weiß, dass dieses Dorf nicht existiert.«
Roan sieht Beule neugierig an. »Das stimmt nicht. Longlight existierte – bis die Freunde es zerstörten.«
»Warum machst du dich lustig über mich? Ich sehe zwar grässlich aus, das heißt jedoch nicht, dass ich dumm bin und mich foppen lasse.«
»Es ist die Wahrheit.«
Beule seufzt, unschlüssig, ob er Roan glauben soll oder nicht. »Und was hast du außer Vorlesen sonst noch alles für Saint getan?«
»Ich war ein Novize, der die Prüfung der Bruderschaft ablegte.«
»Wie weit bist du gekommen?«
»Bis zur dritten Stufe.«
Beule pfeift anerkennend. »Und dann bist du weggelaufen?«
»Ja.«
»Das wird ihnen aber ganz und gar nicht gefallen. Sie werden ein Kopfgeld auf dich aussetzen, tot oder lebendig.«
Roan deutet auf das Mondschwert. »Interessierst du dich am Ende für den Preis?«
Beule lacht und schüttelt den Kopf. »Ich habe gesehen, wozu diese Freunde fähig sind. Am besten man geht ihnen aus dem Weg.«
Roan nickt mit ernster Miene. »Vielleicht sollten wir getrennter Wege gehen.«

Beule holt seine Decke aus dem Rucksack hervor. »Das kannst du halten, wie du willst. Ich jedenfalls gehe nach Westen.«

Roans Blick gleitet über den in fahles Mondlicht getauchten, sternenübersäten Nachthimmel. Zugleich hat er ein wachsames Auge auf seinen Begleiter. Er kann den Jungen nicht so recht einschätzen. Wie lange er wohl schon allein durch das Wüste Land zieht? Was hat ihn so fürchterlich entstellt? Und warum glaubt er ihm, Roan, nicht, wenn er von Longlight spricht?
Ein gelber Dunstschleier hüllt die Sterne ein, als ein ungewöhnliches Geräusch Roan aufschreckt. Er greift nach dem Mondschwert und setzt sich auf, um einer möglichen Gefahr zu begegnen. Aber es ist nur Beule, der sich unruhig im Schlaf bewegt und von Schluchzern geschüttelt wird. Als Roan zu seinem regelmäßigen Atemrhythmus zurückgefunden hat, krabbelt die Schneegrille aus seiner Tasche hervor und springt hinüber zu dem weinenden Jungen. Sie lässt sich auf einer wulstigen Beule seiner Hand nieder und reibt die Flügel aneinander. Ihr Lied ist auf eine seltsame Weise beschwingt, wie Roan es noch nie zuvor gehört hat. Die Grille singt, und irgendwann versiegen die Tränen des schlafenden Jungen und er fällt in einen tiefen, friedlichen Schlaf. Roan kann sich nicht daran erinnern, dass die Grille je für jemanden anderen als ihn gesungen hat. Vielleicht, sinniert er, hat das Schicksal mich und meinen merkwürdigen Begleiter zusammengeführt. Der Gedanke ist tröstlich. Schließlich werden auch Roan die Augenlider schwer und er überlässt seinen müden Körper der Nacht.

Nachdem sie für das Frühstück erneut beim Termitenhügel geräubert haben, brechen Roan und Beule auf.
»Wohin gehen wir?«, fragt Roan.
»Es reicht, wenn du weißt, dass der Weg uns möglichst weit vom Kahlen Berg wegführt, denn von dorther werden die Freunde kommen.«
Der feste, flache Untergrund erleichtert das Vorankommen, aber

je höher die Sonne steigt, desto mehr macht ihnen die Hitze zu schaffen. Zum Schutz gegen die Glut wickelt sich Roan die Decke um den Kopf. Beule hingegen begrüßt freudig die sengende Sonne. Er legt seinen Umhang ab und lässt die Strahlen seine geschundene Haut wärmen. Roan bemüht sich vergeblich, nicht allzu neugierig auf den versehrten Körper zu starren.

»Faszinierend, nicht wahr?«, sagt Beule, der Roans verstohlene Blicke bemerkt.

»Wie hast du dir diese Krankheit geholt?«

»Willst du damit sagen, du weißt das nicht?«

Roan schüttelt den Kopf.

»Und ich dachte, Mor-Ticks gibt es überall.«

»Nicht auf meiner Seite der Berge.«

»Du meinst in Longlight?«

»Ja, genau.«

Beule kichert. »Wenigstens bleibst du bei deiner Geschichte.«

Roan reagiert nicht auf den Seitenhieb. »Was sind Mor-Ticks?«

«Das sind kleine Käfer mit smaragdgrün glänzenden Panzern. Sie krabbeln zu Hunderten an dir hinauf. Eine Sekunde lang funkelst du herrlich smaragdgrün, doch dann bohren sie sich in die Haut und verursachen diese Wülste und Beulen. Es war der zweitschlimmste Schmerz in meinem Leben.«

»Und was war der schlimmste?«

»Als die Larven aus den Eiern schlüpften und meine Haut aufplatzen ließen. So entstanden die Krater, die du auf mir siehst. Die meisten Menschen überleben eine solche Attacke nicht länger als ein paar Tage.«

»Aber bei dir war es anders.«

»Ja, ich bin ein schlechter Scherz der Natur.« Plötzlich streckt Beule den Arm aus und deutet auf Roans Füße. Roan springt erschrocken zur Seite. Beule lacht grimmig.

»Keine Sorge«, beruhigt er Roan. »Wir sind unterwegs an einigen Mor-Ticks vorbeigekommen, aber sie werden dir nichts tun. Du hast einen Schutz.«

»Dich?«

Beule schweigt und hängt seinen Gedanken nach.

In den darauf folgenden zwei Tagen wandern Roan und Beule an einem ausgetrockneten Flussbett entlang, dessen hohe Uferböschung ihnen gute Deckung bietet. Beule läuft schweigend voraus. Hin und wieder fängt Roan ein Gespräch an, doch Beule geht nicht darauf ein. Er beschleunigt das Tempo und läuft so schnell, dass Roan Mühe hat, in dem unebenen Gelände mit ihm Schritt zu halten und dabei auch noch den kleinen Eidechsen auszuweichen, die zwischen den Steinen umherhuschen. Aber er ist auf der Hut und hat die Hand stets nah an seiner Waffe.

Am Abend des dritten Tages bleibt Beule plötzlich stehen und starrt das Mondschwert an.

»Wofür hältst du mich eigentlich?«, sagt er scharf.

»Was meinst du?«

»Du kannst vielleicht lesen, aber für dumm verkaufen lasse ich mich von dir trotzdem nicht. Longlight ist nur eine Legende. Ich kenne die Geschichten. Jeder kennt sie.«

»Welche Geschichten?«

Die Antwort ist ein unwilliges Schnauben. »Treib keine Spielchen mit mir!«

»Das tu ich nicht. Sag mir, was du von Longlight gehört hast.«

Beule lässt einen tiefen Seufzer hören. »Kurz bevor die Zeit des Grauens zu Ende ging, hat eine Gruppe von Rebellen dem Krieg abgeschworen und sich aufgemacht, um eine Oase des Friedens und des Wissens zu errichten.«

Roan nickt zustimmend. »Das waren die Gründer.«

Beule sieht ihn durchdringend an. »Das stimmt, sie werden so genannt. Also hast du diese Geschichten gehört.«

»Mein Urgroßvater war ein Gründer.«

»Und was macht jemand aus dem legendären Friedensdorf mit einer Waffe wie dem Mondschwert?«

»Ich habe dir doch gesagt, dass Saint mich aufgelesen und in sein Lager gebracht hat.«

»Das ist jetzt vorbei, aber das Schwert hast du immer noch«, erwidert Beule patzig und stapft davon.
Roan will ihn einholen und ihm alles erklären, aber Beule lässt das nicht zu. Er läuft nur noch schneller. Roans einziger Trost ist der beruhigende Gedanke, dass sie auf diese Weise möglichst viel Abstand zwischen sich und die Freunde bringen.
Weitere fünf Tage lang marschieren sie ununterbrochen weiter, immer nach möglichen Verfolgern ausspähend. Während dieser Zeit sprechen sie nur das Nötigste. In der Nacht, während Beule schläft, übt Roan sich in den erlernten Kampftechniken, um für jegliche Bedrohung gerüstet zu sein. Wenn er das Training beendet hat, singt die Grille ihn in den Schlaf und Roan träumt den immer gleichen Traum von Longlight.

Das Dorf liegt in Schutt und Asche, das Feuerloch brodelt. Die Straßen sind leer. Da hört Roan jemanden singen. Er kennt die Melodie. Es ist die Stimme seiner Mutter.
Ihr Lied kommt von der anderen Seite des zerstörten Gemeindehauses. Er läuft auf das Gebäude zu und erhascht einen Blick auf seine Mutter, jedoch nur von hinten; er sieht ihre langen Haarflechten, doch gleich darauf ist sie in den Ruinen verschwunden.
Er rennt zur Tür hinein, aber das Haus ist leer, niemand ist zu sehen. Er lauscht, hört Schritte, und hinter einer umgestürzten Säule sieht er seine Mutter hinausgehen. Er läuft ihr nach, betritt den Apfelgarten, wo die Äste sich unter der Last der reifen Früchte biegen. Plötzlich tritt seine Mutter hinter einem Baum hervor.
»Ich habe auf dich gewartet, Roan. Ich habe dich so schrecklich vermisst.«
Roan forscht in ihrem Gesicht, betrachtet die dunklen Augenbrauen, den wunderschönen Mund, der sich zu einem Lächeln öffnet. Zögernd macht er einen Schritt auf sie zu. »Bist du es wirklich?«
Tränen rinnen über ihr Gesicht. »Wie kannst du daran zweifeln?«
»Mutter, du hast mir so gefehlt.« Er macht einen weiteren Schritt auf

sie zu. Da verfängt sich sein Arm in einem Netz, das sich rasch um seinen ganzen Körper windet und sein Gesicht bedeckt. Plötzlich verwandelt sich das Antlitz seiner Mutter und statt ihrer steht nun Stowe vor ihm.

»Roan, geh nicht fort! Wo bist du? Ich brauche dich!«

Die Fäden werden immer dichter, sie verbergen ihn vor seiner Schwester. Aber ihre angstvollen Rufe sind wie Stiche in sein Herz.

Jeden Morgen wacht Roan von diesem Traum gepeinigt auf und es kommt ihm vor, als hielte ihn das Netz noch immer gefangen. Die echte Stowe will Kontakt zu ihm aufnehmen, so viel ist Roan klar. Aber in seinem Traum spürt er auch, dass eine übel wollende Macht sie antreibt. Das beunruhigt ihn. Was passiert mit seiner Schwester?

Roan behält seine verstörenden Träume für sich und hängt tagsüber seinen Gedanken nach. Doch an diesem Morgen wird er aus seinen Grübeleien gerissen, als er und Beule an einen Fluss kommen. Beule prüft misstrauisch das Wasser und riecht daran.

»Was hältst du davon?«, fragt Roan.

Aber Beule hat schon angefangen in großen Schlucken zu trinken. Roan folgt seinem Beispiel.

Es ist der tiefste Fluss, das klarste Wasser, auf das sie bisher gestoßen sind. Nachdem sie ihre Schläuche gefüllt haben, setzt Roan die Grille auf einen Uferstein, zieht seine Kleider aus und springt ins Wasser. Die Kälte raubt ihm fast den Atem, aber das erfrischende Gefühl, sich endlich den Staub abwaschen zu können, macht dies allemal wett.

»Komm rein!«, fordert er Beule auf.

Mit einem wilden Aufschrei hüpft Beule in seinen Kleidern in den Fluss und lässt seine Sachen am seichten Ufer ganz einweichen. Nun holt auch Roan seine Kleider und scheuert Hemd und Hose über einem Stein sauber.

»Blut lässt sich nicht so einfach wegwischen.«

»Mir geht es auch eher um den Gestank«, erwidert Roan scheinbar ungerührt. Insgeheim jedoch wünscht er sich, dass Beule Unrecht hat und die dunklen Blutflecken irgendwie verschwinden.

Um die Mittagszeit erreichen sie eine Wegbiegung, hinter der sie in der Ferne ein Dorf sehen. Sofort klettert Beule die Uferböschung hinauf und schlägt im Schutz der Büsche eine andere Richtung ein.

»Was hast du vor?«, ruft Roan.

»Ich gehe Ärger aus dem Weg.«

Roan traut seinen Ohren nicht. »Aber dort können wir uns mit frischen Lebensmitteln eindecken!«

»Wir verhungern auch so nicht.«

»Ich habe noch ein paar alte Münzen, damit können wir Vorräte kaufen.«

Beule sieht ihn aus zusammengekniffenen Augen an. »Was, wenn Saint tatsächlich ein Kopfgeld auf dich ausgesetzt hat?«

»Ich werde meinen Namen nicht nennen. Ich werde nicht sagen, woher ich komme. Ich werde mit dem Geld frisches Brot und Gemüse kaufen, weiter nichts. Sehnst du dich nicht danach, zur Abwechslung einmal eine richtige Mahlzeit einzunehmen?«

»Wenn du hingehen willst, dann ohne mich«, sagt Beule entschlossen. Er streckt die Hand aus. »Vielleicht laufen wir uns ja irgendwann wieder über den Weg.«

Roan zögert. Das Dorf aufzusuchen reizt ihn sehr, insbesondere die Aussicht, mit anderen Menschen zu sprechen und ein richtiges Dach über dem Kopf zu haben. Noch immer kann er Beule nicht restlos vertrauen. Wie sollte er auch, nach allem, was geschehen ist? Aber wer sagt ihm, dass er in dem Dorf sicher sein würde? Beule hat ihm geholfen und ihn unter seine Fittiche genommen. Ganz gewiss steht er nicht mit Saint im Bunde.

Einen Augenblick lang verharrt Roan unschlüssig, dann ergreift er die vernarbte Hand seines Begleiters und lächelt reumütig. »Du hast Recht. Lass uns von hier verschwinden.«

Beule quittiert Roans Worte mit seinem eigentümlich schiefen Lächeln.
In der Nacht, während sie beide an einem schwach glühenden Moosfeuer sitzen und einen Streifen Dörrfleisch kauen, stellt Roan seine Mutmaßungen an über das Dorf, an dem sie vorbeigekommen sind.
»Warum wolltest du unter keinen Umständen in die Nähe von Menschen gehen? Das Kopfgeld, das möglicherweise auf mich ausgesetzt ist, mag ja Grund genug für *mich* sein, aber du, wovor hast du Angst?«
»Das habe ich dir doch schon erklärt. Auf dieser Seite des Kahlen Bergs weiß man, was Mor-Ticks anrichten können.«
»Aber du hast doch keine Mor-Ticks mehr an deinem Leib.«
»Würdest du wirklich dein gesamtes Dorf darauf wetten?«
Roan schweigt.
»Wenn die Menschen Angst haben, tun sie schreckliche Dinge«, sagt Beule ernst. »Hat schon einmal jemand versucht dich zu steinigen? Wurdest du je mit Stöcken geschlagen? Oder in eine Schlucht geworfen? Das alles haben mir die Bewohner der ersten drei Dörfer angetan, in denen ich um Hilfe bat.«
Roan schüttelt entsetzt den Kopf. »Hast du dich nicht zur Wehr gesetzt?«
»Ist es das, was sie dich in Longlight lehrten?«
»Nein, und aus genau diesem Grund sind alle tot.« Eine tiefe Enttäuschung, die Roan selbst nicht ganz versteht, bricht sich Bahn. Er macht seinen Gefühlen Luft und spuckt in das Moosfeuer. Rauch steigt auf und kleine Funken fliegen hoch.
Beule starrt ihn fassungslos an. »Du Idiot!«
Im selben Moment erkennt Roan seinen Fehler und wirft hastig Erde auf das Feuer.
»Zu spät«, murmelt Beule.
»Denkst du, jemand hat es gesehen?«
»Lass uns nicht erst abwarten, bis wir die Antwort wissen.«
Sie packen ihre Sachen und stapfen müde durch die Mondnacht.

Während der langen, dunklen Stunden, in denen sie weitermarschieren, halten sie nicht einmal an, um zu trinken. Lautlos bahnt Beule sich einen Weg durchs Dickicht, dabei achtet er stets darauf, dass kein Zweig abbricht und zu Boden fällt, damit sie keine Spuren hinterlassen. Roan trottet hinter ihm her, beschämt darüber, dass seine Gedankenlosigkeit sie in Gefahr gebracht haben könnte. Die Äste, die Beule zur Seite biegt, schnellen zurück und Roan lässt es zu, dass sie sein Gesicht peitschen. Er empfindet es als wohlverdiente Strafe für seine Achtlosigkeit.

»Roan, du gehst in die falsche Richtung!«
Roan sieht Stowe hinter einem blauen Spitzenvorhang, der sich im Wind bewegt.
»Kehre um!«
Roan dreht sich um. Die braune Ratte sieht ihn an.
»Geh weiter nach Westen.«
»Geh zurück, Roan! Geh zurück!«
»Es ist eine Falle«, sagt die Ratte. »Setz deinen Weg fort. Geh nach Westen.«

»Was ist los mit dir? Wach auf!«
Verdattert starrt Roan Beule an, dessen Gesicht kaum mehr als einen Fingerbreit von ihm entfernt ist.
»Du bist wie in Trance weitergelaufen.«
»Ich war …« Roan hält inne. »Tut mir Leid, ich schätze, ich bin einfach nur müde.«
»Ja. Wir haben ein ziemlich scharfes Tempo vorgelegt.«
Mit dem Rücken gegen einen Baum gelehnt, macht Beule Rast. Das erste Licht des Tages stiehlt sich durchs Geäst. Roan sieht auf seinen Begleiter herab. »Warum willst du mir nicht verraten, wohin wir gehen?«
Beule hebt einen Stecken auf und murmelt: »Ach, es ist nur so eine Idee.«
»Ich möchte es aber trotzdem wissen.«

»Mir sind einige Gerüchte zu Ohren gekommen.«
»Gerüchte worüber?«
Verlegen dreht Beule das Gesicht weg. »Über eine Stätte der Heilung. Vor Jahren kam ein Geschichtenerzähler in unser Dorf und berichtete davon. Heilkundige und Rebellen haben nach der Zeit des Grauens irgendwo eine Zuflucht gefunden.«
»Und du glaubst, sie können dir helfen?«
»Vielleicht. Wie gesagt, es ist nur so eine Idee. Wahrscheinlich ist an der Legende ohnehin nichts Wahres dran. Aber wenn es Longlight tatsächlich gibt ... *gegeben hat,* dann ist auch alles andere denkbar.«
»Und du weißt, wo dieser Ort zu finden ist?«
Beule nickt.
»Worauf warten wir dann noch?«, ruft Roan. Er zieht schützend den Umhang über den Kopf und marschiert los. Beule folgt dicht hinter ihm.

Das Labyrinth

Die Oase gibt es wirklich. Ich weiß es ganz sicher, obwohl ich selbst sie noch nie gesehen habe. Aber jeder, der Erzählungen über Unsterbliche lauscht, die in Höhlen des Lichts wohnen, ist ein Narr.

Weisheit der Geschichtenerzähler

Angetrieben von der brennenden Sehnsucht nach dem Ort der Heilung schleppen sich Roan und Beule mit allerletzter Kraft vorwärts; sie schlafen wenig und rasten kaum. Sie trinken Wasser, wenn sie welches finden, und ernähren sich vom Saft der Bäume und von Maden, die zu Roans Erleichterung einfacher zu essen sind als Termiten.

Je näher sie ihrem Ziel kommen, desto mehr verändert sich die Landschaft. Wo Bomben einst die Straßen gesprengt haben, ist der Boden zerklüftet. Riesige Trümmer aus Beton und Stahl liegen wie Papierknäuel herum. Es sind die Ruinen einer einst blühenden Kleinstadt. Entlang den zerstörten Gehsteigen ragen die Skelette halb zerfallener Häuser auf, manche der Wohnblocks sind bis zu zehn Stockwerke hoch. Die aufgerissenen Straßen sind übersät mit dem rostenden Schrott kaputter Autos und umgestürzter Busse, die ersten, die Roan in seinem Leben sieht. Abgesehen von Unkraut und einigen Kletterpflanzen, die aus den Trümmern hervorsprießen, gibt es keine Spur von Leben, aber sehr viele Schatten – was die beiden Ankömmlinge zunehmend beunruhigt.

»Ist das der Ort?«, fragt Roan.
Beule nickt. »Das war die letzte Stadt, die noch in der Hand der Aufständischen war. Sie wurde vier Wochen lang ununterbrochen bombardiert, bei Tag und bei Nacht. Wenn es stimmt, was die Geschichtenerzähler berichten, dann kamen einige der Aufständischen zurück, um den Ort der Heilung zu bewahren. Hier in der Nähe muss das Gebäude sein.«
Sie bahnen sich ihren Weg durch geborstenen Beton, durchsuchen einen verlassenen Wohnblock nach dem anderen. Beule spricht kein Wort, doch Roan spürt seine Anspannung, seine wachsende Verzweiflung. Roan fragt sich im Stillen, ob sie das Gebäude jemals finden werden, da stoßen sie unversehens auf eine ausgefranste weiße Fahne mit einem dicken roten Kreuz, die über einem großen, zerstörten Eingangstor hängt.
Beule zeigt auf ein paar kaputte Buchstaben über der Eingangstreppe: H...P...T...A...L. »Weißt du, was das heißt?«
»Einige Buchstaben fehlen, aber ich denke, es hieß Hospital.«
»Was ist ein Hospital?«
»Ein Ort, an dem Menschen geheilt wurden. Dort gab es Medizin, besondere Apparate, Ärzte und Krankenschwestern. Das rote Kreuz auf der Fahne bedeutet erste Hilfe. Das muss der Ort sein, von dem du gehört hast.«
»Gehen wir!«, ruft Beule. Er zwängt sich durch den Eingang und Roan folgt ihm.
Das Innere des Krankenhauses ist eine Ansammlung aus Mauerwerk und Schutt. Sie suchen ihren Weg durch Flure, die plötzlich enden, weil die Decke eingestürzt oder der Fußboden eingebrochen ist. Ganz offenkundig standen in diesem Gebäude einst viele Betten, in denen kranke Menschen behandelt wurden. Zahllose Skelette liegen durcheinander auf den rostenden Gestellen, morsche Stofffetzen hängen immer noch an den Knochen.
»Vielleicht ist das nicht der richtige Ort«, sagt Roan.
»Es ist ein Krankenhaus«, antwortet Beule mit einem Zittern in der Stimme.

»Früher war es eines.«
Hinter einer klaffenden Öffnung in der Wand liegt etwas, das einmal ein abgetrennter Krankenbereich gewesen sein muss. Dieser Raum ist in viel besserem Zustand als der Rest des Hospitals. Dutzende von Betten stehen hier, die Schränke sind noch ganz, die Böden staubig, aber nicht von Schutt bedeckt.
Beule und Roan durchsuchen die Schränke, aber die meisten sind leer, ebenso die wenigen Glasgefäße, die sie finden. Beule schlägt die Tür des letzten Schranks krachend zu und lässt sich auf ein staubiges Bett fallen. Roan sieht Tränen in seinen dunklen Augen.
»Hier müssen Plünderer gewesen sein. Lass uns gehen«, sagt Roan vorsichtig.
Beule schüttelt den Kopf. »Ich habe so große Hoffnungen in diesen Ort gesetzt. Ich möchte noch nicht gehen.«
Roan nickt verständnisvoll und steigt durch das Loch in der Wand in den dunklen Korridor zurück, um draußen zu warten. Er denkt über die schwierige Situation nach, in der sich sein Gefährte befindet, und tritt gedankenverloren ins Freie. Einen entscheidenden Moment lang blendet ihn die grelle Sonne. Genau in diesem Augenblick zischen zwei Speere dicht an ihm vorbei. In der Nähe sieht er fünf Pferde, aber nur einen Reiter. Bruder Wolf.
»Wir wollen dir nichts tun, Roan von Longlight. Der Prophet lebt. Er möchte mit dir sprechen.«
Die Stimme seines früheren Lehrers hat eine elektrisierende Wirkung auf Roan. Er denkt an nichts anderes als die Bedrohung. Vier Brüder sind von ihren Pferden abgestiegen, zwei von ihnen haben Speere. Wo sind die anderen beiden? Er schaut sich hastig um, kann sie aber nicht entdecken, deshalb konzentriert er sich auf die Gefahr, die ihm unmittelbar droht. Er versucht ein Täuschungsmanöver, wirft einen Speer zur Seite und fasst den anderen mit der freien Hand. Er schlägt hart zu, bringt den Bruder aus dem Gleichgewicht und stößt ihn gegen die Wand. Dann wendet sich Roan dem anderen Angreifer zu, wehrt seinen Schwertschlag ab. Er beugt sich vor, packt die Arme seines Gegners und wirft

ihn nieder. Er steigt auf den am Boden liegenden Mann und dreht sich blitzschnell zu dem Bruder um, der inzwischen wieder auf den Beinen ist. Sie springen beide gleichzeitig hoch, aber Roan ist schneller. Im Flug packt er den Arm des Bruders und schlägt genau auf den empfindlichen Punkt unter der Achselhöhle. Der Bruder stöhnt auf und stürzt zu Boden. Roan greift hinter sich und zieht sein Mondschwert aus dem Rucksack. Aber Bruder Wolf ist schon vom Pferd gesprungen.

»Du hast Fortschritte gemacht«, sagt er anerkennend. Er führt einen Tritt gegen Roans Nacken und schwingt sein Schwert. Roan wehrt den Tritt ab und pariert Wolfs Waffe mit einem Schlag seines Mondschwerts. Wolf versetzt Roan einen so heftigen Faustschlag gegen das Ohr, dass Roan Hören und Sehen vergeht. Einen Augenblick lang benommen, ist er unfähig, den nächsten Schwertschlag seines Lehrers abzuwehren. Der trifft den Griff seines Schwerts mit solcher Wucht, dass es Roan aus der Hand fliegt.

»Ergib dich«, befiehlt Bruder Wolf. Schmerzverzerrt kniet Roan auf dem Boden und hält seine rechte Hand umklammert. Aber das ist nur eine List. Blitzschnell springt er wieder auf und greift Bruder Wolf an. Wolf weicht vor dem Hagel von Tritten und Schlägen zurück und taumelt gegen die Wand.

»Lasst die Waffe fallen«, befiehlt Roan atemlos. Wolf nickt und wirft sein Schwert zu Boden. Zu spät bemerkt Roan das Flackern in seinen Augen. Ein Netz fällt über ihn. Die beiden fehlenden Brüder hatten sich auf dem Dach versteckt. Roan versucht sich aus den Schnüren zu befreien, aber sie halten das Netz fest gespannt. Er ist gefangen. Gegenwehr ist sinnlos.

»Wirklich sehr eindrucksvoll«, sagt Bruder Wolf. »Aber du warst nicht vorsichtig genug, du hast nicht mit Unvorhergesehenem gerechnet.« Wolfs starrem Blick vermag Roan kaum standzuhalten. Sein Verrat hat eine tiefe Kluft zwischen ihnen aufgerissen. Einen Augenblick lang erwartet er, dass sein früherer Lehrmeister Vergeltung fordert, aber Wolf lächelt nur und befiehlt den Brüdern: »Nehmt ihn mit.«

Die Männer wollen Roan fortschleifen, aber ein schriller, gequälter Schrei lässt sie erstarren. Die Pferde scheuen und den Männern bleibt vor Schreck der Mund offen stehen angesichts des schrecklichen Anblicks, der sich ihnen bietet.
Beule rennt auf sie zu. Er ist splitternackt, seine von Kratern übersäte Haut ist entblößt. Wild fuchtelt er mit den Armen, heult, als wäre er vor Schmerzen wahnsinnig.
»Mor-Ticks, Mor-Ticks«, kreischt er. »Bitte! Bitte helft mir! Mor-Ticks!«
Die Brüder lassen das Netz los und weichen in Panik zurück. Roan kann sich gerade noch rechtzeitig befreien, um zu sehen, wie Bruder Wolf mit dem Speer auf Beules Herz zielt.
»Lass mich dich von deinem Leid erlösen«, ruft er.
Den Gedanken an einen weiteren Mord, diesmal an seinem einzigen noch lebenden Freund, kann Roan nicht ertragen. Er hechtet und greift nach seinem Mondschwert. Sofort wirbelt er herum und schlägt mit einem einzigen Hieb Bruder Wolfs Speer in Stücke. Kraftvoll wirft er seinen Lehrer zu Boden und presst die Klinge an Wolfs Kehle.
Wolf blickt auf den messerscharfen Stahl. »Du willst mir also die Kehle durchschneiden mit der Klinge, die mein eigener Vater geschmiedet hat.«
Aber Roan benutzt Bruder Wolf nur als Schutzschild. Er gibt Beule ein Zeichen, die Brüder zu entwaffnen.
»Ihr wart mein Lehrer und Ihr seid mir immer mit Achtung begegnet. Geht mit den Brüdern. Steigt alle auf Eure Pferde und reitet weg. Sagt Saint, er soll vergessen, dass es mich gibt.«
Bruder Wolf nickt. »Ich werde es ihm sagen, Roan von Longlight, aber es wird ihn nicht kümmern. Er wird dich finden, wo immer du auch bist. Du bist ein Bruder, und ein Bruder ist niemals allein.«
Roan lässt Bruder Wolf los, der daraufhin seinen Männern ein Zeichen gibt aufzusteigen. Er nickt Roan ein letztes Mal zu, steckt sein Schwert an den Sattelknauf und reitet an der Spitze der Brü-

der weg. Roan, vom Kampf ein wenig mitgenommen, aber glücklicherweise unverletzt, wartet, bis sie außer Sichtweite sind. Dann dreht er sich zu dem nackten Beule um. Vor Siegesfreude und Erleichterung brechen sie in schallendes Gelächter aus.

Beule zieht sich wieder an und kichert: »Nun, es hat doch funktioniert, oder nicht?« Dann fordert er Roan auf, ihm zu folgen. »Ich habe etwas entdeckt.«

Gemeinsam gehen sie in das Gebäude zurück.

»Was hast du gefunden?«, fragt Roan neugierig.

Beule grinst verschmitzt. »Schau dir das an!« Er läuft zu einem großen Schrank an der Wand und öffnet die Türen. Er ist leer.

»Da ist nichts, Beule.«

»Ganz genau.« Beule hebt ein Schrankbrett an, dann stemmt er sich mit seinem ganzen Gewicht gegen die Rückwand.

Roan hört ein Klicken. Fasziniert beobachtet er, wie sich die Bretterwand bewegt und eine baufällige Treppe freigibt.

»Wie hast du das herausgefunden?«

»Wenn du dich so ans Herumstöbern gewöhnt hast wie ich, dann entwickelst du einen siebten Sinn für solche Sachen. Außerdem hat der Geschichtenerzähler davon gesprochen. Damals dachte ich, es sei eine Legende – so wie Longlight, weißt du? Geschichtenerzähler wären schnell erledigt, wenn sie alle Wahrheiten direkt aussprechen würden. Aber dann traf ich dich. Also beschloss ich, mich hier etwas genauer umzusehen. Komm! Im schlechtesten Fall ist dies immer noch ein gutes Versteck für uns. Und die Freunde, darauf kannst du Gift nehmen, werden wiederkommen.«

Auch nachdem sie die Schrankwand hinter sich wieder an ihren Platz geschoben haben, dringt noch genügend Licht durch die Ritzen in der Wand, um den Weg treppab zu finden. Unten angekommen, finden sie nichts als einen schmalen Spalt am Boden. Beule will sich hindurchzwängen. Roan packt ihn am Arm und hält ihn zurück. »Warte! Wir wissen nicht, was dort unten ist.«

»Es ist ein unterirdischer Gang. Ich wollte gerade kommen und es dir erzählen, als ich den Lärm draußen hörte.«

»Weißt du, wohin er führt?«
»Ich wette, es ist ein Fluchtweg, den die Heiler angelegt haben. Vielleicht führt uns der Gang zu ihnen.«
»Vielleicht führt er auch nirgendwohin.«
»Es ist unsere einzige Chance. Oben sind wir nicht mehr sicher.«
Beule steigt durch die Öffnung am Boden und Roan folgt ihm hinterher. Gequält verzieht er das Gesicht. Jede Muskelfaser schmerzt noch von dem Kampf und in seinem Ohr dröhnt es.
Wie Beule vorausgesagt hat, führt die Öffnung zu einem unterirdischen Gang, der in einen geräumigen Tunnel mündet. Die Tunnelwände leuchten; die Steine scheinen Licht abzustrahlen. Es ist nicht sehr hell, dennoch finden sie ihren Weg ohne Mühe.
»Ich schlage vor, wir bleiben hier unten, schauen uns etwas um, hoffen inständigst, dass es deinen Freunden in der Zwischenzeit langweilig wird, und tauchen wieder auf, wenn uns das Wasser ausgeht«, schlägt Beule vor.
»Glaubst du wirklich, wir finden die Heiler?«
»Ja. Falls nicht, sind wir hier unten immer noch besser dran.«
»Wir könnten uns verlaufen.«
»Nein, denn wir markieren unseren Weg.«
Der Tunnel verläuft in endlosen Windungen. Manchmal ist er so eng, dass sie kaum hindurchkommen, an manchen Stellen ist er so hoch, dass sie nicht bis an die Decke reichen. Von Zeit zu Zeit ritzt Roan mit seinem Schwert ein Kreuz in den schimmernden Stein, groß genug, damit es aus einigen Schritten Entfernung deutlich zu erkennen ist. Nach ein oder zwei Stunden, so kommt es ihnen vor, gelangen sie zu einer Stelle, an der sich der Tunnel in drei Richtungen verzweigt.
»Eine Gabelung«, sagt Beule.
Sie gehen ein paar Schritte in jede Richtung. Der erste Stollen ist sehr dunkel und scheint steil abwärts zu führen. Die anderen beiden verlaufen flacher, sehen aber auch nicht einladender aus. Beule prüft die Luft in jedem der Gänge. »Hier ist die Luft am frischesten, meinst du nicht auch?«

Roan kann keinen Unterschied feststellen. »Ich vertraue auf deine Spürnase.«
Roans Sinne sind hellwach. Er sagt Beule nichts von seinen Befürchtungen, aber er hat das unangenehme Gefühl, dass sie beobachtet werden, auch wenn es in diesem engen Tunnel, in dem auch das leiseste Geräusch widerhallt, noch so unwahrscheinlich sein mag. Roan hält sein Schwert fest in der Hand.
Nicht lange danach treffen sie auf eine weitere Weggabelung. Beule prüft die Luft, sucht einen Weg aus, und Roan macht sein Zeichen. Sie eilen weiter, bis sie zu einer Stelle mit weichem Untergrund kommen, die zum Rasten geeignet ist.
Roan sitzt mit steifen Gliedern da, seine aufgeschürften Stellen verfärben sich allmählich dunkel. Beule öffnet seine ziegenlederne Trinkflasche und nimmt einen Schluck, dann reicht er sie Roan, der ebenfalls daran nippt. Die Schneegrille kriecht aus seiner Tasche. Sie labt sich an einigen verschütteten Tropfen und beginnt zu zirpen. Ihr Gesang ruft ein wunderschönes Echo in den Tunneln hervor. Nach wenigen Augenblicken ist Beule eingeschlafen. Auch Roan, erschöpft, wie er ist, fallen die Augen zu.
Eine Stimme, die aus dem Nichts zu kommen scheint, flüstert erregt: »Es sollte nur einer sein.«
»Es sind aber zwei.«
»Die Rede war nur von einem.«
»Und zwei sind da.«
»Vielleicht ist er es nicht.«
»Er ist es. Er hat eine weiße Grille bei sich.«
Roan schrickt auf. Hat er diese Worte geträumt? Nein, er ist sicher, Stimmen gehört zu haben. Aber jetzt herrscht wieder bleierne Stille. Er weckt Beule auf. Sie essen ein paar getrocknete Termiten und setzen ihren Weg fort. Roans anstrengender Kampf gegen die Brüder fordert nun seinen Tribut, denn jeder einzelne Muskel schmerzt und rebelliert. Aber obwohl er sich mit eisernem Willen zum Weitergehen zwingen muss, klagt er nicht.
Die engen Durchgänge machen ein Gespräch beinahe unmöglich.

Der Rhythmus ihrer Schritte versetzt sie in einen tranceähnlichen Zustand, deshalb schrecken sie beide auf, als Roan über etwas stolpert, das hohl klappert und vor ihnen auseinander fällt. Roan fürchtet eine Falle und zieht sein Schwert. Beule bückt sich und hebt einen der Gegenstände auf. Es ist ein menschlicher Schädel.

»Wenigstens sind wir hier unten nicht allein«, sagt er mit Galgenhumor. Aber sein Lächeln ist wie weggewischt, als sie auf viele weitere menschliche Knochen und Kleiderfetzen stoßen.

»Sie sehen aus, als lägen sie schon lange da. Vielleicht seit der Zeit, als das Krankenhaus bombardiert wurde«, sagt Beule.

»So lange nicht.« Roan ist nicht wohl zumute, sicherlich wartet etwas Schreckliches in diesen trostlosen Gängen auf sie. »Ich schlage vor, wir gehen noch einen Gang weiter. Wenn wir dann nicht ans Tageslicht kommen, kehren wir wieder zum Krankenhaus zurück.«

»Unter diesen Umständen«, sagt Beule und betrachtet den Schädel, »muss ich dir zustimmen.«

Bald gelangen sie zu einer weiteren Tunnelgabelung, von der ein enger Durchgang abzweigt.

»Spürst du den Luftzug?«

»Trocken. Kalt.«

»Sehr kalt.«

»Was meinst du?«

»Warum nicht?«

Sie biegen in den Gang ab; ihr Atem schlägt sich an den schwach leuchtenden Steinen nieder, so eng stehen die Wände. Granit bröckelt auf sie herab, als sie sich Schritt für Schritt vorankämpfen. Endlich öffnet sich vor ihnen eine geräumige Höhle, sie atmen auf. Aber ihre Erleichterung ist nur von kurzer Dauer. Wie gelähmt starren sie auf den schrecklichen Anblick, der sich ihnen bietet. Um sie herum liegen überall mumifizierte menschliche Körper. Die Steine werfen ein fahles Licht auf die leeren Augen und offenen Münder, die aussehen, als wären sie mit verwittertem Per-

gament überzogen. Einige sitzen da wie Puppen mit grotesk verdrehten Gliedern.
»Das sind Dutzende«, flüstert Roan.
»Warum sehen sie so merkwürdig aus?«, wundert sich Beule.
»Die Höhle ist staubtrocken. Hier gibt es keine Feuchtigkeit, die sie verwesen lässt.«
»Vielleicht liegen sie schon seit Hunderten von Jahren hier«, sagt Beule.
»Vielleicht auch nicht so lange.«
»Dann seit der Zeit des Grauens?«
Roan schüttelt grimmig den Kopf. »Einige Körper sind noch nicht so weit ausgetrocknet. Schau dir die Kleidung an. Sie sieht aus, als wäre sie nur ein paar Jahre alt.«
»Vielleicht waren sie krank oder sie konnten wegen der Bombenangriffe nicht entkommen, und dann sind ihnen Nahrung und Wasser ausgegangen ...« Beule denkt einen Moment lang nach, dann stößt er unvermittelt hervor: »Lass uns von hier verschwinden.«
»Gute Idee.«
Anfangs scheint es, als müssten sie auf ihrem Rückweg einfach den Markierungen folgen, die Roan angebracht hat. Die ersten Gabelungen sind auch deutlich mit einem X gekennzeichnet, aber als sie zur dritten Abzweigung kommen, ist nirgends ein Zeichen zu sehen.
»Das verstehe ich nicht. Ich habe alle Abzweigungen markiert«, wundert sich Roan. Da entdeckt er eine abgesplitterte Stelle im Felsen und so gehen sie zögernd auf diesem Weg weiter. Doch bald bleibt Roan stehen.
»Das ist der falsche Weg. Wir sind anfangs ein kleines Stück nach Osten gegangen, dann in südlicher Richtung.«
»Woher weißt du das so genau?«
»Ich weiß es nicht, aber ich fühle es«, ist alles, was Roan erwidert. Aber er spürt, dass seine Sinneswahrnehmungen schärfer werden, je weiter sie in das Labyrinth vordringen.

Sie kehren um. Sie gehen schnell, angetrieben von wachsender Furcht. Und wieder landen sie in einer Sackgasse. Ungläubig starrt Beule auf das Ende des Tunnels.
»Auf diesem Weg sind wir gekommen. Vorhin war er nicht versperrt«, sagt Roan.
Beules Gesichtsausdruck verrät seine Besorgnis. »Bist du sicher?«
Roan trinkt die letzten Tropfen seines Wasservorrats. Dann atmet er tief durch und zwingt sich zur Ruhe. Nach einer Weile hört er leise Stimmen.
»Ihm entgeht so schnell nichts.«
»Er ist einfach unglaublich.«
»Das hat er bei Feinden gelernt. Vielleicht ist er einer von ihnen.«
»Unmöglich.«
»Das hat es schon oft gegeben.«
»Der hier ist anders.«
Roan betrachtet den Fels genauer. Ihm fallen mehrere kleine Löcher in der Tunnelwand auf. Er geht ganz nah heran, schaut hindurch und versucht herauszufinden, wer da spricht.
»Hast du das gehört?«, fragt er Beule leise.
»Was gehört?«
»Die Stimmen.«
Beule schaut Roan an, als hätte dieser den Verstand verloren. »Es ist totenstill hier, kein Laut zu hören.«
»Es waren zwei Leute. Sie haben miteinander gesprochen. Ein Mann und eine Frau.«
Beule schaudert. »Wir müssen hier raus. Und zwar sofort.«
Sie kehren um, und nach kurzer Zeit kommen sie an eine Abzweigung.
Beule stöhnt. »Die war vorher nicht hier.« Aber dann leuchten seine Augen auf, als er eines von Roans Zeichen erkennt. Schneller als zuvor laufen sie den Gang entlang. Sie kommen an Kreuzungen vorbei und allmählich wird es Roan zur Gewissheit, dass sie im Kreis laufen. Wer oder was auch immer sie gefangen hat, zwingt sie diesen Weg zu nehmen. Er überlegt, ob er mit Beule

darüber sprechen soll, aber sein Freund ist ohnehin so nervös, dass Roan befürchtet, er könne völlig in Panik geraten. Durstig und hungrig laufen sie weiter durch die verwinkelten Gänge, bis sie wieder einen schmalen Durchgang vor sich sehen.

»Wir werden hier unten sterben, nicht wahr?«

»Die Stimmen. Ich weiß, es ist unmöglich, aber irgendwie verschieben sich die Wände«, flüstert Roan. »Irgendjemand treibt sein Spiel mit uns.«

»Das ist doch Unsinn.«

»Ich sage nicht, dass es vernünftig klingt. Aber es gibt keine andere Erklärung.«

In Beules Augen tritt ein Ausdruck des Entsetzens. »Was, glaubst du, wollen die von uns?«

»Ich wünschte, ich wüsste es.«

Beule tritt gegen die Wand und schreit die Unsichtbaren an: »Lasst uns raus! LASST UNS RAUS!«

Seine Stimme hallt von den Höhlenwänden wider. Er fängt an zu rennen. Roan folgt ihm, aber schon nach kurzer Zeit wird Beule langsamer. Ihre Füße sind bleischwer, Angst drückt die beiden nieder. Mit zitternden Knien lehnt sich Beule gegen die Tunnelwand.

»Vielleicht sind wir ja schon in der Nähe eines Ausgangs«, redet er gegen seine Panik an. »Vielleicht haben sie mich rufen hören. Vielleicht haben sie Mitleid mit uns. Vielleicht kommen wir ja bald aus dem Tunnel heraus, und dann müssen wir nur noch etwas Wasser und Essen finden, egal was, es spielt keine Rolle, Hauptsache, wir sind endlich draußen.«

Er verstummt. Sein Blick ist auf etwas gefallen, das ihm die Sprache verschlägt.

Roan möchte am liebsten losheulen, aber er ist so ausgetrocknet, dass keine Tränen mehr fließen. Sie sind wieder bei den Mumien.

»Wie sind wir nur hierher gekommen?«

Roan zittert. »Ich habe keine Ahnung.«

Ein tiefes Rumpeln schreckt sie auf. Hinter ihnen schließt sich der

Eingang zur Höhle. Beule läuft darauf zu, aber er stolpert über eine der ausgetrockneten Leichen. Roan erreicht die Wand genau in dem Moment, in dem sie sich scheinbar fugenlos schließt, Stein an Stein.

Beule hämmert an die Wand, sucht fieberhaft nach einem geheimen Knopf oder Schalter, der ihnen den Weg nach draußen öffnen könnte. Roan legt seinem Gefährten die Hand auf die Schulter.

»Komm, setzen wir uns. Wir sind gefangen. Entweder sie lassen uns frei oder nicht.«

Beule starrt auf die pergamenttrockenen Leichname. »Ich möchte wissen, wie ich aussehen werde. Nicht wie die hier. Sicher anders.«

Roan, der gegen seine eigene Angst ankämpft, packt Beule energisch an der Schulter. »Setz dich hin.«

Mit einem Stöhnen sinkt Beule zu Boden. In der Stille wird Roan allmählich ruhiger. In seiner Tasche zappelt es und die weiße Grille krabbelt hervor. Als Beule seinen Finger ausstreckt, springt die Grille darauf. Sie singt und beruhigt die beiden.

»Sie mag dich«, sagt Roan.

»Eine Grille wie diese hier hat mein Leben gerettet, oder vielmehr das, was davon übrig ist.«

»Essen Schneegrillen denn Mor-Ticks?«

»Nachdem wir aus unserem Dorf vertrieben wurden, machte sich meine Familie auf den Weg zu eurer Seite der Berge. Einer nach dem anderen starb und ich lief ziellos im Hügelland umher. Ich war überzeugt, dass der Tod nur einen Schritt hinter mir war. Als ich eine weiße Grille sah, dachte ich, es ist aus. Aber die Grille begann zu singen. Die Mor-Ticks kamen heraus. Die Larven schlüpften aus den Eiern und krabbelten auf mir herum. Die Grille hat sie alle aufgefressen.«

Allmählich begreift Roan. Auf seiner Seite des Bergs fürchteten sich die Menschen nicht vor dieser Krankheit wegen der Schneegrillen. Deshalb war Beule so sicher gewesen, dass Roan nichts von den tödlichen Insekten zu fürchten hatte.

»Wo ist deine Grille jetzt?«
Beules Stimme klingt schwach. »Ein paar Wochen nachdem sie mich gerettet hat, ging ich in das erste Dorf, auf das ich unterwegs stieß, und bettelte um etwas Essen. Sie haben mich verprügelt und mich zum Tor hinausgeworfen. Ich habe überlebt, aber die Grille nicht.«
»Du hattest Angst, ich könnte meine Grille verlieren ... damals, in dem Dorf. Beule?«
Beule ist in sich zusammengesunken.
»Beule, wach auf!«, schreit Roan. Er versucht seinen Gefährten aufzurichten, aber seine Kraft reicht nicht mehr. »Bitte, Beule, komm schon!« Es ist zwecklos. Beule ist in eine tiefe Ohnmacht gefallen. Roans schmerzender, erschöpfter Körper versagt den Dienst. Er sinkt vornüber, eine Welle der Müdigkeit überspült ihn. So sitzt er da, neben Beule, und hat den Arm um ihn gelegt; und er weiß, dieser Junge neben ihm ist der beste Freund, den er je hatte.
Verschwommen sieht Roan die Gestalten. Es müssen Engel sein. Sie sind zu viert, ihre Haut ist weiß und durchscheinend und sie haben langes weißes oder graues Haar und tragen schneeweiße Gewänder. Roan glaubt, er sei tot, aber sonderbarerweise fühlt er die Wärme ihrer Hände, als sie seine Stirn berühren.
»Nehmen wir beide mit?«
»Natürlich.«
Roan versucht zu sprechen, aber er bringt kein Wort heraus. Ein weiblicher Engel beugt sich über ihn und nimmt seine Hand.
»Willkommen, Roan von Longlight. Wir haben dich erwartet.«
Dunkelheit senkt sich über ihn und schenkt ihm ein seliges Entkommen.

Die Vergessenen

Stellt euch das Undenkbare vor, sagte Roan von den Scheidenden. Aber niemand vermochte es. Eine große Verwüstung wird kommen, warnte er. Aber niemand schenkte ihm Glauben. Niemand außer einigen wenigen. Sie wurden die Bewahrer des Lichts.

Das Buch von Longlight

Roan erwacht. Er ist in ein blendendes, helles Licht getaucht. Ein Engel stützt seinen Kopf und führt ein Glas Wasser an seinen Mund.

»Trink«, fordert er Roan auf. »Aber immer nur einen Schluck auf einmal.«

Roan tut, wie ihm geheißen. Das Wasser schmeckt süß, es ist Ambrosia auf seinen ausgetrockneten Lippen.

»Warum ist es so hell?«

»Vervielfachtes Sonnenlicht.«

»Was ist ... Wo ist mein Freund?«

»Du wirst bald wieder bei ihm sein.«

»Wo bin ich?«

»In der Oase.«

»Eine Zuflucht inmitten der Wüste.«

Die Frau nickt.

Roan bemerkt erst jetzt, dass man ihm ein sauberes weißes Gewand angezogen hat. Neben ihm auf dem Kissen sitzt die Grille.

»Ich hielt Euch für Engel.«
»Wir sind die Vergessenen.«
Die Frau hat kräftige Hände, so wie seine Mutter. Er kämpft gegen die Vorstellung an, will sich nicht einlullen lassen wie vom Trugbild der Mutter in seinen Träumen.
»Ich heiße Sari.«
Roan zögert. Er überlegt, wie viel er einer Fremden gegenüber preisgeben soll. Aber Sari nimmt ihm die Entscheidung ab.
»Ruh dich aus«, sagt sie. »Dein Körper muss erst noch völlig genesen.«
Behutsam bettet sie Roans Kopf wieder auf das Kissen. Er lässt seinen Geist treiben und die Fragen tanzen wie Staubkörner in der Luft.

Auch als Roan das nächste Mal erwacht, ist Sari bei ihm. Diesmal hält sie ihm eine Schüssel mit Jogurt hin. Roan grinst unwillkürlich, als er davon kostet.
»Schmeckt es dir?«, fragt sie.
»Viel besser als Termiten«, antwortet Roan.
»Du bist bereits ein wenig zu Kräften gekommen. Fühlst du dich ausgeruht genug, um die anderen kennen zu lernen?«
Plötzlich ertönt ein wilder, zorniger Schrei.
Beule.
»Langsam!«, warnt Sari, aber Roan springt von seinem weichen Lager auf und will hinausrennen, gerät an der Tür jedoch ins Stolpern. Er merkt, wie Saris kräftige Hände ihn stützen, und lässt seinen Blick suchend über eine große Höhle schweifen, bis er schließlich Beule entdeckt, der auf einem Felsblock steht und drohend mit einem Stein herumfuchtelt.
»Zurück, sag ich! Zurück, ihr Mörder!«, schreit er die Leute an, die ihn umringt haben. Nur dass diese alles andere als bedrohlich wirken. Die meisten von ihnen sind alt und ergraut und tragen lange Gewänder.
»Du bist am Leben, oder etwa nicht?«, sagt einer von ihnen.

»Na ja … Ihr habt diese Tunnel ständig verändert … bis wir in der Höhle bei euren anderen Opfern landeten.«
Der Mann nickt. Er ist groß, hat eine aufrechte Haltung und dunkle, tief liegende Augen. »Ihr seid in unser Verteidigungssystem eingedrungen.«
»Was habt Ihr mit uns vor?«, fragt Beule herausfordernd, lässt jedoch die Hand mit dem Stein sinken.
»Ich heiße Haron«, stellt sich der Mann vor. »Du kannst jederzeit fortgehen, wenn du möchtest. Für die Unannehmlichkeiten, die wir euch bereitet haben, entschuldigen wir uns. Du kannst so lange hier bleiben, wie du willst. Im Hinblick auf den nahen Winter wirst du die Unterkunft hier gewiss bequem finden.«
Beule sieht ihn misstrauisch aus. »Wo ist mein Freund?«
»Hier bin ich!«, ruft Roan von der anderen Höhlenseite aus.
»Lasst mich durch!«, sagt Beule. Die Menge teilt sich und gibt den Weg frei. Auch Sari tritt höflich zur Seite um den beiden Freunden genug Raum zu geben.
»Was hältst du davon?«, flüstert Beule Roan zu. »Immerhin haben sie uns beinahe umgebracht.«
»Wenn wir weggehen, wartet draußen die Bruderschaft auf uns.«
Beule verdreht die Augen.
»Die Verteidigungsanlage dieser Leute ist sehr wirkungsvoll, das musst du zugeben«, gibt Roan zu bedenken.
»Ein treffsicheres Argument«, sagt Beule.
»Und sie haben dich aus der Nähe gesehen und dich trotzdem nicht gesteinigt.«
So würdevoll wie möglich verkündet Beule: »Wir werden eine Weile hier bleiben.«
»Kommt, ich werde euch herumführen, falls ihr euch kräftig genug fühlt«, schlägt Sari vor. »Schaut einmal nach oben.« Roan muss gegen die Helligkeit anblinzeln, aber dann sieht er zwischen den Stalaktiten verschiedene polierte Spiegel. »Unsere Höhlen sind von Ritzen durchzogen, die das Sonnenlicht hereinlassen. Die Spiegel fangen es ein und vervielfachen es.«

Überall gehen die Höhlenbewohner den unterschiedlichsten Aufgaben nach: Sie polieren Spiegel, zimmern Möbelstücke, weben Tuch. Trotzdem nehmen sie sich die Zeit, den beiden Jungen im Vorbeigehen zuzunicken.

»Etwa dreihundert Menschen leben hier«, erklärt Sari ihnen. »Als die Zeit des Grauens ihrem Ende entgegenging, sind wir hierher gekommen. Jeder von uns hat Schlimmes erduldet, musste Blutvergießen mit ansehen, hat schreckliche Ängste durchlitten. Wir kamen überein, dass gegenseitige Unterstützung der Schlüssel für das Überleben ist.«

»Wo sind die Kinder?«, fragt Roan.

Saris Miene wird ernst. »Wir haben keine. Eine Chemikalie ist durch die Felswände gesickert. Sie schenkt uns zwar Gesundheit und langes Leben, aber zu unserem großen Bedauern macht sie uns unfruchtbar.«

Am Ende einer Mauer drückt Sari sachte gegen einen Stein. Ein zunächst kaum sichtbarer Riss tut sich auf. Unter dem Druck ihrer Hand verbreitert er sich und gibt den Blick frei auf einen schwach erleuchteten Tunnel. Roan und Beule haben Mühe, mit Sari Schritt zu halten, die geschickt einen Weg durch die gewundenen Gänge einschlägt. Als ihnen unvermittelt ein grelles Licht entgegenleuchtet, bleiben sie abrupt stehen. Nachdem seine Augen sich an die Helligkeit gewöhnt haben, betrachtet Roan voller Erstaunen den riesigen Garten, der sich vor ihnen auftut. In Longlight hatten sie ein paar kleine Gewächshäuser, aber nichts, was sich mit dieser Anlage vergleichen ließe. Mehrere Dutzend Gärtner arbeiten entlang den Reihen von Tomaten, Paprika und Gurken. Von Sari erfahren sie, dass die Obst- und Gemüseabfälle zu Dünger recycelt werden. In einer angrenzenden Höhle befindet sich ein weiteres Kompostiersystem, in das der von Mensch und Tier produzierte Abfall geleitet wird.

»In den tiefer gelegenen Minen wird Silber für unsere Spiegel abgebaut.« Sari streicht mit den Fingern über eine Steinwand, die daraufhin zur Seite gleitet. »Und wie ihr bereits gesehen habt, zeichnen sich auch unsere Steinmetze durch große Kunstfertigkeit aus.«

Roan nimmt die Türschwelle genauer in Augenschein und bewundert den perfekt schließenden Mechanismus. Er schiebt die Steinwand in die entgegengesetzte Richtung und sie versperrt den Weg, den sie gerade gekommen sind. »So also habt Ihr uns in die Falle gelockt.«

»Es hat viele Jahre gedauert, bis wir diese Technik vervollkommnet hatten, aber wenn es ums Überleben geht, ist fast alles möglich.«

Als sie um eine Ecke biegen, verzieht Beule angewidert das Gesicht. »Iih. Ich halte diesen Gestank nicht aus!«

Roan ist verblüfft. »Ich rieche nichts.«

»Ich hasse diese bärtigen Teufel«, brummt Beule.

In der Höhle, die sie betreten, wimmelt es von Ziegen. Die Tiere scharen sich sofort um Beule und knabbern an seinen Kleidern.

»Sie mögen dich«, kichert einer der Ziegenhirten. Beule wirft ihm einen finsteren Blick zu.

Als die Hirten die Ziegen zu einer langen Reihe aufstellen, fällt Roan auf, dass einige der Hüter mit Langbogen und kunstvoll geschnitzten Pfeilen bewaffnet sind.

Sari bemerkt seinen Blick. »Wir müssen jederzeit mit herumziehenden Banden, Plünderern und Söldnertruppen rechnen«, erklärt sie. »Von hier führt ein unterirdischer Gang nach draußen in ein abgelegenes Tal. Dort weidet die Herde und wir kümmern uns unterdessen um das Weizenfeld und den Apfelgarten.«

»Warum lebt Ihr nicht in diesem Tal?«, wundert sich Beule.

»Nachdem der letzte Rebellenstützpunkt zerstört worden war, waren unsere Leute uneins darüber, ob sie in dem Tal leben sollten, das sicher zu sein schien, oder ob sie sich in den Höhlen verbergen sollten, die man kurz zuvor entdeckt, jedoch noch nicht erkundet hatte. Die Mehrheit entschied sich dafür, auf und nicht unter der Erde zu leben. Wir hingegen bezogen die Höhlen. Anfangs beneideten wir die Talbewohner. Trotz der vergifteten

Erde ringsherum hatten die Winde den Boden des Tals vor einer Verseuchung bewahrt. Die Erde war fruchtbar und die Pflanzungen gediehen gut. Aber am Ende des Sommers wurden unsere Brüder von einer Söldnertruppe überfallen. Viele starben und die Früchte ihrer Arbeit gingen verloren. Jene, die überlebten, erkannten, dass es über der Erde nicht sicher war, und gesellten sich zu uns in die Höhlen.«

Als die letzten Ziegen nach draußen geführt werden, schnappt Beule plötzlich überrascht nach Luft. Einer der Bogenschützen ist ein Mädchen von ungefähr sechzehn Jahren. Ihre Haut ist übersät von Mor-Tick-Narben. Für einen kurzen Moment begegnen sich ihre Blicke, dann ruft einer der Hirten laut »Lelbit!« und das Mädchen dreht sich um und verschwindet in einem Durchgang.

»Lelbit wurde als kleines Kind zu uns ins Hospital gebracht«, erklärt Sari. »Unsere Heiler bangten viele Monate lang um ihr Leben. Aber ihr Geist ist sehr stark.«

»Wird das Krankenhaus noch benutzt?«, fragt Beule.

»Wir benutzten es lange Zeit und gaben es erst auf, als es zu riskant für Patienten und Heiler wurde. Wir sind froh, dass Lelbit zu uns gefunden hat. Sie ist unsere beste Bogenschützin. Vielleicht können unsere Heiler auch dir helfen.«

Ein sehnsüchtiger Blick huscht über Beules Gesicht, aber er sagt kein Wort. Sari ruft jemanden herbei, der sich des Jungen annimmt und ihn wegführt. Im Gehen flüstert Beule Roan zu: »Wenn das ein übler Trick ist, dann …«

Roan klopft ihm aufmunternd auf die Schulter. »Deshalb bist du doch hergekommen. Ich glaube, du kannst ihnen vertrauen.«

»Hoffentlich hast du Recht. Wenn ich nicht zurückkomme, rette deine eigene Haut«, murmelt Beule.

Als er gegangen ist, wendet Sari sich Roan zu. »Ich zeige dir jetzt etwas, dass dich interessieren könnte.«

Die Höhle ist riesengroß. Und sie ist voll gestopft mit Regalen, in denen sich Bücher stapeln. Bibliothekare auf Leitern ordnen die

zahllosen Bände, während an robusten, langen Tischen fleißig geschrieben und gelesen wird.
»Ihr lest!« Roan eilt zu den Regalen und streicht mit den Fingern über die Buchrücken. Ein dickbäuchiger Mann mit einer langen Nase gesellt sich zu ihm.
»Es ist kaum mehr als eine kleine Dorfbücherei, verglichen mit den Bibliotheken früherer Zeiten.«
»Es ist phantastisch.«
»Ich heiße Orin. Ich bin der Oberste Bibliothekar.«
»Roan von Longlight.«
«Wie ich gehört habe, besaß man in Longlight eine stattliche Büchersammlung.«
»Nicht so umfassend wie diese hier. Ihr wisst über Longlight Bescheid?«
»Ja, wir haben die traurige Nachricht vernommen.«
»Wie?«
»Wir haben noch immer Augen und Ohren.«
»Dann wisst Ihr vielleicht auch, dass wenigstens die Sammlung meines Vaters nicht verloren gegangen ist.«
Orins Augen werden groß. »Tatsächlich? Wo befindet sie sich jetzt? Hin und wieder wagen wir uns hinaus um Bestände dieser Art zu retten.«
»Soweit ich weiß, befindet sich ein Großteil der Bücher noch immer in unserem Haus. Den Rest hat Saint mitgenommen.«
Bei der Erwähnung dieses Namens runzelt Orin die Stirn. »›Er erklomm den Berg und kam verwandelt wieder. Denn aus der Dunkelheit erschien der Freund und schenkte ihm das Wort‹«, zitiert er. »Oje. Saint und die Bruderschaft der Freunde. Eine Gruppe von Eiferern.« Ein Schauder überläuft ihn.
»Ich habe ein Jahr lang bei ihnen gelebt. Und ich habe ihm aus den Büchern von Longlight vorgelesen.«
»Aber dann bist du fortgegangen. Ich vermute, es war kein Abschied in Freundschaft.«
»Alles andere als das.«

»Hier bist du vor ihm sicher«, sagt Orin fest und legt die Hand kurz auf Roans Schulter. »Wenn du möchtest, kannst du mir in der Bibliothek zur Hand gehen.«
Roan lächelt. »Das würde mir gefallen.« Tatsächlich gibt es keinen Ort, an dem er lieber wäre.

Beim Abendessen biegt sich der Tisch unter der Last der reichlichen Speisen, von Salat, verschiedenen Käsesorten, frisch gebackenem Brot und Obst. Zum Nachtisch gibt es Apfelkuchen und Kekse. Mit solchen Köstlichkeiten wurde Roan auch zu Hause in Longlight verwöhnt. Nachdem er sich eine ordentliche Portion auf den Teller gehäuft hat, schaut er sich suchend um. Von Beule ist weit und breit nichts zu sehen. Langsam beschleichen Roan Zweifel, ob er mit seiner instinktiven Einschätzung richtig lag. Er sitzt vor einer Mahlzeit, wie er sie sich monatelang erträumt hat, und bringt keinen Bissen hinunter.
»Keine Sorge, niemand wollte mir an den Kragen«, sagt Beule mit einem Mal direkt hinter Roan.
Roan wirbelt herum und blickt seinen Freund erwartungsvoll an. Er starrt auf die vernarbte Haut und sucht nach irgendwelchen Veränderungen.
»Glotz nicht so«, sagt Beule mit sanftem Spott. »Die Veränderung ist innerlich, nicht auf der Haut. Sie haben mir etwas gegen die Schmerzen gegeben.«
»Und, hilft es?«
Beule grinst. »Zum ersten Mal erfahre ich eine Linderung. Sie sagen, das Narbengewebe sei leicht entzündet. Wenn ich die Heilsalbe über einen Zeitraum von sechs Monaten täglich anwende, werden die Schmerzen nicht mehr wiederkommen.«
»Aber die Narben gehen nicht weg?«, fragt Roan.
Beule schüttelt den Kopf. »Glaub mir, ich habe jetzt schon mehr bekommen, als ich je zu hoffen wagte.«

Ihre Schlafstätte erweist sich als kleine, gemütliche Höhle mit frischen, angenehm duftenden Stoffbetten. Die Wände des Raums hat man dunkel gestrichen um den grell leuchtenden Stein etwas abzudunkeln. Roan schließt die Augen, findet aber keinen Schlaf. Er spürt, wie die Grille auf seine Hand kriecht. Er schlägt die Augen auf. Das kleine weiße Insekt krabbelt zu seinem Rucksack und wühlt sich in eine der Taschen. Roan greift hinein und zieht Stowes Puppe heraus. Obenauf sitzt die Grille. Er ist froh, als er Beules Stimme hört.

»Kannst du nicht einschlafen?«

»Nein.«

»Ich auch nicht. Seit Jahren habe ich nicht mehr in einem richtigen Bett gelegen. Genauso lange, wie ich nicht mehr ohne Schmerzen war.«

»Bist du immer noch der Meinung, wir sollten den Winter über hier bleiben?«, flüstert Roan.

»Natürlich«, antwortet Beule. »Weißt du, mir geht dieses Mädchen nicht mehr aus dem Kopf. Lelbit. Ich habe noch nie jemanden getroffen, der so wie ich einen Angriff der Mor-Ticks überlebt hat. – Und was hast du für dich beschlossen?«

»Ich werde ebenfalls bleiben. Hier fühle ich mich sicher. Und doch …«

»Die Menschen hier machen einen traurigen Eindruck.«

»Das stimmt«, sagt Roan. »Es fehlt das Sonnenlicht. Und es gibt keine Kinder.«

»Irgendwann werden sie alle wegsterben. Es muss schwer sein, mit dieser Gewissheit zu leben.«

Ein Gefühl der Sehnsucht und Einsamkeit überkommt Roan und er verfällt in Schweigen. Im Dunkeln streicht er sanft über das Strohhaar der Puppe.

Beule hört das kratzende Geräusch und fragt: »Was ist das?«

»Etwas, das meiner Schwester gehört hat.«

»Du hast eine Schwester?«

»Wir sind zusammen geflohen. Aber dann wurde ich niedergeschlagen. Meine Schwester haben sie mitgenommen.«

»Also ist sie tot.«
»Nein, das glaube ich nicht.«
»Warum?«
»Träume.«
»Du hast sie in deinen Träumen gesehen?«
»Sie hat mich gerufen. Aber irgendetwas stimmt nicht. Sie hat sich verändert. Ich spüre eine Gefahr und fürchte, sie geht von ihr aus.«
»Was wirst du jetzt tun?«
»Ich weiß nicht. Mein Gefühl sagt mir, dass ich hier am richtigen Ort bin. Irgendwie ist die Oase mit allem anderen verknüpft.«

Am nächsten Morgen wacht Roan gestärkt auf. Seltsamerweise haben weder Träume noch Visionen seinen Schlaf gestört. Nagender Hunger hindert ihn jedoch daran, länger darüber nachzudenken. Als Sari sich beim Frühstück zu ihnen gesellt, ist Roan verlegen angesichts der Berge von Keksen, Marmelade und Jogurt, die er und Beule vor sich aufgetürmt haben.
Mit vollem Mund sieht er zuerst Beule und dann Sari an.
»Wir möchten Euer Angebot, den Winter in der Oase zu verbringen, gern annehmen«, erklärt er schließlich. »Orin hat mich eingeladen, währenddessen in der Bibliothek zu helfen. Können wir uns sonst wie nützlich machen?«
Ein schelmisches Lächeln erhellt Saris Miene. »Wie schön. Ihr könnt Haron bei der Radieschenernte helfen. Dann werdet ihr mittags hungrig wie die Wölfe sein.«
Sari führt sie durch die Gänge des Labyrinths und erklärt ihnen: »Haron ist der Älteste von uns allen. Er ist über hundert Jahre alt.«
»So alt sieht er gar nicht aus«, wundert sich Roan.
»Nein, nicht einen Tag über neunzig«, fügt Beule schelmisch grinsend hinzu.
Im Garten wartet Sari geduldig, bis Haron mit einer raschen, gezielten Handbewegung ein Radieschen aus der Erde zieht und in

einen Sack steckt. »Die beiden Jungen sind hier um dir zu helfen«, teilt Sari dem alten Mann mit.
Ohne Roan und Beule eines Blickes zu würdigen, richtet Haron sich auf und streckt seine Glieder. Dann geht er zu einem Geräteschuppen und kehrt mit zwei kleinen hölzernen Pflanzkellen und großen Stoffsäcken zurück.
»Legt die Radieschen dahinein«, sagt Haron mit heiserer Stimme. »Fangt mit der Reihe dort drüben an.«
»Viel Glück«, verabschiedet sich Sari mit einem amüsierten Gesichtsausdruck.
»Warum grinst sie so?«, wundert sich Roan.
»Darüber will ich lieber gar nicht nachdenken. Bestimmt ist es etwas, dass von Nutzen für uns ist. Zumindest glaubt Sari das.«
Roan und Beule beginnen auf der gegenüberliegenden Seite des Gartens mit der Arbeit. Der anfängliche Schwung lässt bereits nach, als sie den Sack gerade einmal zur Hälfte gefüllt haben. Ihre Gesichter sind von Staub und Schweiß bedeckt.
Auf dem Weg zur Wasserzisterne strecken sie ihre schmerzenden Rücken und beobachten Haron, der unermüdlich und gelassen Radieschen erntet.
»Ich wette, er hat nicht mal ein Viertel des Sacks gefüllt«, vermutet Beule.
»Lass uns nachsehen.«
Roan füllt einen Krug mit Wasser und geht damit zu dem alten Mann. Überrascht stellt er fest, dass Harons Sack fast schon voll ist.
Haron nickt dankend und nimmt einen kräftigen Schluck.
»Ich kannte den Mann, nach dem du benannt bist.«
Roan sieht ihn verwundert an.
»Deinen Urgroßvater Roan«, fügt Haron hinzu. »Wir haben gemeinsam in der Letzten Schlacht gekämpft. Bei der Trennung sah ich ihn zum letzten Mal. Er war ein außergewöhnlicher Mann. Der weiseste Anführer, den ich je kennen gelernt habe.«

»Was meint Ihr mit ›Trennung‹?«

»So nannten wir unseren Entschluss, nicht länger zu kämpfen, sondern uns aufzuteilen und getrennter Wege zu gehen. Dein Urgroßvater zog mit seinen Leuten weg und gründete Longlight. Meine Gruppe kam hierher.«

»Gibt es auch noch andere?«

»Ja. Ihre Suche nach einem sicheren Versteck führte sie noch weiter fort.«

»Glaubt Ihr, sie haben überlebt? Oder ist einzig und allein die Oase übrig geblieben, nun, da es Longlight nicht mehr gibt?«

Haron gibt darauf keine Antwort. Sein durchdringender Blick trifft Roan mitten ins Herz. Der alte Mann reicht ihm den Krug und kehrt zu seiner Arbeit zurück.

Für einen Moment fühlt Roan sich verloren in einem Meer von Ungewissheiten. Und so ist er froh, dass sein Freund immer noch darauf wartet zu hören, wie voll Harons Sack inzwischen ist. Es bereitet ihm diebisches Vergnügen, zu sehen, wie sich dessen erwartungsvolle Miene bei Roans Worten schlagartig ändert.

»Harons Sack ist beinahe voll«, erklärt Roan mit ernstem Gesicht.

Wortlos kehrt Beule zur Arbeit zurück und gräbt in einem wahnwitzigen Tempo Radieschen aus. Roan beeilt sich, es ihm gleichzutun. Es dauert nicht lange und ihre Hände pochen schmerzhaft, und der Rücken tut so weh, als wäre er in der Mitte entzweigebrochen. Ihr Sack ist erst zu zwei Dritteln gefüllt, als sie erschöpft und mit wunden Gliedern zu Boden sinken, unfähig noch länger weiterzumachen. In diesem Moment kommt Haron vorbei, den überquellenden Sack gemächlich hinter sich herziehend.

»Keine Sorge, ihr zwei, beim ersten Mal ist es immer am schlimmsten«, sagt er und beißt in ein Radieschen.

Mit äußerster Willenskraft arbeiten Beule und Roan weiter, bis sie ihre Säcke gefüllt haben, die sie dann in der Küche abliefern. Müde und ausgelaugt, wie sie sind, wollen sie sich nur noch ausruhen. Stattdessen schickt man sie in das Gemeinschaftsbad.

Das Becken wird mit dampfendem Wasser aus einem Felsspalt gespeist. Es ist groß und bietet etwa zehn Leuten Platz. Als Roan und Beule eintreffen, lassen sich mehrere Männer und Frauen nackt im Wasser treiben. Lelbit, die Bogenschützin, ist eine der Badenden.

Beule zögert. »Vielleicht sollten wir besser später wieder kommen.«

»Du bist nicht der Einzige, der entstellt ist«, sagt einer der Männer daraufhin zu ihm. Auf seiner Haut sind schlimme Narben zu sehen. »Ich geriet in den Roten Regen; vielen von uns erging das so. Komm rein. Du bist in guter Gesellschaft.«

Beule sieht Roan fragend an und dieser zuckt mit den Schultern. Sie ziehen ihre Gewänder aus und steigen in das Becken. Das Wasser ist sehr heiß und riecht leicht nach Schwefel. Es ist etwas völlig anderes als die kalten Gewässer, in denen sie bisher badeten. Das dampfende Wasser trägt Roans Körper und regt die Sinne an. Wie einfach wäre es, sich genussvoll treiben zu lassen, doch Roan hat etwas anderes vor. Er gibt Beule ein Zeichen, ein Gespräch mit Lelbit anzufangen, die den Kopf am Beckenrand abgestützt hat und mit geschlossenen Augen ausruht.

»Nicht jetzt«, flüstert Beule.

»Mach schon«, drängt Roan und versetzt Beule einen Knuff.

Verärgert knufft Beule zurück, kommt dabei aus dem Gleichgewicht und stößt Lelbit an.

Sie schlägt die Augen auf. Beule grinst sie nervös an.

»Tut mir Leid. Habe ich dir wehgetan?«

Sie schüttelt stumm den Kopf.

Beule unternimmt einen neuerlichen Versuch. »Dieses Bad ist ganz erstaunlich, nicht wahr? Alles ist so erstaunlich. Die Spiegel sind erstaunlich, die Ziegen sind …«

Lelbit legt einen Finger auf die Lippen. Sie schließt die Augen, sinkt zurück und überlässt sich der entspannenden Wirkung des Wassers. Beule wirft Roan einen irritierten Blick zu. Dann folgen beide Lelbits Beispiel und genießen das lindernde Bad.

Als Roan und Beule beim anschließenden Mittagessen Ausschau halten nach einem Platz, wo sie ihre voll beladenen Teller abstellen können, fällt ihr Blick auf Lelbit, die allein an einem Tisch sitzt. Scheu geht Beule auf sie zu und fragt, ob sie sich ihr anschließen dürfen. Wortlos zeigt sie auf den Stuhl neben sich und Beule nimmt darauf Platz. Roan setzt sich ihnen gegenüber hin.

»Tut mir Leid, dass wir dich vorhin gestört haben«, sagt Beule.

Lelbit zuckt die Schultern und beißt in ein Stück Brot.

»Ich habe gehört, du hast diesen Ort auf die gleiche Weise entdeckt wie ich«, fährt Beule fort. »Auch du warst auf der Suche nach dem alten Hospital.«

Lelbit hält drei Finger hoch und macht mit der anderen Hand eine herabfallende Geste. Dann hält sie erneut drei Finger hoch und drückt einen davon nach unten. Dann einen zweiten.

»Ihr wart zu dritt, aber nur du hast es bis ins Krankenhaus geschafft«, rät Beule aufs Geratewohl.

Erneut macht Lelbit eine Geste, so als würde etwas herabfallen, diesmal jedoch über ihrem Kopf. Dann deutet sie auf ihren Mund.

Beule schaudert es. »Die Mor-Ticks sind in deinen Mund gekrochen«, sagt er.

Sie lächelt vage und schenkt Beule ein Glas Wasser ein.

Er nimmt es entgegen. Ihre Blicke treffen sich. Es sind die Blicke zweier Menschen, die einen Schmerz teilen, dessen Ausmaß Roan nicht einmal erahnen kann.

winter in der oase

Die Trennung war nicht das Ende, sondern ein Anfang. Unser Anfang. Der Anfang neuer Hoffnung.

Das Buch von Longlight

Aus Tagen werden Monate, während deren Roan und sein Gefährte die Annehmlichkeiten der Oase genießen. Beule und Lelbit haben rasch Freundschaft geschlossen; Beule betätigt sich sogar als Ziegenhirte, und das, obwohl er, wie Roan weiß, den Gestank der Tiere nur schwer erträgt. Aber das Ziegenhüten, während die Tiere auf der winterlichen Weide grasen, ist ein geringer Preis dafür, ganze Nachmittage mit der neuen Freundin im Freien verbringen zu dürfen.

Roan hingegen ist am glücklichsten in der Bibliothek. Er verbringt Stunden damit, den Text eines beschädigten Buchs sorgfältig zu rekonstruieren. Aus irgendeinem Grund hat Orin ihm die Aufgabe übertragen, die genaue Bedeutung eines jeden Satzes zu klären. Das Buch handelt von Kindererziehung und Roan verliert sich oft in Erinnerungen an seine eigene Kindheit. In seiner freien Zeit brütet er über neueren Geschichtsabhandlungen, um so die Ereignisse besser zu verstehen, die der Zeit des Grauens vorausgingen. Mit Hilfe einer Kartensammlung erschließt er sich auch den Hergang der Letzten Schlacht.

Roans Neugier bezüglich der Vergangenheit findet ihre Entsprechung in Orins Interesse an der Gegenwart. Der Bibliothekar ist fasziniert von Roans Erlebnissen in der Bruderschaft und stellt endlose Fragen.

»Die Freunde behaupten, sie würden ihre Visitationen nur einmal im Jahr abhalten. Kannst du das bestätigen?«

»Das hat sie nicht davon abgehalten, das Fandor-Lager zu überfallen«, erwidert Roan.

»Das heißt, ihr Glaube ist mit Widersprüchlichkeiten behaftet?«

»Saint ist mit Widersprüchlichkeiten behaftet«, sagt Roan, der das, was er über den Propheten weiß, immer noch nicht richtig einordnen kann. »Er ist nicht völlig Herr seiner selbst.«

»Weil er sich auf die Stadt eingelassen hat.«

»Das allein ist es nicht. Er ist an die Religion gebunden, die er selbst erschaffen hat. In seinem Schlafraum habe ich ein Buch über die römischen Götter entdeckt, das er dort versteckt hält. Die Bilder in diesem Buch scheinen die Quelle seiner Religion zu sein. Einmal habe ich ihn darauf hingewiesen, welche Sternenkonstellationen den Symbolen seines Glaubens entsprechen.«

»Das hat er zuvor nicht gewusst?«

Roan schüttelt den Kopf.

»Deine Beobachtungen bedrohten seine Autorität als Prophet.«

»Ja, aber das ist noch nicht alles«, fährt Roan fort. »Ich kann es nicht richtig erklären. Aber ich spürte seine Furcht. Es hat ihm Angst eingejagt, dass er von den Sternbildern nichts wusste. Vielleicht auch, dass niemand es ihm gesagt hat. Ich frage mich, ob er das Buch zufällig fand oder ob jemand es ihm gab.«

Ein wildes Lachen schreckt Roan auf. »Macht das einen Unterschied? Saint ist ein Schwindler und wir werden dieses Wissen gegen den Schlächter verwenden!« Diese Worte kommen von einem jungen Mann mit schwarzen Locken und glühenden Augen. Er trägt ein zerschlissenes, buntes Hemd und eine zerlumpte Hose. Sein Erscheinungsbild widerspricht allem, was Roan bisher bei den Vergessenen gesehen hat.

Orin ist nicht sehr angetan von der unerwarteten Störung. »Sei

gegrüßt, Kamyar«, murmelt er. »Ich freue mich, dich wiederzusehen.«
»Und ich freue mich, wieder hier zu sein«, erwidert Kamyar mit einem Nicken. Dabei weicht sein Blick nicht von Roan. »Natürlich konnte ich mir diese Gelegenheit nicht entgehen lassen. Ich wollte ihn mit eigenen Augen sehen.«
»Ich kann es dir nicht verdenken«, seufzt Orin.
»Soso«, sagt Kamyar. »Wie ich hörte, haben wir dich beinahe getötet.«
»Nein, es hat sich alles zum Guten gewendet«, sagt Roan.
»Hmm. Das muss sich erst noch herausstellen«, erwidert Kamyar.
Nun schaltet sich Orin ein. »Roan, Kamyar ist Teil eines Geheimnisses, das wir hüten. Einige der Vergessenen verlassen die Oase von Zeit zu Zeit und sind als Geschichtenerzähler unterwegs.«
»Ich habe schon von ihnen gehört«, sagt Roan.
»Was du nicht sagst«, wirft Kamyar spöttisch ein.
»Dann weißt du vielleicht auch, dass diese Wandersleute als Bettler verkleidet von Ort zu Ort ziehen und als Lohn für eine kleine Mahlzeit Geschichten erzählen«, ergänzt Orin.
»Im Gegenzug bieten auch wir Nahrung an. Nahrung für den Geist«, erklärt Kamyar. »Jede Geschichte ist ein Samenkorn, das in die Köpfe der Menschen gepflanzt wird, damit sie die Lügen der Stadt in Frage stellen. Damit sie innehalten und nach dem Warum fragen.«
Orin grummelt unwillig, doch nun ist Roans Neugier geweckt.
»Ihr habt also die Geschichte von Longlight weitergetragen.«
»Ja, das war eine wunderbare Geschichte«, sagt Kamyar. »Die Leuten liebten sie über alles. Sie schenkte ihnen Hoffnung. Jetzt aber hat sie sich in eine Tragödie verkehrt.«
»Aber die Menschen halten sie für eine Legende.«
»Nichts ist mächtiger als eine Legende.«
»Longlight war real«, widerspricht Roan zornig. »Es war mein Zuhause, die Heimat meiner Familie.«
Kamyar lächelt. Er tritt so nah an Roan heran, dass ihre Nasen

sich fast berühren. »Wie naiv. Der Einzige, der die Legende Wirklichkeit werden lässt, bist du. Dabei hast du nicht die geringste Ahnung, wer du bist.«

Diese Bemerkung weckt Roans Zorn. »Was soll das heißen?«

»Es reicht!«, unterbricht Orin die beiden.

Kamyar weicht zurück. »Ich werde zu einem günstigeren Zeitpunkt wiederkommen, Orin, um aus den Sternen zu lesen«, sagt er und geht.

Orin fühlt sich zu einer Entschuldigung genötigt. »Nimm es ihm nicht übel. Geschichtenerzähler leben in ständiger Gefahr und sprechen mitunter sehr ungeniert, um nicht zu sagen: grob. Du warst so freimütig, meine Fragen zu beantworten. Gibt es etwas, das du gerne wissen möchtest?«

»Was könnt Ihr mir über die Staubesser sagen?«

»Oh, die Staubesser. Ha!« Der alte Bibliothekar kichert und kratzt sich an einer kahlen Stelle am Kopf. »Nicht genug, mein Freund. Sie sind faszinierend, aber große Heimlichtuer. Es gibt nur wenig Genaues, dafür aber umso mehr Gerüchte.«

»Essen sie tatsächlich Staub?«

»Es scheint so. Nun ja, im Grunde genommen sind viele Arzneien aus Staub oder etwas Ähnlichem gemacht. Wie es heißt, nehmen sie eine sehr selten zu findende Erde zu sich, die es ihnen ermöglicht, in eine andere Daseinsebene einzutreten, die Raum und Zeit überwindet.«

»Wird jeder, der diese Erde zu sich nimmt, zu einem Staubesser?«

»Ich glaube, nur ein Staubesser weiß, wie er an die Erde herankommt, jeder andere würde sie nicht einmal erkennen. Ich könnte mir vorstellen, dass man als Staubesser geboren wird. Hinzu kommt ein spezielles Training. Man geht davon aus, dass es nur wenige Staubesser gibt. Und dass sie über große Macht verfügen. Vielleicht können sie sogar in die Zukunft sehen und ihren Geist auf die Reise schicken.« Orin räuspert sich. »Mehr kann ich dir auch nicht sagen. Und nun überlasse ich dich wieder deiner Arbeit.«

Er schlurft davon. Roan bleibt keine Zeit um über das Gespräch nachzudenken.
»Hüte dich vor den Staubessern«, hört er Kamyar leise sagen.
»Ihr habt uns belauscht?«, fragt Roan gereizt.
»Ein weiser Mann lernt seine Ohren offen zu halten.«
»Und was habt Ihr von den Staubessern gehört?«
»Sie behaupten in die Zukunft blicken zu können«, sagt Kamyar.
»Was ist daran so schlimm?«
»Was, wenn sie sich irren? Was, wenn es andere denkbare Versionen der Zukunft gibt, die sie uns absichtlich verheimlichen? Was, wenn der Staub nicht sehend macht, sondern blind? Schau in dich hinein, Roan von Longlight, gibt es wirklich nur eine einzige gute Geschichte in dir?«
»Ich weiß nicht, wovon Ihr sprecht.«
»Ich glaube doch«, sagt Kamyar feixend. »Hier hast du ein paar kostenlose Ratschläge. Stell viele Fragen. Nimm nichts als gegeben hin. Schaff dir deine eigene Zukunft.« Nach diesen Worten dreht er sich um und verschwindet in den Katakomben.
In Roans Augen ist Kamyar etwas zu herrisch. Aber gegen seine Ratschläge ist nichts einzuwenden. Sei auf der Hut. Überleg dir gut, wem du vertraust.

Die Tage in der Oase vergehen. Oft nimmt Roan die Mahlzeit bei Sari ein, die sich sehr für seine bisherigen Erlebnisse interessiert. Die Geschichten von Longlight und seiner Familie faszinieren sie. Als er von den maskierten Angreifern berichtet und den Schrecknissen am Feuerloch, schlägt sie die Augen nieder.
Als sie spricht, hört man ihren scheinbar ruhigen Worten an, wie aufgewühlt sie in Wirklichkeit ist. »Diese Ungerechtigkeit stellt uns alle auf eine furchtbare Probe.«
Die Erinnerung daran erweckt in Roan ein so heftiges Verlangen nach Rache, dass kein Platz mehr ist für Traurigkeit.
Sari ahnt seine innere Erregung. »Es gab nichts, was du hättest tun können«, sagt sie eindringlich.

»Nein, damals nicht. Ich wurde dazu erzogen, nicht zu kämpfen, nie eine Waffe in die Hand zu nehmen, nie im Zorn die Hand zu erheben. Aber jetzt ist das anders, jetzt könnte ich sehr wohl etwas tun.«

»Du hast dich gegen Saint gestellt. Andere haben das vor dir versucht. Du bist der Erste, dem es gelungen ist.«

»Ich wünschte, ich hätte ihn getötet«, murmelt Roan. Er seufzt tief. »Mein Vater wäre entsetzt, wenn er mich so reden hörte.«

»Woher willst du das wissen, Roan? Zwar kennst du die Grundsätze, nach denen die Menschen in Longlight lebten, der tiefere Grund dafür mag dir jetzt noch verborgen sein.«

»Sie weigerten sich zu kämpfen. So wie die Vergessenen auch.«

»Wir tragen Waffen. Wir haben keine Hemmungen, uns zu verteidigen und wenn nötig auch zu töten. Bei der Trennung verschrieben sich nur jene, die Longlight gründeten, der völligen Gewaltlosigkeit.«

»Aber warum?«

Sie sieht ihn lange an, bevor sie antwortet. »Die Vision, die jene Menschen teilten, hat auch dir einen unauslöschlichen Stempel aufgedrückt. Daher wirst du immer Gewalt und Herrschaft in Frage stellen.«

»Und was habe ich davon?«

»Du hast die Werkzeuge um dich gegen Terror und Willkür zu wehren. Dein Wissen ermöglicht es dir, auch andere zu verteidigen. Darum würde sich dein Vater ganz sicher nicht für dich schämen.«

»Ich glaube nicht, dass er es verstünde.«

»Vielleicht doch«, sagt Sari. »Ich bin sicher, er wusste genau, dass diese Fähigkeiten einem Menschen große Macht verleihen. Du wirst diese Macht nie leichtfertig einsetzen, Roan. Diese Integrität wird dich einmal zu einem weisen Anführer machen.«

Roan nimmt einen Bissen, kaut und denkt über ihre Worte nach. Später, in seiner Höhle, widmet er sich dem Mondschwert, schleift die Klingen messerscharf. Er fühlt das Gewicht der Waffe in seiner Hand, schwingt sie durch die Luft. Er vertieft sich, meditiert, kehrt sich nach innen, aber es erschließt sich ihm nichts. Liegt in dem Schwert eine besondere Wahrheit verborgen? Was hat Sari gemeint, als sie sagte, er werde ein weiser Anführer werden? Was weiß sie? Sie erwartet etwas von ihm, das ahnt er, aber er kommt nicht dahinter, was es ist. Es bleibt ihm nichts anderes übrig, als seinen Instinkten zu folgen und darauf zu hoffen, dass sie ihn richtig leiten.

In dieser Nacht wie auch in den folgenden Nächten trainiert Roan seine Kampftechnik, bevor Beule sich schlafen legt. Er ruft sich Bruder Wolfs Ratschläge zu Haltung, Taktik und Zweikampf in Erinnerung. Im Geiste geht er die Kriegsstrategien durch, die er mit Saint besprochen hat, und denkt an ihre Diskussionen über Schlachten und Eroberungsfeldzüge. Wenn er diese Fähigkeiten einsetzen muss, dann will er wenigstens gut vorbereitet sein.

Die friedlichen Monate in der Oase stärken Roan. Er schläft tief und traumlos oder kann sich zumindest nicht an seine Träume erinnern. Jeden Morgen erwacht er und fühlt sich noch tatkräftiger als am Tag zuvor. Etwas tief in seinem Innern macht einen Heilungsprozess durch, das spürt er selbst. Wer auch immer die Vergessenen sind und welche Erwartungen sie in ihn setzen, eines weiß er mit Bestimmtheit: Sie sind ihm wohlgesinnt.

Wenn er sich nicht in der Bibliothek aufhält, geht er Haron beim Gärtnern zur Hand. Die Gesellschaft des alten Mannes ruft in Roan Erinnerungen an ganz ähnliche Augenblicke wach. Augenblicke mit seinem Vater. Es sind Erinnerungen, die gut tun.

»Erzähl mir vom Garten in Longlight«, bittet Haron ihn eines Nachmittags.

»Wir haben Karotten und Erbsen, Salat und Getreide angebaut, dazu Kartoffeln und Kräuter und in einem kleinen Gewächshaus verschiedene Arten von Bohnen und Tomaten.«

»Die Saat hierfür stammte von den alten Gärten in unserem Tal in der Nähe des Heidebergs.«

»Sprecht Ihr von jener Gegend, wo jetzt das Wüste Land ist?«

»Ja. Die Gärten waren groß genug um tausend Menschen zu versorgen. Eines Morgens erwachte dein Urgroßvater in heller Aufregung. Er bestand darauf, unverzüglich Samen einzusammeln und zu trocknen. Er drängte so sehr, dass schließlich alle seiner Bitte nachkamen, obwohl diese Arbeit für gewöhnlich erst einen Monat später anstand. Kaum hatten wir sie beendet, kam die Ankündigung. Wir hatten weniger als einen Tag Zeit für die Räumung. Die neuen Herren der Stadt hatten unseren Standort ausfindig gemacht.«

Haron schweigt für einen Moment und überlässt sich den Erinnerungen.

»Die Aufgabe schien unlösbar. Unser Lager lag abgeschieden. Die anderen Führer wollten von Roan, deinem Urgroßvater, wissen, woher er die Informationen erhalten habe. Seine Erklärung wurde mit Skepsis, Enttäuschung und Ärger aufgenommen. Er bestand darauf, die Waffen niederzulegen. Wir sollten uns in mehrere Gruppen aufspalten, und zwar nach einem festgelegten Plan. Viele vertrauten ihm; er war ein weiser Mann und von großem Scharfsinn. So kam es, dass einige ihm Glauben schenkten, andere nicht. Letztere verspotteten uns als Feiglinge. Sie blieben, überzeugt davon, in Sicherheit zu sein. Das war die erste Trennung. Jene, die das Tal verließen, teilten sich wiederum in vier Gruppen auf, die eigene Wege gingen. Wir waren gerade mal zwei Tage unterwegs, als wir die Flugzeuge sahen. Voller Entsetzen wurden wir Zeugen, wie giftige Wolken auf unser Tal niedersanken.«

»Aber woher hatte mein Urgroßvater sein Wissen?«

»Es kam im Traum zu ihm. Er behauptete, er habe die Anweisungen von einer braunen Ratte erhalten.«

Bei Harons Worten sackt Roan in sich zusammen.

»Ist alles in Ordnung mit dir?«

»Ja. Mir geht es gut. Ich bin nur müde.« Tatsächlich jedoch ist Roan wie elektrisiert, und sobald sich die Gelegenheit dazu bietet, verabschiedet er sich von Haron und geht weg.

In seinem Kopf rasen die Gedanken. Bei jedem Schritt, den er macht, bedrängen ihn neue Fragen. Eine braune Ratte! War sie es auch, die Roan in seinen Träumen aufsuchte? Hat sein Urgroßvater womöglich auch den Berglöwen und die Ziegenfrau gesehen?
Beules laute Stimme aus der Ferne reißt ihn aus seinen Grübeleien. In ihr schwingt etwas mit, das Roan bei seinem Freund noch nie vernommen hat.
»Zeig's mir noch mal.«
In einer speziellen Höhle nimmt Beule bei Lelbit Unterricht im Bogenschießen. Als Roan hineinspäht, sieht er, wie Lelbit gerade eine Hand auf Beules Schulter legt und mit der anderen seine Bogenhand führt, bis die Sehne gespannt ist. Beule lässt los und der Pfeil fliegt mitten hinein in den etwa hundert Meter entfernten, gemalten Kreis.
»Hast du das gesehen?«
Lelbit umarmt Beule. Er nimmt einen neuen Pfeil, spannt den Bogen und schießt. Der Pfeil spaltet den vorherigen in zwei Teile. Lelbit gibt Beule einen Kuss. Roan zieht sich zurück um die beiden nicht zu stören. Es ist lange her, dass Beule eine solche Zärtlichkeit erfahren hat. Viel zu lange schon hat es ihm an Liebe gefehlt.
Der Frühling zieht ein und Roan trägt sich mit dem Gedanken die Oase zu verlassen. Dabei hat er es stets als selbstverständlich angesehen, dass Beule ihn begleitet. Nun aber fragt er sich, ob er die Reise nicht allein fortsetzen sollte.

In dieser Nacht hat Roan zum ersten Mal seit Monaten wieder einen Traum.
Er liegt in einem Raum, bequem auf große, weiche Kissen gebettet, und nippt an einem erfrischenden Getränk, als ihn die Stimme seiner Schwester aufschreckt.

»Roan! Roan! Roan!«
Roan lässt das Glas fallen, die Flüssigkeit verspritzt und zu seinen Füßen bildet sich eine Lache.
»Sie tun mir weh, Roan. Hilf mir. Ich muss dich finden. Bitte! Wenn du nicht zu mir kommst, werde ich dich suchen. Sag mir, wo du bist.«
Federn fliegen in Roans Mund. Er hustet, würgt, richtet sich auf und sucht nach einem Ausgang. Eine Sturmwolke aus Federn wirbelt durch die Luft und nimmt ihm die Sicht. Er spürt eine Hand, die ihn durch das Gestöber geleitet. Sie gehört der alten Ziegenfrau.
Mit ihrem Mund kommt sie ganz nah an seine Lippen. Als sie ausatmet, sprudelt ein Schwall klaren Wassers hervor und spült seinen Mund frei. »Der Weg zu mir wird dich auch zu ihr führen.«
Plötzlich sitzen sie in einem Wald aus dünnen roten Stangen. Hinter der Ziegenfrau erstreckt sich ein blubbernder See.
»Ich warte auf dich«, sagt sie und lächelt.

Roan wacht auf und sieht Sari mit einer Kerze auf dem Fußboden neben sich. Auf ihrer Hand sitzt die weiße Grille. Sari hebt den Kopf und blickt Roan an.
»Es ist schon lange her, seit ich eine Schneegrille in der Hand gehalten habe. Verzeih mir, dass ich unaufgefordert hereingekommen bin. Ich ging draußen vorbei, als ich dich im Schlaf schreien hörte.«
»Wo ist Beule?«
»Bei Lelbit und den Hirten. Du hast sehr lange geschlafen.«
»Ihr wisst, dass ich die Oase verlasse?«
»Wohin wirst du gehen?«
»Ich hatte einen Traum. Hohe rote Stangen umgaben mich. Und da war ein See. Gibt es einen solchen Ort?«
»Orin wird es wissen. Und du bist wirklich bereit dafür?«
»Ich habe Eure Gastfreundschaft schon viel zu lange in Anspruch genommen.«
»Ganz wie du meinst«, erwidert sie mit ausdrucksloser Miene.
Roan frühstückt allein. Den Vormittag verbringt er damit, durch

das Labyrinth zu wandern und sich innerlich darauf vorzubereiten, diesen sicheren Hafen zu verlassen und ins Ungewisse aufzubrechen. Mittlerweile findet er sich in dem Tunnelsystem gut zurecht; wenn er an eine Abzweigung kommt, weiß er genau, wohin er gehen muss.

Die mumifizierten Leichname liegen unverändert da, seit er zum ersten Mal auf sie gestoßen ist. Er starrt auf die geschrumpften Leiber und grübelt über das unergründliche Geheimnis nach, welche Macht darüber entscheidet, wer leben darf und wer nicht. Vor einigen Monaten, als er in die Oase kam, hatte er Angriffe von Mücken und Wildhunden überlebt, war Blutdrinkern entkommen und hatte mancherlei Entbehrungen ertragen. Eigentlich müsste auch er unter diesen verdorrten Leichen sein. Welches Recht hat er zu leben, wenn alle anderen aus Longlight tot sind, ihre Gebeine im brodelnden Feuerloch verbrannt?

»Ich dachte mir schon, dass ich dich hier finden würde.«

Obwohl er eigentlich allein sein wollte, ist Roan froh, Harons Stimme zu hören.

»Ich komme häufig hierher und mache mir Gedanken über das Schicksal. Weißt du, was das Schlimmste ist, wenn man so lange lebt wie ich? Immer wieder den Tod mit ansehen zu müssen. Ich habe alle verloren, Eltern, Brüder, Schwestern, Freunde. Einige gingen leicht aus dieser Welt, die meisten jedoch litten so sehr, dass ich es kaum ertrage, daran zu denken. Wenn ich in meinem herrlichen Garten arbeite, frage ich mich oft: ›Welches Recht habe ich, glücklich zu sein, wenn alle anderen so gelitten haben?‹«

Roan hält den Blick auf die Steine gerichtet. Röte steigt ihm ins Gesicht. »Alles passierte so schnell ... Ich konnte mich nicht einmal verabschieden.« Er hält inne.

Haron legt die Hand auf Roans Schulter. »Was deine Familie und dich miteinander verband, macht einen Abschied unnötig. Glaub mir, Roan, deine Eltern waren stolz auf dich und wussten genau, wie sehr du sie geliebt hast. Sie kannten dich besser als du dich selbst.«

Roan blickt den alten Mann verständnislos an.
»Dein Urgroßvater, Roan von den Scheidenden, war ein Seher. Er wusste, es würde sehr lange dauern, die Welt zu erneuern; Generationen würden kommen und gehen. Longlight wurde zu einem ganz bestimmten Zweck errichtet. Und du verkörperst diesen Zweck. Deine Eltern wussten das. Das ist auch der Grund, warum sie dir seinen Namen gaben, den Namen deines Urgroßvaters, meines alten Freundes.«
»Wieso hat man mir nie etwas gesagt?«
»Diese Dinge bleiben am besten unausgesprochen. Niemand von uns kennt die Zukunft. Wir machen Pläne, hegen Hoffnungen, entwickeln Ideen und setzen manchmal alles daran, sie zu verwirklichen. Mehr können wir nicht tun. Nur die Erfahrung wird dir Antwort auf deine Fragen geben.«
»Der Winter ist vorbei. Ich spüre, es ist Zeit für mich zu gehen, Haron.«
»Dein Weg ist vorherbestimmt, Roan. Wenn du gehst, nimmst du auch unsere Träume mit.«

Beim Abendessen herrscht an Roans Tisch die meiste Zeit über Schweigen.
»Ich habe gehört, du gehst weg«, sagt Beule schließlich, ohne von seinem Teller aufzublicken. »Ohne mir auch nur ein Wort davon zu sagen?«
»Du warst so lange allein unterwegs, Beule. Ich kann verstehen, dass du noch eine Weile hier bleiben willst.«
»Kannst du das?«, fragt Beule mit undurchdringlicher Miene.
»Ja, ganz gewiss.«
In den Stunden, die seit der Entscheidung vergangen sind, hat sich Roans Entschluss gefestigt. Er weiß, die Reise wird nicht einfach sein, aber inzwischen hat er viel gelernt. Beule hat ihm gezeigt, wie man in der Welt draußen überlebt. Und genau das wird er tun.
Roan fängt Saris Blick ein.

»Morgen früh«, antwortet er auf die unausgesprochene Frage.
»Hast du deine Vorbereitungen getroffen?«
»Ja.« Aber die bevorstehenden Abschiede machen ihm das Herz schwer.

Als Roan am folgenden Morgen erwacht, hat Sari bereits Reisekleidung für ihn bereitgelegt. Er geht in die Bücherei um sich von Orin und den anderen Bibliothekaren zu verabschieden. Alle schütteln ernst seine Hand und wünschen ihm viel Glück. Orin überreicht ihm ein altes, ramponiertes Buch. Als Roan es aufschlägt, sieht er, dass die Seiten leer sind.
»Woher habt Ihr das ... Wie seid Ihr dazu gekommen?«, stammelt Roan. Papier aufzutreiben ist schon schwierig genug, aber ein altes Buch mit leeren Seiten ist noch viel seltener. »Das kann ich nicht annehmen«, sagt er. »Es ist viel zu wertvoll.«
»Dann muss das, was du hineinschreibst, umso schwerer wiegen«, erwidert Orin. »Bewahr es gut auf. Eines Tages wirst du den Wunsch verspüren, die leeren Seiten zu füllen.«
Zögernd ergreift Roan Orins Hand. »Ich danke Euch, Orin. Ich werde oft an Euch denken und an die Gespräche, die wir geführt haben.«
Roan verstaut das Geschenk in seinem gut gefüllten Rucksack, an den er das Mondschwert gebunden hat. Dann holt er zwei Bücher hervor, die er, seit er die Bruderschaft verließ, bei sich getragen hat. »Hier habe ich etwas für Eure Bibliothek.«
Erfreut blättert Orin darin. »Machiavelli! Platon! Was für Schätze! Oh!« Beglückt setzt er sich nieder und steckt die Nase in die Bücher. Roan legt kurz die Hand auf Orins Rücken und nach einem letzten Blick über die Bücherregale geht er hinaus in den Felsengang, wo Haron bereits auf ihn wartet.
Er drückt Roan einen Feuerstein und ein Stück Stahl in die Hand. Roan sieht den alten Mann fest an. »Habt Dank für Eure Freundschaft.«
Haron lächelt, dann streicht er mit den Fingern an der Wand ent-

lang. Eine Tür gleitet zur Seite. Sari, Beule, Lelbit und einige Wachen warten dort bereits. Mit ernsten Mienen machen sie sich auf den Weg durch das verschlungene Labyrinth. Schließlich bleibt Sari vor einer Felswand stehen.
»Diese Tür führt hinaus auf einen Berg, der etwa dreißig Meilen von dem Ort entfernt ist, den du aufsuchen willst: den brodelnden See. Du bekommst von uns ein Seil für den Abstieg. Der Weg nach unten ist zwar mühsam, dafür ist das Risiko, entdeckt zu werden, hier am geringsten. Am Fuß des Bergs befindet sich ein toter Wald, an dessen Rand Kriechlianen wuchern. Die musst du meiden, wie du ja weißt. Folge der Sonne nach Westen. Der Wald, den du durchqueren musst, ist noch immer von Giften aus der Zeit des Grauens verseucht. Mach dort keine Rast, das wäre tödlich. Denk daran: Du musst die alte Straße vor Sonnenuntergang erreichen. Von dort aus geh weiter nach Westen, dann wirst du es schaffen.«
Roan schaut sie an und nickt. »Ich werde Euch vermissen.«
Saris Blick ist klar und fest. Sie legt die Hände auf seine Schultern. »Dein Weg ist auch der unsere. Beschreite ihn ohne Furcht und zweifle nie daran, dass wir bei dir sind.«
»Ich danke Euch«, sagt Roan.
Sari berührt einen Spalt im Fels und das Tor zur Außenwelt öffnet sich. Direkt vor ihnen, wie eine natürliche Mauer, rauscht ein Wasserfall herab. Die Sonne schimmert durch den Wasserschleier, den das Tauwasser des Frühlings geschaffen hat. Gegen das grelle Licht blinzelnd, folgt Roan Sari über einen Felsvorsprung. Die anderen folgen. Am Ende des Vorsprungs tritt Sari kräftig gegen einen vorspringenden Stein. Erstaunt sieht Roan, wie langsam eine Steinbrücke aus der Felswand hervorgleitet. Sari betritt die Brücke. Im gleißenden Sonnenlicht wird sie für Roan wieder zum Engel ihrer ersten Begegnung. Er folgt ihr auf die Brücke und atmet die frische, prickelnde Luft ein. Ehrfürchtig gleitet sein Blick über schneebedeckte Gipfel, über nackte Felsklippen und kahle, schneegesprenkelte Ebenen ganz weit im Westen.

»Auf der anderen Seite beginnt der Pfad«, erklärt Sari und deutet in die Richtung.
Roan dreht sich zu Beule um und breitet die Arme aus. Diesen Abschied fürchtet er am meisten.
Aber Beule weicht aus. Er räuspert sich laut. »Ich werde dich begleiten«, sagt er mit heiserer Stimme und schultert seinen Rucksack.
Roan kann es kaum fassen. »Und was ist mit Lelbit?«
»Sie ist der Ansicht, du würdest da draußen ohne mich keine Woche überleben.«
Lelbit nickt zustimmend. Ein Lächeln huscht über ihr Gesicht.
»Ich komme schon zurecht, keine Sorge«, widerspricht Roan.
»Die Wildhunde haben dich in weniger als fünf Minuten erschnüffelt«, prophezeit Beule.
»Du hast mir einiges beigebracht.«
»Nicht genug.«
»Da, wo ich hinwill, ist auch eine Stadt. Es könnte gefährlich werden.«
»Gut. Ich hab mir schon Sorgen gemacht, dass ich bequemlich werde.«
Lelbit nimmt Beules Hand und presst sie kurz an ihre Brust. Dann folgt sie den anderen zurück hinter den Wasserfall. Sari winkt ein letztes Mal, bevor die steinerne Wand sich hinter ihnen schließt.
Roan holt die Schneegrille aus seiner Tasche. Gemeinsam lassen sie sich von den Sonnenstrahlen wärmen. Die Grille reibt ihre Flügel aneinander und singt. Roan dreht sich noch einmal zu der Stelle um, an der Sari stand. Dort, vor dem Wasserfall, sitzt der Berglöwe.
»Gute Reise, Roan von Longlight.«
Roan blinzelt und im gleichen Moment ist der Berglöwe verschwunden.

Die Wunde, die nicht heilt

Aus den scharlachroten Wolken ergoss sich roter Regen, der alles verbrannte, was er berührte. Und der Rote Regen ergoss sich auch auf die todbringenden Kriechlianen und ihre verführerischen Blüten.

Aus den Kriegschroniken

»Ich glaube, dies ist der Weg nach unten«, sagt Beule. Er geht einen Schritt vorwärts und rutscht auf dem feuchten orangefarbenen Pilzgeflecht aus, mit dem die Felsen überwachsen sind. Unverletzt springt er wieder nach oben.
»Warte«, schnauft Roan, sucht einen sicheren Tritt und inspiziert den Abhang, der unter ihnen liegt. »Hier entlang«, sagt er und klettert vorsichtig den kaum sichtbaren Pfad hinab.
»Woher weißt du das?«
»Ich bin mir nicht sicher. Aber wenn ich genau hinschaue, dann kann ich ihn einfach sehen.«
Beule schaut ihn verwundert an, dann zuckt er mit den Achseln. »Ich bin direkt hinter dir.«
Schweigend gehen sie weiter, bis sie an den Rand einer Steilwand gelangen. Beule steckt seine Nase vorsichtig über die Kante, schrickt zurück. Ihm ist schwindlig.
»Es muss noch einen anderen Weg geben.«
Roan schüttelt den Kopf. »Die Felsen sind zu glitschig, wir können nicht wieder zurück nach oben gehen. Wir haben keine

andere Wahl. Nehmen wir das Seil. Wir können es an dem Baum da festbinden.«
»Das nennst du einen Baum?« Beule prüft das kleine, dünne Gewächs, indem er den knotigen Stamm umfasst und mit aller Kraft daran rüttelt. »Na ja, ich glaube, es geht.«
»Willst du dich ein Stück abseilen und dich umschauen?«, fragt Roan.
»Ich würde jetzt lieber frühstücken. Bitte nach dir, ich lasse dir gerne den Vortritt.«
Roan schlingt das Seil um seine Taille. Beule setzt sich neben den Baum, stemmt sich gegen einen kleinen Felsblock und hält das Seil fest, um es noch besser zu sichern. Roan geht zu dem Überhang; die weite Landschaft unter ihm, die erfrischende Brise und die unendliche Weite des Himmels beflügeln ihn. Er späht den Steilhang hinab und lächelt.
»Sag bloß, das macht dir Spaß?«, fragt Beule ungläubig.
»In Longlight hatten wir einen großen Baum, den Alten Riesen. Ich war der Erste, der hinaufgeklettert ist. Später habe ich immer etwas noch Höheres und Schwierigeres zum Klettern gesucht.«
Roan schiebt sich über die Kante. In der Luft baumelnd, entdeckt er einen Vorsprung. Er schwingt vor und zurück, springt darauf zu, drückt sich ganz eng an den nackten Fels und klammert sich mit den Fingern in einer Felsspalte fest. »Komm«, ruft er nach oben zu seinem Freund, »lass deine Beine runterbaumeln!«
Beule beugt sich über die Kante. »Ich habe befürchtet, dass du das sagen wirst.«
»Traust du mir nicht?«
»Dir schon. Es ist nur der Abhang mit nichts als leerer Luft zum Festhalten, der mir Sorgen macht«, ruft Beule zurück. Er packt das Seil, lässt seine Beine herabhängen und Roan gibt Acht, dass er sicheren Tritt findet. Als er in Reichweite ist, packt Roan ihn und hält ihn fest.
Atemlos dreht Beule sich um und schaut über die Schulter. »Großartige Aussicht«, keucht er.

»Diese Felsnase führt immer weiter den Berg hinab«, erklärt ihm Roan. »Mit ein bisschen Glück schaffen wir es auf diesem Weg bis zum Fuß des Bergs.«
Es ist schwierig, Halt zu finden, aber sie folgen dem abfallenden Grat, bis sie zu einem Granitplateau gelangen, von dem aus sie weit ins Land blicken können. Roan und Beule setzen sich, trinken einen Schluck Wasser und betrachten die Aussicht. So weit das Auge reicht, stehen riesige Baumstümpfe. Und am östlichen Rand des toten Waldes erstreckt sich, wie Sari gewarnt hat, ein Dickicht aus Kriechlianen.
»Früher war dieser Wald sicher unglaublich schön. Schau, wie mächtig die Stämme jetzt noch sind. Diese Bäume haben Jahrhunderte gebraucht, um so groß zu werden«, sagt Roan traurig.
»Sie wurden in der Zeit vor der Verwüstung gefällt«, erklärt ihm Beule. »Manche Leute behaupten, sie wären ohnehin abgestorben, als der Rote Regen kam. Aber woher wollen sie das wissen? Ein Geschichtenerzähler kam in mein Dorf und hat von diesem Wald berichtet. Wie seltsam, dass ich jetzt in der Oase erfahren habe, wer die Geschichtenerzähler in Wirklichkeit sind und warum sie das machen. Es ist eine gute Idee, mit Geschichten das Denken der Menschen zu verändern. Bei mir hat es funktioniert. Man beginnt, selbst über die Dinge nachzudenken. Nachdem ich diese Geschichten gehört hatte, traute ich weder der Stadt noch den Freunden. Fast allen erging das so.«
»Der Geschichtenerzähler, mit dem ich gesprochen habe, wollte mich sicherlich auch dazu bringen, über einiges nachzudenken.«
»Worüber zum Beispiel?«
»Die Vergessenen erwarten etwas von mir, aber sie sagen nicht genau, was. Kamyar riet mir, ich solle mich um konkrete Antworten bemühen.«
»Wahrscheinlich hat er Recht. Es gibt Dinge, die du tun musst, Roan, und ich werde dir dabei helfen.«
Der Gedanke an eine Bestimmung, die er zu erfüllen hat, beun-

ruhigt Roan. Wie soll er Beule von seinem Urgroßvater und der braunen Ratte erzählen, wenn er doch so wenig über sich selbst weiß? Abgesehen davon können sie sich jetzt nicht mit Diskussionen aufhalten, denn Sari hat sie ermahnt, rechtzeitig vor Sonnenuntergang den Wald zu durchqueren.
»Das Wichtigste zuerst«, sagt Roan. »Soweit ich sehe, gibt es nur einen Weg. Sobald wir diesen Kamm überwunden haben, geht es den Hang hinab geradewegs in die Ebene.«
Roan beugt sich vornüber und sucht mit den Augen den fast senkrecht abfallenden Steilhang ab. Nach einer Weile ist ihm klar, welchen Weg sie nehmen müssen. Er beugt sich hinunter und klammert sich mit der linken Hand in einer tiefen Felsspalte fest. »Wir benützen die Ritzen zum Absteigen.« Er hält sich mit festem Griff in dieser Stellung, rutscht langsam nach unten und sucht mit dem linken Fuß eine Stelle, auf der er stehen kann. Mit der rechten Hand greift er in eine schmale Ritze. Sobald sein rechter Fuß Halt gefunden hat, steht er mit dem Gesicht zur Felswand und ist bereit zum Abstieg.
»Soll das ein Witz ein?«, ruft Beule ängstlich von oben.
»Keine Sorge. Halt dich an mir fest«, befiehlt Roan. Beule streckt den Arm aus, stützt sich mit der linken Hand auf Roans Schulter und dreht sich um. Die Brust fest gegen den Fels gepresst, setzt er seinen Fuß vorsichtig auf einen kleinen Vorsprung.
»Mach weiter!«, ruft Roan, der behände weiterklettert.
Beule gehorcht und steigt Schritt für Schritt abwärts. Seine Selbstsicherheit wächst und schließlich ist er mit Roan gleichauf. »Wir schaffen es!«, lacht er.
In diesem einen unachtsamen Augenblick bricht der Halt unter seinen Füßen weg. Reaktionsschnell packt Roan den Freund mit der freien Hand am Gelenk. Lange kann er ihn so nicht halten, seine Finger schmerzen schon jetzt wie verrückt. Angestrengt ruft er Beule zu: »Such mit dem Fuß einen Spalt!«
Der tastet und findet ein überstehendes Felsgesims. »Ich hab's«, schreit er. Aber als er sich mit seinem ganzen Gewicht darauf

stellt, bröckelt der Stein. Der plötzliche Ruck ist zu viel für Roan. Seine Finger gleiten ab und er kullert mit Beule den steilen Abhang hinunter. Erst am Rand des Waldes endet die Rutschpartie. Beule ist als Erster wieder auf den Beinen. Er humpelt, scheint jedoch nicht ernsthaft verletzt zu sein. Im Fallen ist sein Rucksack aufgeplatzt, und als sie die Sachen wieder einsammeln, fällt ihrer beider Blick auf ein Glasgefäß, das in die Kriechlianen gerollt ist, unerreichbar für sie beide.

Die Heilsalbe.

»Du brauchst dieses Zeug jeden Tag«, sagt Roan. »Wir holen es raus.«

Beule schüttelt den Kopf. »Lass es bleiben. Von einem dieser Dornen vergiftet zu werden ist viel schlimmer als das, was ich durchmachen muss.«

Roan schaut ihn an. »Bist du sicher?«

Beule nickt. Da bemerkt er einen Tropfen Blut auf Roans Ärmel. »Du hast dich gestochen!«

»Nein, wir sind schon vor den Kriechlianen zum Stehen gekommen.«

»Nicht ganz.« Beule zeigt auf eine kleine Ranke, die sich an der Stelle entlangschlängelt, wo Roan gelandet ist.

Beule schaut sich Roans Arm genauer an. Direkt unter Roans Ellbogen steckt ein kleiner Dorn.

»Wir müssen ihn herausziehen«, drängt Beule. Er nimmt zwei kleine, scharfe Steine, packt mit ihnen vorsichtig den Dorn und zieht ihn heraus. Um die winzige Wunde herum hat sich die Haut bereits entzündet. »Leg dich hin«, befiehlt Beule. »Mit jeder Bewegung verbreitet sich das Gift weiter.«

»Ich spüre gar nichts«, protestiert Roan.

»Ich hoffe, du wirst noch etwas spüren. Leg dich hin.«

Beule schneidet ein Stück Seil ab, legt es über die Wunde und macht daraus einen Druckverband um Roans Oberarm. Dann bricht er Holz von einem alten Baumstumpf und entfacht damit ein Feuer. Er holt ein Stück Stoff hervor, schmiert eine Paste

darauf, die man ihm in der Oase mitgegeben hat, erhitzt sie und presst den Stoff auf Roans Wunde.
»Spürst du es jetzt?«
»Ja«, stöhnt Roan. »Es brennt.«
»Gut. Erst wenn man den Schmerz nicht mehr spürt, wird es gefährlich. Je mehr du von dem Gift im Körper hast, umso mehr betäubt es dich. Also rühr dich nicht.«
Roan wird von einer Hitzewallung geschüttelt. Er zwingt sich still zu liegen, kämpft gegen das Gift, mobilisiert jede Zelle seines Körpers, um den Eindringling niederzuringen.
Beule wiederholt die Prozedur noch viermal, dann wirft er das Tuch in die Flammen und sieht zu, wie es verbrennt.
Ermattet hebt Roan den Kopf und fragt mit schwacher Stimme: »Können wir den Verband abnehmen? Meine Finger werden taub.«
Beule prüft die Wunde. »Die Entzündung ist zurückgegangen.« Er lockert das Seil ein wenig. Roan bewegt die Finger und spürt, wie das Blut zurückschießt. Die Sonne steht noch hoch am Himmel, aber Roan drängt: »Wir müssen gehen.«
»Ich weiß nicht, ob du dazu schon in der Lage bist«, sagt Beule.
»Sari hat gesagt, wir müssen den Wald bis zum Sonnenuntergang durchquert haben.«
»Wahrscheinlich ist noch Gift in dir.«
»Wir müssen es trotzdem riskieren.«
Widerstrebend willigt Beule ein, doch zuvor holt er Proviant aus dem Rucksack. Benommen isst und trinkt Roan eine Kleinigkeit, dann steht er auf und schultert seinen Rucksack. Aber er ist geschwächt. Er kommt nur langsam vorwärts, denn seine Gedanken sind auf die Wunde konzentriert; mit aller Willenskraft kämpft er gegen das Gift der Kriechlianen an. Er spürt, dass Beule dicht hinter ihm geht. Bei jedem Atemzug, bei jedem Stolpern kann er die Sorge seines Freundes fühlen.
Ihre Schritte sind das einzige Geräusch in dem toten Wald. Keine Krähe, kein Sperling ist zu hören. Kein Insekt summt. Kein Tier,

kein Blatt raschelt. Sie sind die einzigen Lebewesen weit und breit, und je mehr ihnen dies bewusst wird, umso größer wird ihre Furcht.
»Wenn es hier wenigstens Insekten gäbe. Das wäre ein idealer Ort für Maden«, sagt Beule. Er bricht ein Stück Rinde los, aber er sieht nichts als Fäulnis. »Ich verstehe das nicht.«
Roan sucht in seiner Tasche nach der Schneegrille. Das Tier bewegt sich nicht.
»Ist etwas nicht in Ordnung?«
Roan blickt Beule sorgenvoll an. »Sie bewegt sich nicht.«
»Lass mich mal sehen.«
Roan holt die Grille vorsichtig aus seiner Tasche und hält sie in der hohlen Hand. Bekümmert stupst Beule sie mit dem Finger an. Nichts. Roan stockt das Herz. Die Grille war schon immer sein Begleiter. Ihr Zirpen ist Teil seines Lebens, hat ihn geschützt, ihn gewarnt, wann immer Gefahr bestand ...
»Wir müssen hier weg!«
Beule nickt stumm. Roan lässt die Grille in seine Tasche zurückgleiten und sie gehen weiter, schneller als zuvor, und folgen dem Lauf der Sonne. Aber Roan kann nicht lange mithalten. Jedes Mal, wenn er auftritt, durchzuckt ein reißender Schmerz seinen Arm. Schweißgebadet bewegt er sich nur mit äußerster Willensanstrengung vorwärts. Ihm fällt auf, dass auch Beules Schritte langsamer werden, sein Gesicht ist schmerzverzerrt. Ohne die Mor-Tick-Salbe sind die alten Beschwerden wieder aufgeflammt. Aber beide quälen sich weiter, da die Sonne schon gefährlich nahe über dem Horizont steht.

»Roan, bist du hier?«
Stowe versucht durch einen dichten Nebel hindurchzuschauen, dann verschwindet sie wieder im Dunst.

Beule schaut Roan mit glasigen Augen an. »Wir haben es fast geschafft. Hoffentlich.«

Obwohl Roan weiß, dass es kein guter Einfall ist, lässt er sich zu Boden sinken. »Ich muss mich ausruhen. Nur ein paar Minuten.«
»Nein. Wir müssen weitergehen«, sagt Beule. Aber kaum dass er es gesagt hat, bricht er neben Roan zusammen.
Während er langsam das Bewusstsein verliert, spürt Roan, wie Hände ihn an den Schultern fassen und ihn an einen Ort ziehen, an dem die Luft frisch und gut ist. Gierig atmet er sie ein, bevor der dunkle Schleier des Schlafs ihn umhüllt.

Die wärmende Sonne weckt ihn. Roan schlägt benommen die Augen auf. Stöhnend setzt er sich auf, sein Arm schmerzt. Beule, der neben ihm in dem gesprenkelten Gras liegt, erwacht von Roans Schmerzenslaut. Der tote Wald liegt hinter ihnen, darüber thronen die schneebedeckten Berge.
»Danke, dass du mich aus dem Wald gebracht hast.«
Beule lächelt. »Es war mir ein Vergnügen. Ich wünschte nur, ich könnte mich daran erinnern.«
»Macht nichts. Hauptsache, wir sind draußen.«
Beule hilft Roan aufzustehen und sie schauen sich um. Auf einer Böschung verläuft eine alte Straße. Unkraut hat mit seinen Wurzeln den Asphalt gesprengt und in dem trockenen Staub, der ihn bedeckt, sieht Beule etwas Beunruhigendes – Hufspuren.
Roan macht eine noch schlimmere Entdeckung: eine einzelne Reifenspur.
»Hast du so etwas schon einmal gesehen?«, fragt Roan seinen Freund.
»Motorradspuren. Ich kenne nur einen einzigen Menschen, der ein Motorrad besitzt.«
Roan nickt.
»Glaubst du, er ist es?«
»Er muss ein anderes Fahrzeug aufgetrieben haben. Wer der Stadt dient, kriegt alles.«
»In welche Richtung er wohl gefahren ist?«, fragt Beule.

Roan betrachtet prüfend den Reifenabdruck und sucht nach einem Detail, das einen Hinweis geben könnte. Dann sieht er es. Kleine Erdklümpchen, die von den Reifen zur Seite geschleudert wurden. Ihre Flugbahn geht in eine Richtung.
»Vielleicht haben wir Glück. Er ist nach Osten gefahren.«
»Aber möglicherweise hat er einige Männer zurückgelassen, die in der anderen Richtung suchen«, gibt Beule zu bedenken, während er die Hufspuren betrachtet. »Wir müssen von der Straße weg und in Deckung bleiben.« Sie gehen zu einem mit Gebüsch überwucherten Graben, der parallel zur Straße verläuft. Roan spürt, wie sich die Grille in seiner Tasche bewegt. Mit seinem gesunden Arm greift er hinein und holt sie heraus.
»Schön, dass du wieder da bist«, begrüßt Beule die Grille. »Ich glaube, sie hat eine Art von Winterschlaf gehalten, um durch diesen Wald zu kommen.«
Was auch immer der Grund sein mag, Roan ist erleichtert, dass die Grille noch lebt. Als er sich bückt, um das kostbare Geschöpf ins Gras zu setzen, bebt die Erde und eine eiskalte Welle spült über seinen Körper hinweg. Er zittert. Ein Schneesturm, er sitzt in der Falle. Gefangen treibt er auf dem eiskalten Wasser dahin und der Schnee fällt und fällt und fällt …
»Roan!«
Er öffnet die Augen. Beule steht dicht neben ihm und schaut ihn besorgt an.
»Du schwitzt.«
»Mir ist kalt. Der Schnee.«
»Du hast Fieber.«
Beule fasst ihn am Arm, aber Roan schreit auf: »Bitte nicht! Bitte, fass mich nicht an!«
Als Beule Roans Ärmel vorsichtig hochkrempelt, sehen sie, dass der Arm aufgedunsen und knallrot ist.
»Er schwillt an«, sagt Beule aufgeschreckt. »Ich hätte versuchen müssen, noch mehr Gift herauszuholen, als es noch möglich war. Roan, ich muss deinen Ring abnehmen.«

Roan nickt benommen. Vorsichtig streift Beule Saints Ring von Roans Finger, jede Bewegung ist begleitet von Roans mühsamen Atemzügen.
»He, das machst du gar nicht schlecht«, sagt er und versucht angestrengt die Augen offen zu halten.
»Wir müssen Hilfe holen.«
»Ich will mich nur etwas ausruhen.«
»Später.« Angestrengt sucht Beule den Horizont ab. »Dort ist Rauch. Vielleicht ein Dorf.«
»Nur ein wenig schlafen …«, murmelt Roan.
Aber Beule ist unerbittlich. »Nein! Wir müssen auf der Stelle gehen!« Er steckt den Ring in eine seiner Taschen, um ihn aufzubewahren, legt den Arm um Roans Hüfte, und gemeinsam machen sie sich auf den Weg.

»Kannst du die Schmerzen aushalten?«, fragt Beule.
Roan atmet schwer. Er schaut zu Boden, alles verschwimmt vor seinen Augen. Sein Arm ist mittlerweile doppelt so dick wie sonst.
»Es tut gar nicht mehr weh«, murmelt Roan.
Beule träufelt ein paar Tropfen Wasser auf Roans ausgetrocknete Lippen. Sogar durch den Schleier hindurch, der ihn umgibt, bemerkt Roan, dass sein Gefährte Angst hat.
»Reiß dich zusammen, Roan, du musst dich zusammenreißen.«
Roans Augen flackern. Die Grille fängt an, für ihn zu singen. Sein Blick fällt auf etwas, das im Farnkraut liegt.
»Was hast du?«, fragt Beule. Er folgt Roans Blick und sieht einen merkwürdigen Gegenstand dort liegen. Er geht hin und hebt etwas auf, das wie ein Pferdegeschirr aussieht, grob gefertigt aus dem gleichen roten Holz, das hier überall zu finden ist.
»Sieh mal«, sagt er zu Roan. »Das können wir brauchen. Halt still und ich binde dich daran fest.«
Roan nimmt undeutlich wahr, wie Beule das Geschirr um seine Taille bindet. Roan versucht wach zu bleiben, sich auf seinen Atem zu konzentrieren, aber es gelingt ihm nicht.

»Roan?«
Stowe hält einen langen Stab in der Hand und stochert damit durch den Nebel.
»Bist du da? Halt dich daran fest. Roan?«

»Stowe«, murmelt Roan.
Beule beugt sich ganz nah über sein Gesicht. »Schlaf nicht ein, Roan. Mach die Augen auf, Roan. Ich werde dich tragen.«
Roan starrt ihn an; es dauert einen Moment, bis er seinen Freund erkennt. »Beule.«
»Ich werde dich jetzt auf den Rücken nehmen, Roan. Schlaf nicht ein. Du darfst jetzt nicht einschlafen!«
Beules Gesicht verschwimmt vor Roans Augen. Er spürt einen Ruck, als er hochgehoben wird, und gleich darauf liegt er auf Beules Rücken und seine Füße schleifen auf dem Boden. Langsam setzen sie sich in Bewegung. Nur noch halb bei Bewusstsein, hört er Beules keuchende Atemzüge. Der Weg führt durch den roten Wald. Lauter rote Bäume. Der Wald der Ziegenfrau. Er ruft nach ihr. »Bist du da?«
Aber es ist nur Beule, der antwortet.
»Ich bin da«, keucht er. »Alles wird gut.«
Roans Rücken ist heiß und nass von Beules Schweiß. Er sucht zwischen kahlen Bäumen nach der alten Kreatur aus seinen Visionen, versucht sie herbeizurufen. Beules Stimme reißt ihn aus dem Delirium. »Sprich mit mir, Roan. Sag etwas!«
»Rote Bäume.«
»Hast du sie früher schon einmal gesehen?«, fragt Beule. seine Stimme zittert bei jedem mühsamen Schritt. »Sprich weiter, Roan. Hast du sie schon einmal gesehen?«
»Ja«, murmelt Roan.
»Wo?«
Roan verliert das Bewusstsein.
Beules Stimme holt ihn zurück. »Roan! Wo?«
»In … in einem Traum.«

Ein Ruck durchfährt Roan, als Beule stolpert und auf die Knie fällt.
»Tut mir Leid«, murmelt Beule. »Ist alles in Ordnung mit dir, Roan?«
»In Ordnung.«
»Ich bin gestolpert. Nichts weiter«, sagt Beule, aber er kommt nur langsam wieder auf die Beine, und als er steht, verharrt er regungslos. »Bist du noch wach, Roan?«
»Wach.«
Beule schleppt sich und Roan weiter, einen Schritt nach dem anderen.
Ein übler Geruch liegt in der Luft. »Riecht schlecht …«
»Du hast Recht, Roan. Etwas stinkt. Direkt vor uns!« Beule geht schneller. Die roten Stangenbäume sind jetzt dicker und auch das Unterholz, durch das Beule sich kämpft, wird immer dichter.
»Schau, Roan, schau dir das an!«
Mühsam öffnet Roan die Augen und sieht ein merkwürdiges Bild vor sich. Ein See, so groß, dass man nicht bis ans andere Ufer sehen kann. Das Wasser kräuselt sich und brodelt faulig braun. Das einzig Lebendige in diesem See ist verkrusteter gelber Seetang. Es ist jener See, den er im Traum gesehen hat.
Mit fiebrigen Augen sucht Roan die Uferlinie ab. In einiger Entfernung vom Ufer schwirren die verzerrten Silhouetten von Häusern.
»Siehst du das Dorf?«, fragt Beule.
Roans Augen fallen zu.
»Atme weiter!«, fleht Beule.
Aber es scheint einfacher, nicht zu atmen. Es scheint einfacher, nur die Augen zu schließen. Etwas krabbelt auf Roans Wange. Er öffnet ein Augenlid und bemerkt etwas Weißes. Die Grille. Sie zirpt. Und Roan holt unwillkürlich Luft.
»Nur noch etwa eine halbe Stunde. Wir sind fast da.«
Beule stapft weiter. Roan dämmert dahin, bis die Schritte plötzlich verstummen. Er spürt, wie er zu Boden gleitet.

Jemand schüttelt ihn. »Roan, Roan! Sprich mit mir, komm schon, bitte!«
Aber Roans Augen wollen sich nicht öffnen.
»Bitte, stirb nicht! Bitte!«
Die Grille kriecht über Roans Augenbraue. Seine Augen öffnen sich einen Spaltbreit. Über ihm schwebt Beules Gesicht.
»Wir sind da, Roan, wir sind da!«
Roan sieht grau-rote Wolken, die sich hoch auftürmen.
»Roan, hör mir zu. Ich muss dich jetzt allein lassen. Wenn sie mich sehen, denken sie, du bist von den Mor-Ticks infiziert. Sie müssen dir helfen. Das ist die einzige Hoffnung für dich.«
Roans Hand beginnt zu zittern, der Krampf breitet sich über seinen Arm bis in die Brust aus. Bald wird sein ganzer Körper von Krämpfen geschüttelt.
Von ferne hört er Beule rufen: »Roan … Roan!«
Plötzlich ist Roan schwerelos. Winzige Sternchen umkreisen ihn. Er ist Teil des funkelnden Äthers, schwebt hoch über sich selbst. Alles leuchtet, aber durch das Leuchten hindurch sieht er das Dorf, sich selbst, Beule. Und er sieht einen Mann in einem Wachturm, der zu ihnen hinunterruft.
»Wer seid ihr?«
»Ich habe ihn gefunden; er hat sich in den Kriechlianen verfangen«, ruft Beule hinauf und bedeckt sein Gesicht mit der Kapuze. »Habt Mitleid mit ihm.«
»Warum sollten wir?«
»Er sagte, er besäße Gold.«
»Wir haben eine Heilerin.«
»Nehmt ihn und werdet reich«, schreit Beule und verschwindet zwischen den Bäumen.
Zwei hoch gewachsene Männer mit Streitäxten in der Hand treten durch das Tor und nähern sich vorsichtig. Sie beugen sich über Roans Körper und heben ihn auf. Roans ätherisches Ich schwebt ihnen nach, folgt ihnen durch das Tor, eine Straße entlang und hinein in ein Haus mit tiefblauen Keramikfliesen.

Das gesegnete Dorf

Aller Dank gebührt Statthalter Brack.
Sein Volk war arm, doch nun ist es reich.
Es war verzweifelt, doch nun hat es Hoffnung.
Aller Dank gebührt Statthalter Brack.

Weisheit der Geschichtenerzähler

Roans Äther-Augen nehmen den Raum in einem hellen, flackernden Licht wahr; selbst die Gesichter der Menschen glühen. Eine junge Frau gibt den zwei großen Männern Anweisungen.

»Legt ihn auf das Bett.«

Die beiden Wachen kommen ihrer Aufforderung nach. Der Bärtige sagt in ehrerbietigem Ton: »Ich war mir anfangs nicht ganz sicher, Miss Alandra, aber dann dachte ich, er könnte derjenige sein, nach dem wir für Euch Ausschau halten sollten.«

»Das hast du gut gemacht, danke.«

»Der Mann, der ihn hergebracht hat, behauptet, der Junge habe Gold bei sich. Keine Ahnung, ob das stimmt, Miss Alandra, aber falls doch …«

Sie drückt ihm einige Münzen in die Hand. »Für die Mühe, die du hattest. Wenn es mehr davon gibt, werde ich es dich wissen lassen.«

Roan schwebt ganz nah an sie heran und betrachtet ihr Gesicht. Warum kommt ihre Stimme ihm so vertraut vor?

»Dann werden wir jetzt besser gehen und Statthalter Brack Bericht erstatten.«

»Geht nur, es gibt keinen Grund, ihn unnötig warten zu lassen.«
Die Männer ziehen sich zurück. Die Frau, die sie Alandra genannt haben, berührt Roans Handgelenke und fühlt an beiden den Puls.
»Das Gift hat sich bis in den Bauch und das Gehirn ausgebreitet. Dein Herz und deine Lunge sind schwach, aber funktionsfähig.«
Roan blickt von außen auf seinen Leib hinab und sieht die geschlossenen Augen. Warum spricht die junge Frau mit einem regungslosen Körper?
»Du bist nicht, was ich erwartet habe.«
Die weiße Grille kriecht aus seiner Tasche auf die Hand der Frau. »Wie herrlich«, seufzt sie. »Sei gegrüßt.« Ihr Entzücken über das Tier ist offensichtlich. Behutsam setzt sie es ab, nimmt ein scharfes Messer zur Hand und schlitzt Roans Hemd auf. Als sie ihm Hose und Schuhe auszieht, fallen sein Messer und ein paar Münzen aus einer Tasche heraus. Sie hebt sie auf, schiebt eine Steinplatte des Fußbodens beiseite und legt sie zusammen mit Roans Rucksack und dem Mondschwert in ein unterirdisches Versteck. Dann wendet sie sich wieder Roan zu und legt die Hände über seinen geschwollenen, blauschwarz verfärbten Arm. Sie berührt ihn jedoch nicht, sondern lässt die Hände leicht darüber schweben und schließt die Augen. Nach einer Weile macht sie sich daran, aus verschiedenen Pulvern und Flüssigkeiten eine feuchte graugrüne Paste anzurühren, die sie auf Roans Arm streicht.
Schließlich bückt sie sich und zieht unter dem Bett ein Tablett mit Hunderten von Nadeln hervor. Sie wählt eine sehr lange, dünne Nadel aus und sticht damit vorsichtig in Roans Magen. Sofort fängt die Nadel an zu vibrieren.
Roan, der bis zu diesem Augenblick keinerlei körperliche Regung verspürte, zuckt unter dem stechenden Schmerz zusammen.
Geschickt und zielsicher sticht Alandra weitere Nadeln in seinen Körper, angefangen von den Fußsohlen bis zu einem Punkt zwischen den Augen. Als sie damit fertig ist, vibriert über den ganzen Körper verteilt ein Wald aus Nadeln. Roans ätherischer Leib bebt im gleichen Rhythmus mit.

Alandra nimmt ein Gefäß zur Hand, in dem sich offenbar Dornen der Kriechliane befinden. Mit einer Pinzette holt sie einen Dorn heraus, lässt ihn in einen Mörser fallen und zerstampft ihn zu Pulver. Dann fügt sie verschiedene Substanzen hinzu und zuletzt ein paar Tropfen einer klaren Flüssigkeit. Aus dem Brei formt sie eine kleine Tablette, die sie unter Roans Zunge schiebt.
Bleierne Müdigkeit befällt Roan, während er Alandra in einen Nebenraum folgt, der voll gestopft ist mit Tiegeln und Glasflaschen. Es ist eine Art Apotheke. Alandra greift in die hinterste Ecke eines Regals und holt ein kleines, unauffälliges Behältnis hervor. Sie entnimmt ihm eine winzige Menge einer Substanz, legt sie auf die Zunge und schluckt sie hinunter. Dann macht sie es sich in einem Stuhl bequem und schließt ihre leuchtend grünen Augen. Bereits nach wenigen, tiefen Atemzügen verharrt sie völlig regungslos.
Mit einem Mal fühlt Roan eine lastende Schwere. Er spürt, dass sein Leib ihn wieder zu sich herabzieht. Müde sinkt er nach unten und tritt in den auf dem Bett ausgestreckten Körper ein. Nun ist er wieder mit seinem Körper eins.
Zuerst scheint der schneidende Schmerz unerträglich. Bald jedoch entfaltet die Arznei unter seiner Zunge ihre Wirkung und lässt ihn einschlafen.

Hohe Säulen und hohe Betonmauern. Endlose, menschenleere Fußwege.
Ein missgestalteter Mann aus Lehm schreit auf, als er bis zur Hüfte im Zement dieser Wege versinkt.
»Ich ertrinke!«, ruft er. Hinter ihm ertönt eine dumpfe Stimme, aber der Mann aus Lehm kann sich nicht zu dem Sprecher umdrehen.
»Du musst dich selbst herausziehen.«
»Was soll ich tun?«
»Schnell, du hast nicht viel Zeit. Reich mir deine Hand.«
Der Mann aus Lehm streckt die Hand aus und die unsichtbare Gestalt ergreift sie.

»Drück meine Hand ganz fest!«
»Das tut weh!«, stöhnt der Lehmige und will sich losreißen.
»Gut, dann bist du noch am Leben. Versuch es noch einmal. Jetzt!«
Der Lehmige vergießt Tränen der Erschöpfung und des Schmerzes, aber langsam, ganz langsam zieht er sich empor.
Ich bin der Mann aus Lehm, denkt Roan. Der Lehmige, das bin ich.
»Mach weiter. Du hast einen weiten Weg vor dir.«

Wach, aber noch sehr geschwächt, versucht Roan die Augen aufzuschlagen.
»Rühr dich nicht«, flüstert Alandra ihm zu.
»Wird er am Leben bleiben?«, fragt eine Stimme.
Roan öffnet ein Auge einen winzigen Spalt breit. Durch die Wimpern hindurch sieht er verschwommen einen schwarz gekleideten Mann mittleren Alters.
»Das kann ich noch nicht genau sagen, Statthalter Brack«, antwortet Alandra.
»Hat er seinen Namen genannt?«
»Er hat das Bewusstsein noch nicht wiedererlangt.«
Sie lügt den Mann an, denkt Roan. Also vertraut sie ihm nicht. Oder will sie ihm nur nicht sagen, was sie mit mir vorhat?
»Wo ist das Gold?«, fragt der Statthalter.
Alandra schüttelt den Kopf.
»Vermutlich hat sein Begleiter ihn vergiftet und ausgeraubt und ihn schließlich in einem Anflug von Reue hierher gebracht«, sagt Brack achselzuckend.
»Das mag sein.«
»Womit wird er dich entlohnen?«
»In dieser Jahreszeit gibt es viel zu tun. Er wird mir zur Hand gehen, wenn er wieder wohlauf ist.«
»Falls er Ärger macht«, murmelt der Statthalter, »werfen wir ihn in den See.«
Alandra starrt ihn an. »Ich mache mir nicht die Mühe, ihn zu retten, nur damit die Säure ihn zerfrisst.«

Brack nimmt ihre Hand. »Vergib mir. Aber ich bin für die mir anvertrauten Menschen verantwortlich. Wir brauchen dich, Alandra. Deine erste Sorge muss den Kindern gelten. Der Gedanke, ein Fremder könnte dich von deinen Pflichten abhalten, beunruhigt mich.«

»Habt Dank für Eure Fürsorge.«

Roan beobachtet, wie Alandra die Tür hinter Brack schließt und tief Luft holt. Dann kehrt sie zu Roan zurück und ergreift seine Handgelenke.

»Dein Puls wird immer kräftiger.«

Sie fasst in seinen Mund und packt die Zunge mit den Fingern. Roan schnappt nach Luft und reißt die Augen weit auf.

»Bleib ganz ruhig liegen!«, befiehlt Alandra und untersucht seine Zunge. »Gut, die Farbe kehrt zurück. Es geht dir also schon besser. Die Nadeln haben ihre Aufgabe erfüllt.«

Es dauert nicht lange, bis Alandra sämtliche Nadeln entfernt hat. Sie hilft Roan sich aufzusetzen.

»Wo ich herkomme«, sagt er heiser, »näht man mit Nadeln Kleider und sticht sie nicht in Menschen hinein.«

»Ah, und wo kommst du her?«

Roan ist auf der Hut. »Von der anderen Seite des Kahlen Bergs«, antwortet er vage. Er schaut sich im Zimmer um. Dabei fällt ihm auf, dass der Raum von Stromlampen erleuchtet ist. Von so etwas hat er bisher nur gelesen. Neugierig fragt er: »Ihr habt Elektrizität? Und Glühbirnen?«

»Wir haben einen Generator. Und Solarenergie«, antwortet sie lächelnd. »Mein Name ist Alandra. Wie heißt du?«

»Korr«, sagt Roan zurückhaltend.

»Hmm, ein interessanter Name.«

Je häufiger er Alandras Stimme hört, desto mehr ist er davon überzeugt, sie zu kennen. Wo hat er diese junge Frau getroffen? In Kiras Dorf? Aber es gibt eine andere Frage, die ihn noch brennender interessiert.

»Wo ist mein Freund?«

»Er hat dich vor unseren Toren zurückgelassen und ist geflohen. Wie ein Verbrecher, würden manche Leute sagen.«
Roan schüttelt den Kopf. »Nein, er ... er ist Menschen nicht gewöhnt. Er ist sehr scheu.«
»Du kannst von Glück sagen, dass er dich gerade noch rechtzeitig hierher gebracht hat. Ein paar Stunden später und ich hätte nichts mehr für dich tun können. Auch jetzt brauchst du noch sehr viel Ruhe, und der Verband an deinem Arm muss alle zwei Tage gewechselt werden.«
»Ich kann nicht hier bleiben. Ich muss jemanden treffen.«
»Deine Verabredung wird eine Weile warten müssen. Je länger das Gift der Kriechliane im Körper ist, desto stärker wird es. Wenn auch nur die kleinste Menge davon zurückbleibt, regeneriert es sich – was unweigerlich zu deinem Tod führt. Meine Behandlung braucht Zeit, dafür stellt sie sicher, dass sämtliches Gift aus dem Körper verschwindet.«
Ohne Zweifel, die junge Frau hat sein Leben gerettet. Außerdem fühlt Roan sich sowieso viel zu schwach für irgendwelche Großtaten. Er nimmt sich vor, ein paar Tage zu bleiben. Sobald er kräftig genug ist, wird er sich davonstehlen.
Als könne sie seine Gedanken lesen, sagt Alandra lächelnd: »Du wirst einen Monat brauchen, bis du völlig wiederhergestellt bist. Fügst du dich dem nicht, wird das Gift dich töten. Ich habe ein zusätzliches Schlafzimmer, das du beziehen kannst.«
»Ich muss meinen Freund finden.«
»Du denkst, er ist noch in der Nähe?«
»Ich weiß es.«
Sie überlegt. »Ich werde ihm Verpflegung und Wasser bringen.«
»Wann?«
»Jetzt gleich. Wenn du mir versprichst dich auszuruhen.«
»Ihr wisst nicht, wo er sich aufhält.«
»Es gibt nur einen Ort, an dem er sich verstecken kann. Im Stangenwald. Ich werde für ihn ein Lied singen und den Proviantbeutel an einen Ast hängen. Wenn er da ist, wird er ihn finden.«

»Jemand könnte Euch folgen. Meinem Freund würde das nicht gefallen.«
»Ich bin die Heilerin, ich kann gehen, wohin ich will. Ich muss Kräuter und Wurzeln sammeln. Niemand stellt meine Arbeit in Frage. Versprichst du mir, dich auszuruhen?«
»Ja«, willigt Roan ein, obwohl er entschlossen ist hinauszuschleichen und sich ein wenig umzusehen, sobald sie fort ist.
Alandra nimmt ein kleines Gefäß und taucht einen Löffel hinein. Sie stützt Roans Kopf und führt den Löffel mit einer graubraunen Substanz an seinen Mund.
»Aufmachen«, befiehlt sie.
»Das sieht aus wie Dreck.«
»Findest du?«, sagt sie und schiebt den Löffel in den Mund. »Schluck es langsam hinunter.«
Das Zeug ist bitter, hinterlässt jedoch keinen Nachgeschmack.
»Spürst du etwas?«
»Nein, nichts.«
»Komm, leg dich zurück, ich helfe dir.«
»Ich bin nicht müde«, sagt Roan und ist im selben Augenblick eingeschlafen.
Bei Tagesanbruch wird Roan von Knüffen und Piksern geweckt.
»Er lebt noch, oder?«
»Kein bisschen, der ist mausetot.«
Roan schlägt die Augen auf und seine Krankenbesucher kreischen los. Es sind gleich mehrere und keiner ist viel älter als sechs Jahre.
»Wer seid ihr?«
»Wir sind Bub und Jaw und Gip und Runk und Sake«, antwortet Bub. Er ist der Größte und hat ein freundliches rundes Gesicht.
»Ich bin Lona!«, ruft die Kleinste, ein dunkelhäutiges Mädchen mit leuchtenden Augen.
»Und ich bin Korr«, sagt Roan. Erst jetzt bemerkt er, dass die Kinder dünne Pinsel und Farbbecher bei sich haben.
»Alandra sagt, wir dürfen deinen Verband anmalen«, erklärt Lona.

»Na, wenn Alandra das sagt«, erwidert Roan.
Begeistert machen sich die Kinder an die Arbeit.
»Woher kommst du?«, fragt Bub.
»Weit weg von hier liegt ein großer Berg. Von jenseits des Berges komme ich her.«
»Und wie ist es jenseits des Berges?«, fragt Jaw, dessen kleine, perlweiß blitzende Zähne hervorstehen.
»Dort ist es sehr schön. Wir haben einen Wald aus lauter hohlen Bäumen.«
»Hohle Bäume? Sind sie groß?« Sechs neugierige Gesichter warten gespannt auf die Antwort.
»Manche von ihnen sind hundert Fuß hoch. Und so breit, dass man innen hinaufklettern kann.«
Bub ist skeptisch. »Das hast du dir nur ausgedacht«, wirft er Roan vor.
»Nein, es stimmt. Selbst meine kleine Schwester ist in unseren Lieblingsbaum geklettert. Er heißt Alter Riese. Wir sind mit unseren Freunden bis ganz nach oben gestiegen, da war genug Platz für uns alle. Dort saßen wir dann und an klaren Tagen konnten wir meilenweit sehen.«
»Wie alt ist dein Schwesterchen?«, will Lona wissen.
»In diesem Jahr würde sie acht Jahre alt.«
Die Kinder nicken wissend. »Sie haben sie mitgenommen.«
»Woher wisst ihr das?«
»Weil das immer so ist«, sagt Lona. Sie steckt den Finger in den Becher und schmiert grüne Farbe auf Roans Nase. Roan lacht, taucht den Daumen in den Becher und betupft Lonas Kinn. Es dauert nicht lange und alle Kinder besprenkeln sich gegenseitig mit Farbe.
Diese Kinder sind etwas Besonderes, denkt Roan. Vielleicht liegt es aber auch nur daran, dass ich seit Longlight keine Kinder mehr gesehen habe, die lachen und Spaß haben. Er wird auf ein Zeichen aufmerksam, das eines der Kinder auf seinen Verband gemalt hat. Es ist ein Kreis über einem Dreieck, das auf der Spitze steht. Das

gleiche Symbol hat die kleine Marla in Saints Dorf gemalt. Ehe er danach fragen kann, kommt Alandra herein und scheucht die Jungen und Mädchen zur Tür hinaus. Sie reicht Roan ein dickes, weiches Tuch aus einem Material, das Roan gänzlich unbekannt ist.
»Woraus ist das gemacht?«
»Aus Baumwolle. Wir tauschen Waren dafür ein.«
»Baumwolle. Ich habe darüber gelesen. Sie ist bestimmt sehr teuer.«
»Ich nehme es an. Möchtest du dir Fairview, unser Dorf, anschauen?«
»Ja«, sagt Roan eifrig.
Aus einem Schrank holt Alandra einen Metallstuhl mit Rädern. Roan reißt die Augen auf. »Woher habt Ihr das?«
»Wie ich schon sagte, wir treiben Handel.«
»Mit wem?«
»Setz dich. Es ist nicht gut, wenn du jetzt schon auf den Beinen bist.«
Roan nimmt im Rollstuhl Platz und Alandra schiebt ihn nach draußen. Die Häuser in ihrer Straße sind mit herrlich bunten Keramikfliesen geschmückt. Zu jedem Haus gehört ein kleiner, makelloser Garten voller Blütenpracht. Sogar die Straße aus glänzendem Schiefer muss Roan bewundern.
Alandra schiebt ihn weiter; Roan lehnt sich zurück und betrachtet die blitzenden Sonnenkollektoren auf den Dächern und die zwischen Pfosten verlaufenden Kabel. Er vermutet, dass sie die Häuser mit Strom versorgen. Der ganze Ort scheint zu glühen.
Soweit Roan weiß, verfügt nur die Stadt über solche Technologie. Fairview muss gute Beziehungen dorthin haben, vielleicht sogar Verbindungen zu Saint. Das gefällt Roan ganz und gar nicht. Es bedeutet, dass er hier auf Dauer nicht sicher ist. Womöglich droht ihm schon jetzt Gefahr. Sobald er dazu in der Lage ist, muss er fliehen.
Statt eines Marktes im Freien reihen sich entlang der Hauptstraße die Läden aneinander. Alle haben große Schaufenster und hinter

jedem Fenster wartet Wundersames auf Roan, das seine Phantasie weit übertrifft: elektrische Toaster, Schneebesen und andere metallglänzende Geräte, die er nicht einmal aus Büchern kennt; verschiedene Sorten Fleisch; Kleider in verschiedenen Modellen und Farben. Draußen vor der Tür sitzen Menschen und nippen an Gläsern mit sprudelnden Getränken oder schlürfen aus dampfenden, hübsch dekorierten Tassen. Roan ist fasziniert von ihrer reich verzierten Kleidung, die zu nichts anderem taugt, als darin an Tischen zu sitzen, zu trinken, zu essen und zu reden.

»Du wirkst sehr überrascht«, sagt Alandra.

»Ich habe so etwas noch nie gesehen. Es ist eine völlig andere Welt.«

»Es ist dieselbe Welt, nur hat sie von allem etwas mehr.«

Zwei hübsch gekleidete junge Frauen, beide etwa im fünften Monat schwanger, schlendern herbei.

»Wer ist das, Alandra?«

»Das ist doch der, den man vor den Toren aufgefunden hat«, sagt die andere und zündet sich eine Zigarette an.

»Er heißt Korr«, erklärt Alandra und wendet sich an die Raucherin. »Wie geht es dir, Isobel?«

»Gut«, erwidert Isobel und nimmt einen langen Zug. »Die Arznei, die du mir gegeben hast, war das reinste Zaubermittel.«

»Sie würde noch besser wirken, wenn du das Rauchen sein ließest.«

»Nörgele doch nicht immer an mir herum«, sagt Isobel und bläst einen Rauchkringel in die Luft. Sie bemerkt Roans Blick.

»Sag bloß nicht, dass dir das ebenfalls nicht passt.«

»Wo bekommt man so etwas?«

»Im Laden«, sagt Isobel verwundert. Sie wirft Alandra einen fragenden Blick zu. »Er ist nett. Aber auch ein wenig seltsam.«

»Möchtest du eine Zigarette, Korr?«, fragt ihre Begleiterin.

»Er ist noch zu schwach.« Alandra sieht Isobel tadelnd an. »Vergiss nicht, wenn du den sechsten Monat erreicht hast, musst du damit aufhören. Das ist in drei Tagen.«

»Ich kenne die Regeln. Aus diesem Grund rauche ich ja Kette.«
Alandra setzt die Besichtigungstour fort. Sie deutet auf ein Gebäude, in dem das Wasser gereinigt wird. Rauch steigt aus den Fabrikschloten und das Summen der Generatoren ist zu hören.
»Unser Grundwasser ist vom See verunreinigt. Als wir es noch nicht aufbereitet haben, waren die Menschen hier ständig krank.«
In Longlight benutzte man, was die Natur bot, um Erde und Wasser zu reinigen: poröse Steine, Heilkräuter, Mineralien. In Fairview hingegen setzte man bei der Entgiftung auf den Einsatz von Maschinen, was ganz offensichtlich zu einer anderen Art von Verschmutzung führte. Alandra deutet auf einen hohen schmalen Schlot, aus dem dicker Rauch quillt. »Noch ein Generator«, erklärt sie. »Er wird mit dem roten Holz vom See betrieben. Die Bäume wachsen schnell und sind reich an Harz.«
Roan erinnert sich schwach daran, wie Beule ihn durch den Wald am brodelnden See geschleppt hat. Er hofft, dass Beule irgendwo da draußen ist und es ihm gut geht. Er schuldet seinem Freund Dank, denn er hat ihm das Leben gerettet.

Roan erwacht aus seinem Nachmittagsschlaf, als Alandra mit einem leeren Beutel zurückkehrt.
»Dein Freund hat alles bis auf den letzten Krümel aufgegessen. Den Beutel ließ er am Ast hängen, den Inhalt hat er mitgenommen.«
»Das muss nicht unbedingt mein Freund gewesen sein.«
»Er hat sich einen Unterschlupf errichtet und mit Moosflechten abgedeckt.«
Roan sieht sie aufmerksam an. »Ihr kennt sein Versteck?«
Sie nickt. »Er weiß genau, was er tut. Hirten lassen ihre Schafe und das Vieh dort grasen und hin und wieder kommen Hausierer vorbei. Einige Anzeichen weisen darauf hin, dass sogar Bluttrinker in der Nähe waren.«
»Ich muss zu ihm!«
»Keine Sorge«, beruhigt ihn Alandra. »Ich fand nicht den gerings-

ten Hinweis auf einen Kampf. Ach ja, noch etwas«, fügt sie hinzu. »Dein Freund verspeist gerne Insekten.«

Roan beugt sich vor. »Woher wisst Ihr das?«

»Es gibt dort einen Termitenhügel. Überall auf dem Boden lagen Beine und Fühler verstreut.«

Roan lächelt. Beule ist am Leben und labt sich an seiner Lieblingsspeise.

staub

Man erzählt sich Geschichten von einem magischen Staub und von Menschen, die ihn essen. Lass sie in ihren Träumen wandeln, wenn sie wollen. Solange sie die Wirklichkeit mir überlassen.

Weisheit der Geschichtenerzähler

Je länger er in Fairview ist, umso mehr Fragen hat er. Alandra ist jung, höchstens ein oder zwei Jahre älter als er. Sie ist eine viel beschäftigte Heilerin, die sich unablässig um die Kranken kümmert. Außerdem ist sie barmherzig: Sie war sofort bereit, Beule Essen zu bringen, und sie machte der Schneegrille aus einem Kästchen ein kleines Bett und brachte ihr saftige Gräser zum Knabbern.

Aber Roan bemerkt auch, dass die Verantwortung schwer auf Alandras Schultern lastet. Eine tiefe Traurigkeit scheint sie zu erfüllen. Nie fragt sie nach Roans Vergangenheit, daher glaubt er, auch sie nicht über ihr Leben befragen zu dürfen. Zudem verspürt er in ihrer Gegenwart stets eine Spur von Unbehagen. Sie scheint ihn insgeheim zu beobachten und Roan glaubt, dass er ihren Erwartungen nicht genügt. Er sehnt sich danach, mit einem mitfühlenden Menschen zu sprechen, dem er vertraut. Die alte Ziegenfrau ist ihm seit dem Tag, an dem er nach Fairview kam, nicht mehr erschienen. Auch die anderen seiner Traumgestalten nicht. Haben sie ihn verlassen?

Während der vielen Stunden, in denen Alandra nicht zu Hause ist, trainiert Roan, um stark und geschmeidig zu bleiben, er spannt und entspannt seine Muskeln. Er stellt sich im Geist die Kampfbewegungen vor und vervollkommnet auf diese Weise seine Fertigkeiten. Ein Gefühl sagt ihm, dass er in dieser Stadt nicht länger sicher ist. Er muss bereit sein, wenn die Zeit gekommen ist. Nach seinen Übungen genießt er die freie Zeit, spielt auf seiner Flöte und freut sich daran, sich selbst neue Melodien beizubringen.

Eines Morgens gönnt er sich die Muße und wirft einen Blick auf Alandras Bücherbrett. Die meisten Bücher handeln von der Heilkunst, aber er findet auch einige Gedichtbände, sogar ein paar Bücher in einer fremden Sprache. Er müht sich mit den Wörtern ab, versucht ihre Bedeutung zu erschließen, als plötzlich der dicke Mann in Schwarz hereinplatzt.

»So, Korr, du bist also einer von denen, die lesen können.«

Es ist Brack, der Statthalter von Fairview. Was will er hier? Roan hat ihn bei seinen Spazierfahrten mit Alandra schon einige Male getroffen. Obwohl sie nur Höflichkeiten ausgetauscht haben, konnte Brack seine Abneigung gegen Roan nur schwer verbergen.

»Ja, ich kann lesen.«

»Nun, das können nicht viele. Auf der Liste meiner Pläne steht das Lesenlernen ganz oben. Direkt hinter meinem Wunsch, herauszufinden, wer du bist, wo du herkommst und weshalb du hier bist.«

Roan wählt seine Worte sorgfältig. »Ich komme von der anderen Seite des Kahlen Bergs.«

»Ja, das habe ich gehört, aber ich hätte es gern genauer.«

Roan hält dem forschenden Blick des Mannes stand. »Das Dorf, aus dem ich komme, heißt Rainfall. Wir wurden vom Lee-Clan beherrscht.«

»Und warum hast du es verlassen?«

»In unserem Dorf gibt es eine Tradition. Wenn man sechzehn ist, geht man auf Wanderschaft, schaut sich in der Welt um. Wenn man Glück hat und zurückkommt, ist man ein geachteter Mann.«

»Du bist also noch kein Mann?«
»So ist es.«
Brack schaut ihn finster an. »Hast du deine Rechnung mit Alandra schon beglichen?«
Roan ist froh, dass die Rede auf etwas anderes kommt. »Von einer Rechnung weiß ich nichts.«
»Wir hier in Fairview sind großzügige Leute, aber wir haben mit Schmarotzern wenig Geduld. Jeder tut seine Schuldigkeit, und wenn nicht, dann haben wir einen Platz, wo wir ihn hinstecken.«
»Sobald ich mich von diesem Stuhl erheben kann, werde ich meine Schulden abarbeiten.«
»Danke, Statthalter, aber ich kann meine Schulden selbst eintreiben.« Ohne dass einer der beiden es bemerkt hat, ist Alandra hereingekommen. Sie mustert Brack gelassen.
»Entschuldige, Alandra, ich wollte nur sicherstellen …«
Alandra lächelt. »Ich weiß Eure Mühe zu schätzen«, sagt sie. Roan entgeht nicht, dass eine leichte Röte das Gesicht des Statthalters überzieht, als sie seinen Arm berührt.
Brack verbeugt sich vor Alandra, nickt Roan kurz zu und geht.
Sobald sich die Tür hinter ihm geschlossen hat, platzt Roan mit seiner Beobachtung heraus.
»Er mag Euch.«
»Ja.«
»Er ist aber … viel älter als Ihr.«
»Damals, als Fairview verwüstet wurde, kamen meine Eltern ums Leben. Man hielt mich für tot und ließ mich zurück. Brack fand mich und brachte mich in ein Krankenhaus. Dort hat man mir das Leben gerettet. Als ich vor fünf Jahren nach Fairview zurückkam, erinnerte er sich wieder an mich und nahm mich unter seine Fittiche. Das ist bis heute so. Ich bin für ihn wie eine Tochter.«
»Die Art und Weise, wie er Euch angeschaut hat, würde ich nicht gerade als väterlich bezeichnen.«
»Das ist komplizierter, als du es dir vorstellst«, entgegnet Alandra unerwartet scharf.

»Es hat aber ziemlich eindeutig ausgesehen.«
Sie starrt ihn an. »Du hast kein Recht, so mit mir zu sprechen.«
Roan blickt zu Boden. »Es tut mir Leid. Ich wollte nur ...«
»Was?«
»Ich traue ihm nicht«, sagt Roan ohne aufzuschauen.
Nach einer Weile sagt Alandra sanft: »Danke für deine Anteilnahme, Roan von Longlight.«
Der Schreck fährt ihm in die Glieder. »Woher kennt Ihr meinen Namen?«
Alandra geht in ihre Apotheke und macht Roan ein Zeichen, ihr zu folgen.
Wie schon einmal fällt ihm auf, dass die Regale mit Gläsern voll gestopft sind: hohe Gläser und flache Gläser, Gläser mit ungewöhnlichen Formen – eines hat die Form einer Schildkröte, ein anderes die einer Schnecke; durchsichtige, milchige und glänzende Gläser, Gläser angefüllt mit Substanzen in den unterschiedlichsten Farbtönen. Er erkennt einige dieser Stoffe wieder, weil Alandra sie ihm verabreicht hat: eine kobaltfarbene Substanz gegen das Gift der Kriechliane, eine bernsteinfarbene, um seine Wunde zu heilen, ein türkisfarbenes Puder, um ihn zu Kräften zu bringen. Dann bemerkt er auf einem der obersten Bretter eine kleine, unbeschriftete Glasflasche mit violettem Inhalt, halb versteckt hinter einem großen, blank polierten Behälter.
»Diese Flasche, darf ich sie einmal sehen?«
Alandra reicht sie Roan. Seine Hand sinkt nach unten, das Glas ist unerwartet schwer.
»Ein ungewöhnliches Gewicht für diese Größe.«
»Das ist etwas ganz Besonderes.«
Roan nickt. »Ich habe gesehen, wie Ihr etwas davon gegessen habt.«
Alandra kann ihre Überraschung nicht verbergen. »Wann?«
»Als ich zum ersten Mal hierher kam.«
»Damals warst du bewusstlos.«
»Einerseits war ich bewusstlos, andererseits aber auch nicht. Ich

kann es nicht recht erklären. Aber ich habe gesehen, wie Ihr davon gegessen habt.«
Starr vor Staunen sieht Alandra ihn an und mit einem Mal begreift er.
»Ihr seid mir im Traum erschienen. Ihr seid eine Staubesserin. Die Ziegenfrau!«
»Meine Lehrerin brachte mir sehr viel über Staub und das Heilen bei. Aber eines der …«, sie hält inne, sucht nach dem richtigen Wort, »… *stärksten* Mittel, die sie mir gegeben hat, ist in diesem Glas, das du in der Hand hältst. Mach es ruhig auf.«
Er öffnet den Deckel und betrachtet den dunkelroten Staub.
»Alles in meiner Apotheke ist Staub. Dieser Staub kommt von sehr weit her, von einem Ort, an dem vor über hundert Jahren ein Meteor niedergegangen ist. Dein Urgroßvater hat ihn entdeckt.«
»Mein Urgroßvater hat etwas damit zu tun?«
»Er hat sogar sehr viel damit zu tun. Er war der erste Staubesser.«
Ein Sturm von Gefühlen bricht über Roan herein. Wussten meine Eltern, dass mein Urgroßvater ein Staubesser war? Sie müssen es gewusst haben, denkt Roan. Haben sie geglaubt, dass auch ich einer werde?
»Wenn wir diesen Staub essen, dann können wir ins Traumfeld reisen. Ich hatte das Glück, eine Lehrerin zu haben, die eine Schülerin deines Urgroßvaters Roan war.«
Er denkt über diese Neuigkeit nach. Ein Frauengesicht kommt ihm in den Sinn und er spricht den Namen laut aus. »Sari. Sari ist eine Staubesserin.«
Alandra nickt.
Plötzlich fügen sich für Roan alle Teile zu einem Bild zusammen.
»Sari hat Euch in dem Krankenhaus gefunden. Sie hat Euch ausgebildet und Euch dann nach Fairview zurückgeschickt. Sari ist der Berglöwe, nicht wahr?«
»Ja.«
»Da ist noch so vieles, was ich nicht verstehe. Sagt mir doch, wie

ist es möglich, dass ich ins Traumfeld komme, ohne von dem Staub gegessen zu haben?«

Alandra zögert. Er kann ihre Miene nicht deuten, aber ein gewisser Unwille ist kaum zu übersehen.

»Noch nie hat es einen Traumwandler wie dich gegeben. Du brauchst keinen Staub, keine Übung, keinen Kampf, du träumst, ohne etwas davon zu wissen.«

Alandras Worte dröhnen in seinem Kopf. Er will unbedingt mehr wissen. »Wie lange gibt es schon Traumwandler?«

»So lange, wie es Träume gibt, berichten die Überlieferungen. Aber diese Kunst ging verloren. Der Erste, der dieses Wissen wiedergefunden hat, war Roan von den Scheidenden, dein Urgroßvater. Wir anderen sind immer noch auf den Staub angewiesen, doch er hat daran geglaubt, dass du kommen würdest.«

»Weshalb?«

»Das weiß niemand. Sicher ist nur, dass du derjenige bist, dessen Kommen er vorhergesagt hat.«

»Und was ist mit meiner Schwester?«

»Ich habe dir alles gesagt, was ich dir im Augenblick sagen darf.«

Roan ist unzufrieden. »Warum sagt mir niemand, was los ist. Ich muss es wissen!«

Alandra wehrt ab. »Es ist gefährlich, wenn ein Unwissender nur ein Körnchen der Wahrheit in Händen hält.«

»Welches Recht habt Ihr, so über mich zu urteilen?«

Sie blickt ihm in die Augen. »Hab keine Angst, Roan von Longlight. Das maße ich mir nicht an. Aber ich stimme denen zu, die dich geprüft haben. Deine Einstellung beweist, dass du noch nicht bereit bist.«

»Wenn ich unwissend bin, dann deshalb, weil man mich unwissend gehalten hat. Ich hatte nie einen größeren Wunsch, als zu lernen.«

»Ja, und das ist das Entscheidende. Sari glaubt an dich, und ich bete, dass sie Recht behält.«

Alandra nimmt einige Körnchen Staub aus dem Glas und legt sie zwischen Zahnfleisch und Wange. Sie schiebt Roan in den Wohnraum zurück und setzt sich neben ihn auf einen bequemen Stuhl.
»In ein paar Minuten werde ich schläfrig werden und dann bin ich dort. Im Traumfeld. Du musst die Augen schließen.«
»Ich war auch schon mit offenen Augen dort. Ich habe den Löwen mit offenen Augen gesehen und die Ratte zu mir sprechen hören. Aber es geschah stets ohne mein Zutun. Es kam einfach zu mir.«
Alandra nickt, ein Hauch von Unmut liegt auf ihrem Gesicht. »Folge dem Lichtstrahl, der von deinen Fußsohlen die Beine entlang durch dein Rückgrat wandert und bei deinem Kopf wieder austritt.« Sie tippt leicht mit dem Finger mitten auf Roans Kopf. »Folge dem Licht, das aus diesem Punkt kommt. Und halte deine Augen geschlossen. Wenn irgendjemand das Zimmer betritt, wird er meinen, wir seien nur eingenickt.«
Roan schließt die Augen und lenkt seine Aufmerksamkeit nach unten auf die Füße. Er atmet entspannt durch die Nase, so als ob er eine unsichtbare Energie, die vom Boden aufsteigt, einsauge. Dann, gleich den ersten Flammen eines auflodernden Feuers, steigt langsam eine Lichtsäule hoch, steigt seine Beine empor, vereint sich in seinem Becken, schießt durch den Rücken direkt in seinen Kopf. Sein Schädel öffnet sich, und als der Lichtstrahl hindurchbricht, fliegt sein Bewusstsein mit ihm.

Das Traumfeld

Wundersame Geschöpfe sind sie, wenn auch nur ein Bruchteil wahr ist von dem, was man über sie hört. Doch ich habe niemals eine Schneegrille gesehen und ich wette, ihr auch nicht.

Weisheit der Geschichtenerzähler

Rauch dringt in seine Lungen. Wo Roan auch hinsieht, stehen Häuser in Flammen. Das Gehen fällt ihm schwer. Als er sich niederbeugt, um seine Beine zu massieren, sieht er, dass sie aus Lehm sind. Ebenso seine Hände. Sein ganzer Körper besteht aus Lehm.

»Alandra!«, ruft er. Keine Antwort. Roans Stimme kommt zäh und fremd aus seiner Kehle. »Alandra!« Sein Ruf hallt durch die leere Straße. Das Dach eines Hauses stürzt in sich zusammen und schickt einen Funkenregen in den Himmel. Roan fühlt sich fremd in seinem bizarren, unförmigen Körper. Er setzt sich hin, um auszuruhen, und achtet kaum auf den riesigen weißen Stein, auf dem er sitzt. Doch der bewegt sich und Roan fällt zu Boden. Der Stein ist eine riesenhafte Schneegrille. Sie beginnt einen unwegsamen Pfad hinabzuklettern, durch ein Gestrüpp, das so dicht ist, dass die Zweige Roans Lehmhaut aufreißen, als er ihr folgt.

In der Ferne seufzt jemand, die Grille zeigt ihm den Weg dorthin. Gefangen in einem Stachelgestrüpp ist die Ziegenfrau: Alandra. Die Dornen verletzen sie, bohren sich durch ihre Hände, ihre Arme, ihre Füße, drei Widerhaken durchbohren ihre Lippen, heften sie zusammen. Roan kann Alandras Schmerzen in ihren Augen lesen.

Er versucht das Dickicht, das sie umgibt, zu lichten und bricht ein Stück Zweig ab. Genau an dieser Stelle wächst sofort ein anderer nach, mit doppelt so vielen Dornen. Deshalb biegt Roan die Äste zur Seite und flicht sie fest zusammen.

Es geht langsam voran, er arbeitet mit äußerster Sorgfalt. Die richtigen Äste zu finden, sie zusammenzubinden, mit den Dornen ineinander zu verhaken, erfordert seine ganze Aufmerksamkeit. Aber allmählich gelingt es ihm, Alandra von einem Großteil der gefährlichen Pflanzen zu befreien.

In seine anstrengende Arbeit vertieft, hat er nicht bemerkt, dass sich ein schwacher grüner Lichtschein um ihn herum gebildet hat. Er betrachtet ihn verwundert, doch ein Seufzer Alandras ruft ihn zum schwierigsten Teil seines Vorhabens zurück. »Ich werde jetzt die Stacheln entfernen. Bist du bereit, Alandra?«

Ihr Blick verrät, dass sie wild entschlossen ist. Behutsam hebt er einen Ast an und zieht langsam und gleichmäßig die drei Dornen aus ihren Lippen. Im gleichen Augenblick sind auf wundersame Weise ihre Wunden verheilt.

Als Nächstes entfernt Roan die Dornen, die ihre Füße durchbohren, ihre Waden, ihre Brust, ihre Hände. Und wieder heilen die Wunden augenblicklich.

Alandra steigt mit seiner Hilfe aus dem Brombeergebüsch, strauchelt jedoch, als ihre Füße den Boden berühren. Als er versucht sie aufzufangen, verliert Roan das Gleichgewicht und sie landen sanft im Moos.

Die alte Ziegenfrau bricht in stürmisches Gelächter aus. Sie klatscht sich auf die Schenkel und lacht Tränen. Auch Roan muss auf einmal lachen. Sogar die Riesengrille scheint sich anzuschließen und wackelt mit den Fühlern. Nach einer Weile sagt die Ziegenfrau mit zusammengekniffenen Augen: »Du hast eine Aura.«

Roan betrachtet sich, die Farbe des Lichtscheins ist jetzt sogar noch intensiver.

»Du hast deine innere Aura freigesetzt, als du mich befreit hast. Sie umgibt dich wie ein schützender Wall.« Die alte Ziegenfrau schließt

kurz die Augen und plötzlich leuchtet sie ebenfalls grün. »Beim nächsten Mal wird es dir ebenso leicht gelingen.«
»Weshalb warst du in dem Dornengestrüpp gefangen?«
»Wegen deiner Initiation. Um völlig ungehindert im Traumfeld zu wandern, musst du eine Aura erlangen. Aber es war auch ein weiterer Schritt in meiner eigenen Entwicklung.«
»Und weshalb bin ich aus Lehm?«
»Weil du noch unvollendet bist. Eines Tages wirst du deine endgültige Traumgestalt annehmen.«
Plötzlich wirft sie den Kopf herum. »Die Grille bewegt sich!« Roan folgt der Grille so schnell, wie ihn seine fürchterlichen Lehmbeine tragen, und bleibt dabei dicht bei Alandra, die auf ihren zierlichen Hufen davonspringt.
Glatte rote Termitenhügel säumen den zerstörten Weg, jeder etwa zwei Meter hoch. Die Termiten krabbeln geschäftig um eine schlafende Gestalt herum.
»Beule!« Roan läuft, so schnell er kann, um seinen Freund zu wecken.
»Egal, was du anstellst, du wirst es nicht schaffen, ihn zu wecken. Dein Wunsch hat ihn hierher gebracht.«
»Ich mache mir Sorgen um ihn«, sagt Roan. »Die Vergessenen haben eine Salbe zubereitet um seine Schmerzen zu lindern, aber sie ist in den Kriechlianen verloren gegangen.«
Plötzlich springt der Panzer der Grille auf und zwei elegante, durchscheinende Flügel kommen zum Vorschein. Roan und Alandra beobachten gebannt, wie die Flügel schwirren. Sie schlagen so schnell, dass man die beiden Glieder nicht mehr voneinander unterscheiden kann und sie zu einer einzigen Bewegung verschmelzen. Die Grille erhebt sich vom Boden und schwebt über ihnen. Sie strecken die Arme aus und jeder greift nach einem der harten Beine des riesigen Insekts. Schon steigen sie in die Höhe.
Roan schaut nach unten. Hinter ihm liegen Fairview und die roten Stangenbäume, vor ihm klaren die trüben Wasser des giftigen Sees allmählich auf. Im Nu sind sie am anderen Ufer. Sie fliegen über

Land, über zerklüftete Berge, steile Abhänge und schmale Grate. Die ganze Landschaft prägt sich unauslöschlich in Roans Gedächtnis ein, jede Felsspalte, jeder Pfad, jedes Hindernis.
Als sie eine gewaltige Schlucht erreichen, staunt Roan über etwas, das er bisher nur von Abbildungen kannte. Es ist ein üppiger grüner Wald mit kräftigen, hoch aufragenden kerzengeraden Bäumen, die so dicht stehen, dass er die Eichhörnchen sehen kann, die von einem Baum zum anderen springen. Kleine rote und schwarze Vögel schwirren pfeilschnell durchs Geäst und heben sich als schimmernde Punkte von dem üppigen Blattwerk ab. Roan und Alandra bestaunen diese Wunder, während die Grille allmählich immer tiefer fliegt, bis sie über dem Boden schwebt, sodass sie ihren Fuß auf den weichen, schweren Humus setzen können. Sie sind benommen vom Duft der gesunden, grünen Tannen. Es ist ein Duft, so neu, so frisch, so angenehm, dass ihnen beiden schwindelig wird.
Alandra, die alte Ziegenfrau, lächelt. »Danke.«
»Weshalb dankst du mir?«
»Für die Kraft, die uns hierher gebracht hat.«
Kaum hört Roan ihre letzten Worte, ist sie auch schon verschwunden.

Als Roan die Augen öffnet, erblickt er Alandra, die am Fenster steht und die Arme reckt.
»Sei vorsichtig während der ersten paar Minuten«, sagt sie. »Du glaubst halb hier, halb dort zu sein. Man verliert leicht das Gleichgewicht, wenn man frei durchs Traumfeld gereist ist. Man braucht Zeit um sich wieder an die Realität zu gewöhnen.« Sie beugt sich zu der kleinen, weißen Grille hin, die auf Roans Schulter sitzt, und flüstert: »Danke.« Die Antennen der Grille zittern aufgeregt. »Nun wissen wir, wohin wir gehen müssen.«
»Glaubst du, diesen Ort gibt es wirklich?«, fragt Roan mit neu gewonnener Vertrautheit.
»Ja, ich bin mir sicher. Aber zuerst wartet eine andere Aufgabe

auf uns. Es sind wieder Kinder im Heim angekommen. Wir sollten sie besuchen.«
»Werden Lona und Bub und die anderen auch da sein?«
»Sie wohnen ja dort.«
Seit jenem Tag, als sie seinen Verband bemalten, hat Roan die Kinder nicht mehr gesehen. Ihre Gesichter und ihre Stimmen sind ihm jedoch sofort wieder gegenwärtig und er fragt sich, ob diese Kinder über Fähigkeiten verfügen, die man nicht auf den ersten Blick bemerkt.
Unterwegs erklärt Alandra Roan, dass zur örtlichen Schule auch ein Wohnheim gehört, in dem alle Kinder von Fairview leben. Ab und zu werden auch Kinder aus nahe gelegenen Ortschaften hierher gebracht.
Das Kinderheim ist ein großes, schlichtes, pastellblau gestrichenes Gebäude. In dem riesigen Vorgarten stehen überall Schaukeln, Rutschen und Klettergerüste. Auf dem großen Spielplatz tummeln sich Kinder, und alle sind kräftig und voller Tatendrang. Roan erfreut sich am Lachen, das von überall her ertönt.
Als Bub sieht, wie Roan in seinem Rollstuhl daherkommt, lässt er einen Schrei der Begeisterung los und rennt auf ihn zu.
»Korr! Korr!«
Andere Kinder laufen ihm nach, umringen Roan, jedes will seine Aufmerksamkeit für sich allein. Da kommt auch schon Mrs Fligg, von Kopf bis Fuß die liebenswürdige Hausmutter, herbeigeeilt. »Das also ist Korr, von dem wir schon so viel gehört haben«, ruft sie und schüttelt Roan herzlich die Hand. »Es ist höchste Zeit, dass wir uns kennen lernen. Willkommen in unserem Heim, Korr. Meine kleinen Lieblinge haben mir schon alles über dich erzählt. Sind sie nicht reizend?«
Sie lacht vergnügt, drückt Lona an sich und gibt ihr einen Kuss. Lona streckt erwartungsvoll die Hand aus. Mrs Fligg kichert und drückt ihr ein rotes Bonbon in die Hand. Dann nickt sie Alandra zu. »Kommt mit zu den Neuankömmlingen.«
»Nein, nein, bleib bei uns, bleib bei uns«, schreit Lona.

»Korr ist gleich wieder da«, sagt Alandra. »Er möchte den neuen Kindern nur eben guten Tag sagen.«
Mrs Fligg führt sie zu einem Kletterturm, auf dem acht traurig dreinblickende Kinder sitzen.
»Sie müssen sich erst noch an ihr neues Zuhause gewöhnen, sie kommen ja alle aus verschiedenen Städten. Ich kann sie kaum dazu bringen, einen Bissen zu essen.« Mrs Fligg schaut zu den Kleinen hinauf. »Kinder, das ist Alandra, unsere Heilerin, und Korr, ihr Freund.«
Acht Augenpaare sind ernst auf Alandra gerichtet. Aber sobald die Kinder Roan erblicken, geht eine wundersame Veränderung mit ihnen vor. Einem nach dem anderen huscht ein breites Lächeln übers Gesicht. Sie klettern von ihrem Sitzplatz herunter und umringen ihn.
»Ich bin Dani«, stellt sich ein Siebenjähriger mit flachsfarbenen Haaren vor und ergreift Roans Hand. Ein kleiner Junge, höchstens fünf Jahre alt, klammert sich an Roans Bein. »Spielen!«, ruft er. Die Kinder betteln um Roans Aufmerksamkeit, suchen seine Nähe, und Roan macht nur zu gerne mit.
Die Kinder aus Fairview schließen sich dem Toben an, allen voran Lona, die auf Roans Schoß klettert.
»Fahr uns ein Stück! Bitte, bitte!«
»Ja«, brüllen auch die anderen Kinder.
Roan tut ihnen den Gefallen, und als er die »Schneller! Schneller!«-Rufe hört, treibt er die Räder seines Stuhls noch fester an. Jaw und Bub und ein paar andere Kinder helfen ihm. Sie stellen sich hinter Roan und schieben den Rollstuhl mit aller Kraft den Weg entlang, um den Spielplatz herum und dann mit größter Mühe eine steile Rampe hinauf. Oben angelangt, springt jeder auf, der Platz findet, und Roan und seine Mitfahrer sausen mit lautem Gekreische hinab. Unten bleiben die Räder an einem Pflasterstein hängen und alle purzeln ins Gras.
»Oje, alles in Ordnung, Korr?«, fragt einer der Jungen besorgt. Roan stöhnt gequält auf. Die Kinder verziehen ängstlich das

Gesicht. Der kleinen Lona stehen Tränen in den Augen. Doch dann richtet Roan seinen Rollstuhl mit dem gesunden Arm wieder auf und wuchtet sich hinein. »Weiter geht's!« Die Kinder jubeln. Lona springt wieder auf Roans Schoß und sie sausen, so schnell es geht, über den Spielplatz. Als wirklich alle genug haben, versammeln sie sich an einem Wasserbrunnen und trinken.
»Kommst du morgen wieder?«, fragt Lona.
»Ja, wenn ich kann«, antwortet Roan.
»Bringst du den Rollstuhl mit?«, bettelt Bub.
»Ich werde ihn nur noch ein paar Tage brauchen.«
»Und dann verlässt du uns?«
»Nein, ich habe ja den Armverband und muss daher noch ein oder zwei Wochen bleiben.«
»Dann gehen wir vor dir weg«, sagt Jaw.
»Wohin denn?«, fragt Roan erstaunt.
»Zu unseren Eltern«, ruft Gip aufgeregt dazwischen.
»Das verstehe ich nicht. Leben denn eure Eltern nicht hier?«
»Nein«, antworten gleichzeitig einige der Kinder.
»Kommen sie euch besuchen?«
Bei dieser Frage fangen die Kinder an zu lachen. »Wie könnten sie?«, sagt Bub. »Wir haben unsere richtigen Eltern doch noch nie gesehen.« Langsam begreift Roan. Dies hier ist vermutlich eine Art Waisenhaus. Aber weshalb leben dann alle Kinder von Fairview hier?
»Am Familientag treffen wir alle unsere Muttis und Vatis«, sagt Lona freudig. »Der Jabberwocky-Wagen kommt und nimmt uns mit. Wir gehen alle fort.«
»Der Jabberwocky-Wagen?«
»Er bringt uns zu unseren neuen Eltern«, erklärt Jaw.
»Das ist das Allertollste«, sagt Lona und deutet auf das Zeichen mit dem Kreis auf einem Dreieck, das auf Roans Armmanschette gemalt ist. »Und du wirst nicht glauben, was im Wagen drin ist.«
Plötzlich taucht Alandra auf. »Korr und ich müssen jetzt gehen«, erklärt sie mit ausdrucksloser Miene.

Die Kinder murren enttäuscht. Dann ruft sie Mrs Fligg zum Mittagessen ins Haus. Sie rufen »Auf Wiedersehen« und drängeln ins Haus, denn jeder will der Erste sein.

Alandra wendet sich zu Roan. »Du kannst gut mit ihnen umgehen.«

Roan lächelt. Fürs Erste wird er seine Vermutungen über diese Kinder für sich behalten. »Sie sind die Herren, ich bin der Diener«, sagt er lachend und fügt dann hinzu: »Du hast mir nicht erzählt, dass dies ein Waisenhaus ist.«

Alandra zuckt bei dieser Frage zusammen. »Was Eltern und Kinder betrifft, haben wir hier in Fairview unsere eigenen Vorstellungen. Brack hat die Menschen davon überzeugt, dass Blutsverwandtschaft nur Leid verursacht. Am besten, man vergisst sie so früh wie möglich.«

»Aber die eigenen Kinder weggeben ...«

»Wir verkaufen sie«, sagt Alandra tonlos. »Unsere Gemeinde lebt gut davon, und die Welt braucht Kinder. Das sagt jedenfalls der Statthalter. Die Stadt ist voll von reichen und kinderlosen Paaren, die sich sehnlichst eigene Kinder wünschen. Brack hat uns versichert, dass die neuen Eltern unseren Kindern ein gutes Leben bieten.«

»Und die Bewohner von Fairview reich machen«, wirft Roan bestürzt ein.

»Ehe Brack nach Fairview kam, war hier alles verwahrlost. Die Menschen hungerten, die Gebäude waren zerstört, das Wasser vergiftet. Dank seiner durchgreifenden Maßnahmen konnte Fairview wieder aufgebaut werden. Die Menschen hier unterstützen ihn bedingungslos. Sie tun alles, was er will.«

Roan kann seinen Abscheu nicht verbergen. »Und wenn diese Kinder zu ihren Adoptiveltern geschickt werden, wie lange dauert es dann, bis die nächste Fuhre ankommt?«

»Das ist verschieden. Manche der zukünftigen Eltern wollen Babys, andere wollen lieber größere Kinder.«

Alandra schiebt Roans Rollstuhl eine gepflasterte Straße entlang,

die vom Kinderheim wegführt. Sobald sie in sicherer Entfernung sind, spricht sie leise auf ihn ein.
»Das ist alles nicht wahr«, flüstert sie. »Vielleicht finden einige wenige Kinder ein neues Zuhause, aber die meisten werden für Experimente in Laboratorien gesteckt. Diejenigen, die Glück haben, werden getötet; ihre Körperteile ersetzen die verbrauchten Organe der gealterten Herren der Stadt. Ich habe darauf gewartet, dass du kommst. Wir müssen diese Kinder retten, müssen sie von hier wegbringen.«
Fassungslos dreht Roan sich in seinem Rollstuhl um und blickt in Alandras Gesicht. Er muss sich davon überzeugen, dass sie es ernst meint.
»Bitte schau nach vorn. Lächle und nicke, als ob ich etwas Lustiges erzählt hätte.«
Roan zwingt sich zu lächeln. Bei all den freundlichen Mienen vergisst man leicht, dass man nicht unter Freunden ist. Er fragt sich, wie es sich in Kiras Dorf mit den Kindern verhält. Alle, die er dort sah, hatten irgendeine Behinderung. Vielleicht waren sie unverkäuflich. Was für eine Ironie des Schicksals.
»Vor fünf Jahren kam ich auf Saris Geheiß hierher zurück um eine Vertrauensstellung als Heilerin einzunehmen. Während dieser fünf Jahre habe ich die Mütter und ihre Kinder gesund gepflegt und damit vorbereitet für diesen verfluchten Handel. Glaub mir, es war weniger schlimm, meine Eltern sterben zu sehen. Aber als ich dieses Amt antrat, war ich zu jung, um etwas dagegen zu unternehmen. Mir waren die Hände gebunden. Aber jetzt bist du da und die Qual hat ein Ende. Jetzt wird alles anders. Wenn du nicht zufällig in die Kriechlianen gefallen und hier gelandet wärst, wäre das Unternehmen bereits in vollem Gange. Aber in ein paar Tagen kannst du wieder laufen und dann werden wir den Plan umsetzen.«
»Welchen Plan?«
»Wir bringen die Kinder zu dem Ort, den wir im Traumfeld gesehen haben.«

»Wir sind geflogen, Alandra! Wie sollen wir vierzehn Kinder dorthin bringen?«
»Wir werden einen Weg finden.«

Der Angriff der Bluttrinker

Sieben Jahre lang brannte die Erde und aus den Flammen quoll ein schwarzer Nebel, der die Täler schwärzte. Ihre Bewohner hungerten und gingen zugrunde. Aber die Traumwandler erwachten, und so kam es, dass das Schicksal der Überlebenden in ihren Händen lag.

Aus den Kriegschroniken

Als Roan am nächsten Morgen erwacht, ist der Rollstuhl verschwunden.

»Es ist so weit, du kannst wieder gehen«, eröffnet ihm Alandra.

Obwohl er zuerst ein wenig wackelig auf den Beinen steht, findet sich Roan schnell zurecht. Und er verliert keine Zeit. »Beule«, sagt er kurz und bestimmt.

»Ja, es gibt viel, worüber wir drei sprechen müssen.«

Roan ist ungewöhnlich nervös, als sie sich dem Stadttor nähern. In den vergangenen Wochen hat seine Wachsamkeit nachgelassen, dabei hat er allen Grund, auf der Hut zu sein. Er senkt den Kopf und geht gebückt, so als sei er noch nicht völlig von seiner Krankheit genesen.

»Geht Ihr wieder zum Sammeln, Alandra?«, ruft der Torwächter.

»Ja, ich muss meinem Patienten zeigen, was er zu tun hat.«

Als ihn der Wächter neugierig mustert, bedeckt Roan die Augen mit der Hand, als blende ihn die Sonne, und setzt ein Lächeln auf.

»Gut, etwas frische Luft zu schnappen, hm? Du siehst schon viel

besser aus als damals, als wir dich aus dem Gestrüpp dort draußen gezogen haben.«
»Ja, Alandra sei Dank«, sagt Roan.
»Sie ist ein echter Glücksfall, nicht wahr? Keine Ahnung, wie wir ohne sie zurechtkommen sollten.«
Als Roan das offene Land vor sich sieht, drängt es ihn, einfach loszurennen. Aber nachdem sie dem Torwächter zum Abschied freundlich zugewinkt hat, schlägt Alandra eine gemächliche Gangart ein – als seien sie beide nur Spaziergänger, mit Kräutersammeln beschäftigt.
»Er ist einer von Bracks Leuten, nicht wahr?«
»Das ist er.«
»Kaum hat er das Tor geschlossen, wird er auch schon dem Statthalter berichten, wohin wir gehen.«
Alandra hakt sich bei Roan unter. »Aber Brack wird sich nicht dafür interessieren. Ich nehme sehr oft Patienten zum Kräutersammeln mit. Es ist das Natürlichste auf der Welt.«
Sie schlendern weiter, bis Alandra stehen bleibt und auf einen leeren Beutel zeigt, der von einem Baum herabhängt. Bedeutungsvoll zieht sie die Augenbrauen hoch.
Roan grinst. »He, Termitenesser«, ruft er leise.
»Roan!« Beule springt aus der Höhle hervor, in der er sich versteckt gehalten hat. Als er Alandra sieht, hält er inne und bedeckt sein Gesicht. Alandra muss unwillkürlich lächeln.
»Ich habe dir fast einen Monat lang Essen gebracht und das ist der Dank dafür?«
»Keine Sorge, Beule, sie ist in Ordnung«, beruhigt Roan seinen Freund. Er umarmt ihn. »Danke, dass du mich hierher gebracht hast ... und dass du gewartet hast.« Voller Überschwang hebt Roan Beule hoch in die Luft und beide sind erschrocken und froh zugleich über diesen spontanen Gefühlsausbruch.
»Mir scheint, du hast dich wieder erholt!«
»Nicht ganz. Er muss den Verband noch ein paar Tage tragen, ehe er endgültig erlöst ist. Ich hoffe, es macht dir nichts aus.«

»Solange du mir diese Beerenkekse bringst, nicht.«
Alandra hält ihm einen bis zum Rand gefüllten Beutel hin. »Da sind noch mehr für dich. Und obendrein einige Sachen, die du bestimmt genauso gut brauchen kannst.«
Beule durchwühlt das Säckchen und zieht ein Glasgefäß hervor. Er öffnet es, riecht daran, dann reißt er die Augen auf und sagt: »Heilsalbe.«
»Ich bin noch auf der Suche nach etwas, womit ich deine Haut heilen kann. Im Moment ist dies hier das Beste, was ich habe. Probier sie aus«, schlägt Alandra vor.
»Du gehörst zu den Heilern, von denen mir die Vergessenen erzählt haben«, sagt Beule ehrfürchtig. Alandra nickt und bestreicht seine Arme, seinen Nacken und sein Gesicht mit der Salbe. Beule zieht sein Hemd aus, streift die Hosenbeine hoch, und Roan reibt den Rücken und die Beine seines Freundes ein. Als sie fertig sind, umarmt Beule Alandra voller Dankbarkeit.
»Hier schläfst du also?«, fragt Roan.
»Nein, das ist nur eines von vielen Verstecken.« Beule führt sie zu einigen Felsbrocken auf moosbewachsenem Boden. »Hier bin ich zu Hause«, sagt er und greift mit den Fingern unter das Moos. Er hebt es an wie eine Decke und darunter kommt eine Höhlung zum Vorschein.
»Es sieht vielleicht etwas ungemütlich aus, aber glaubt mir, ich bin froh, dass ich sie habe. Hier in diesen Wald ist es schauderhaft.«
»Plünderer?«, fragt Roan. »Ich kann mir vorstellen, dass ein Ort wie Fairview Räuberbanden anzieht.«
»Fairview steht unter dem Schutz der Freunde«, sagt Alandra.
Beule und Roan blicken einander besorgt an.
»Ich habe keinen von den Freunden gesehen«, berichtet Beule. »Dafür umso mehr Bluttrinker. Sie schleichen nachts herum und suchen Beute. Wenn ich sie kommen höre, fahre ich mit dem Floß auf den See hinaus.«
»Du hast ein Floß gebaut?«, fragt Alandra aufgeregt.

»Das Wasser verätzt fast alles, was mit ihm in Berührung kommt, nur die Stangenbäume sind dagegen unempfindlich. Und sie schwimmen. Deshalb habe ich einige von ihnen zusammengebunden. Wenn ich mit dem Floß auf dem See bin, können mich die Bluttrinker nicht wittern. Der Gestank des Wassers überdeckt alles. Und selbst wenn sie das könnten, würden sie es nicht wagen, ins Wasser zu gehen. Es ist ein ziemlich guter Schutz.«
»Der Gestank ist sicher kaum zu ertragen.«
»Man muss ihn nur ein paar Mal tief einatmen, dann gewöhnt man sich schnell daran.«
»Wie lange würdest du brauchen, um zwei oder drei Flöße zu bauen, jedes groß genug, um vier oder fünf Kinder und einen oder zwei von uns zu tragen?«, fragt Alandra.
»Meinst du das im Ernst? Wozu brauchst du sie?«
»Um zu fliehen. Glaubst du, eine Woche reicht?«
»Es könnte klappen, wenn nicht diese Bluttrinker wären.«
»Dann brauchst du Unterstützung.« Alandra stößt einen lauten Pfiff aus. Äste knacken und eine lächelnde Gestalt taucht vor ihnen auf.
»Lelbit!« Beule rennt zu ihr. Sie nimmt seine Hand und legt sie auf ihr Herz. Roan blickt Alandra fragend an.
»Die Vergessenen haben sie geschickt, damit sie auf euch aufpasst.«
»Dann warst *du* es, die uns aus dem Giftwald herausgebracht hast. *Du* hast das Pferdegeschirr gebaut«, ruft Beule.
Lelbit zuckt verlegen mit den Schultern.
»Aber warum hast du dich vor uns versteckt?«, fragt Beule.
»Wenn bekannt geworden wäre, dass sie hier ist, hätte sie euch nicht mehr so gut beschützen können«, sagt Alandra. »Aber jetzt haben sich unsere Pläne geändert. Die Flöße müssen fertig sein, ehe der Wagen kommt und die Kinder abholt.«
Während Roan die Kräuter sucht, wegen deren sie ja angeblich hierher gekommen sind, erklärt Alandra die Lage. Die Zeit drängt, aber mit Hilfe von Beule und Lelbit könnte es klappen.

In der rasch zunehmenden Hitze des Frühlings bereiten Roan und Alandra ihre Flucht vor. Sie wissen, dass ihnen schreckliche Strafen drohen, sollten sie entdeckt werden. Sie füllen große Wasserschläuche, nähen Kinderrucksäcke und verstauen Bettzeug und Essen darin. Roan zeichnet eine Karte der Landschaft, die er im Traumfeld gesehen hat. Er und Alandra schätzen gemeinsam die Entfernung, die sie zurücklegen müssen. Mit jedem Tag, der vergeht, wächst Roans Anspannung. Jedes Klopfen an der Tür schreckt ihn auf. Jede belanglose Frage des Verkäufers im Laden lässt seinen Adrenalinspiegel steigen. Wenn sie auffliegen, dann werden Lona und die übrigen Kinder sterben. Ihr Vorhaben darf nicht scheitern.

Aber das ist nicht das Einzige, was Roan bedrückt. Er glaubt, Alandra inzwischen gut genug zu kennen, um ihr eine Frage zu stellen. »Warum habt ihr – du, Sari und die anderen – mich während der ganzen Zeit, seit ich zum ersten Mal träumte, von meiner Schwester fern gehalten?«

Alandra seufzt. »Stowe ist bei den Herren der Stadt. Staubesser wachen über sie. Wir nennen sie die Abtrünnigen. Während der Kriege haben sie der Stadt geholfen. Es waren die Abtrünnigen, die Longlight entdeckt und dann den Ort an ihre Herren verraten haben. Die Stadt hat Saint gesandt um dich und deine Schwester gefangen zu nehmen. Er hat sie betrogen, weil er dich behalten hat. Nun benutzt die Stadt Stowe um dich zu finden. Die Macht, die jeder von euch für sich besitzt, ist gewaltig, aber zusammen wärt ihr beide durch nichts aufzuhalten.«

»Gibt es denn keine Möglichkeit, Stowe dort herauszuholen?«

»Selbst wenn es dir gelänge, sie zu finden, ohne dass es die Herren der Stadt bemerken, würde sie dich verraten. Dann würden sie mit dir das Gleiche tun, was sie mit ihr getan haben. Roan, deine Schwester hat sich verändert. Sie ist jetzt eine von ihnen.«

»Was haben sie mit ihr gemacht ...«

»Sie haben in ihr die Fähigkeiten eines Erwachsenen geweckt.

Wenn man dies bei einem Kind tut, wird eine furchtbare Kraft freigesetzt. Dieser Mensch wird dann zu einem Zerrbild seiner selbst und seiner Möglichkeiten.«
»Kann man das nicht rückgängig machen?«
»Eines Tages vielleicht, aber jetzt nicht. Wir würden alles aufs Spiel setzen, wofür wir gekämpft haben. Aber ich glaube, es ist an der Zeit, dass du erfährst, wo sie ist. Das wird dir helfen zu verstehen. Komm.«

Roan ist in einer Schlucht. Rechts und links sind hohe Wände, über ihm der Himmel. Er steht auf einer breiten Betonstraße, sie ist stark zerstört, Trümmer ragen daraus empor. Vor ihm sitzt die braune Ratte.
»Wenn du dich ihr zu erkennen gibst, bedeutet es das Ende für dich, für sie und für alles, worauf Longlight seine Hoffnungen gesetzt hat«, sagt die Ratte zu Roan.
»Wer bist du?«, fragt Roan.
»Ich bin Vieles und Weniges.« Die Ratte blickt zur Ziegenfrau. »Alandra. Schnell. Sei vorsichtig.«
Die alte Ziegenfrau nickt Roan zu. Der steht nun auf der obersten Sprosse einer Metallleiter und starrt auf den Anblick, der sich ihm bietet. Eine riesige Stadt breitet sich vor ihm aus. Gebäude, die in den Himmel wachsen, erstrecken sich über den ganzen Horizont.
»Die Aura«, sagt sie. »Wir brauchen sie um uns zu verbergen.«
Diesmal gelingt es Roan mühelos zu leuchten.
»Pass auf«, sagt Alandra, als sie ihre grüne Aura unter ihrer Haut verbirgt, damit sie nicht zu sehen ist. »Nimm meine Hand.«
Roans Sinneswahrnehmungen sind geschärft. »Ich rieche anders.«
»Vermische dich mit mir, wir sind jetzt Erde. Siehst du die Brücke, die in die Stadt führt?«
»Ja.«
»Stell dir vor, du wärst dort.«
Die Luft um Roan herum engt seinen Lehmkörper ein, zwischen ihm und den endlosen Wolkenkratzern wirbelt ein dichtes Gestöber und

formt sich zu Mustern, die so ausgeprägt sind, dass Roan seine Hand ausstrecken und sie berühren möchte.

»Wir sind am Rand des Traumfelds«, erklärt ihm Alandra. »Hier können wir es überschauen und einen Blick in die Stadt werfen.«

»Roan! Roan!«

Alandra versetzt ihm einen Stoß in die Seite. »Psst!«, zischt sie.

Immer wieder hört er seinen Namen, es kommt von allen Seiten.

»Sie weiß nicht, dass du hier bist«, erklärt ihm Alandra.

Auf hohen, wuchtigen Masten sind silberglänzende Lautsprecher angebracht und aus jedem tönt Stowes Stimme. Ein paar Straßenzüge entfernt, hinter Türmen, strahlt ein seltsames gelbes Licht. Alandra streckt ihre Hand aus und sie beide werden zur Quelle dieses Lichts hingezogen.

Sie drücken sich an die Glaswand einer gigantischen Kuppel. Zuerst sind sie vom Licht geblendet, aber bald können sie in das Innere sehen. In einem riesigen steinernen Leichenhaus liegen die Körper von Dutzenden von Kindern. Chirurgen sind über sie gebeugt, sie sezieren und entnehmen Organe. Da liegt ein kleines Mädchen, sein Bauch ist aufgeschnitten, man hat die Leber entfernt, dort ein Junge mit offenem Schädel, sein Gehirn wird gerade untersucht.

Es kostet Roan große Mühe, seine Wut und seine Trauer zu beherrschen. Er atmet tief um nicht die Kontrolle zu verlieren. Alandra weint leise vor sich hin.

Dann sieht er sie. Seine Schwester Stowe. Ihre Hände triefen von Blut, ihr Blick ist wild und grimmig. Hinter ihr taucht ein Mann auf. Er ist groß und hat eine dünne, spitze Nase. Mit seinen langen Fingern streicht er über ihr Haar.

Roan beobachtet es verstört. »Wer ist das?«

»Ein Abtrünniger.«

In diesem Moment schaut der Mann plötzlich nach oben.

»Zurück!«, schreit Alandra, und sie taumeln zurück, gerade in dem Augenblick, als ein hässlicher, geierartiger Vogel mit roten Hautfetzen am Schnabel einen düsteren Schatten über sie wirft. Alandra und Roan verharren regungslos.

»Da entlang«, sagt die Ratte.
Das Traumfeld schrumpft. Roan spürt, wie sein Körper mikroskopisch klein wird und zwischen den Molekülen in der Erde umherschwirrt. Verloren in dieser gespenstischen Zeitlosigkeit weiß Roan nicht, wie lange all das gedauert hat. Er weiß nur, dass er in einem Augenblick noch aus feuchter Erde besteht und im nächsten Augenblick schon ins Tageslicht entweicht.
Hoch oben am Himmel, als winzigen Punkt vor den blauen Wolken, sieht er die Silhouette des Riesenvogels.
»Jetzt sind wir sicher«, sagt die Ratte. »Aber es wäre klug, wenn du aufwachen würdest.«

Alandra streckt Roan den Arm entgegen. Ohne dass er etwas sagen muss, weiß sie von seiner tiefen Trauer.
»Eines Tages vielleicht, wenn du über alle deine Kräfte verfügst, könnte es sein ...«
Das Schrillen von Alarmglocken schreckt sie beide auf.
»Die Bluttrinker greifen an«, erklärt Alandra Roan.

Auf der Mauer haben die Wachen Stellung bezogen und spannen die Armbrüste. Unten kommandiert Statthalter Brack. Roan lässt Alandra zurück und rennt die steilen Stufen der Mauer hoch, um einen besseren Blick auf die Feinde zu haben. Er späht über die Brüstung. Unten hat sich eine ganze Armee von Bluttrinkern versammelt. Beim Anblick dieser widerwärtigen Geschöpfe erfasst ihn Entsetzen. In Dreiergruppen nähern sie sich der Mauer, jede Gruppe hat eine Leiter bei sich. Er weiß, was sie den Menschen, den Kindern antun werden, wenn sie die Mauern überwinden. Und er weiß, dass er kämpfen wird um die Leute von Fairview zu beschützen, selbst wenn er sich dabei zu erkennen geben muss.
Die Wachen legen an und schießen. Einige Bluttrinker sind verletzt. Aber das scheint die Bestien nur anzuspornen. Anscheinend unempfindlich gegen Schmerz, brechen sie die Pfeile, von denen sie getroffen wurden, einfach ab und setzen ihren Angriff fort. Die

erste Leiter lehnt bereits an der Mauer. Drei Bluttrinker erklimmen sie hintereinander. Ihre Messer blitzen bedrohlich im Sonnenlicht. Roan beugt sich über die Mauer, packt die Leiter und stößt sie um. Die Angreifer stürzen auf den festgestampften Boden und fauchen böse.

»Mach Platz!«, befiehlt Brack, der neben Roan auf die Mauer gestiegen ist und eine Flasche in der Hand hält, die an einer Stange festgebunden ist. Er steckt das Ende der Stange in eine Halterung in der Wand. »Zurück!«, befiehlt er seinen Leuten und hält Feuer an die Flaschenöffnung. Funken fliegen, als die Flasche hoch aufsteigt, explodiert und eine große gelbe Rauchwolke in den Himmel schickt.

Roan schaut mit aufgerissenen Augen zu. Er hat schon von Feuerwerken und Raketen gehört, und obgleich die Wirkung außergewöhnlich ist, fragt er sich doch, welchen Nutzen das Geschoss haben soll. Die Bluttrinker jedenfalls scheinen sich davon nicht abschrecken zu lassen.

»Haltet das Ungeziefer nur noch eine halbe Stunde lang auf, mehr brauchen wir nicht«, befiehlt Brack.

Roan hat keine Zeit, um über die Worte nachzudenken, denn immer mehr Leitern werden an die Mauer gelehnt. Die ersten werden noch mühelos umgestoßen, dafür kommen bald ein Dutzend weitere nach.

Mit einem Mal spürt Roan, wie sich eine feuchte Hand auf seine Schulter legt. Ein zähnefletschender Bluttrinker holt mit dem Messer aus. Roan bückt sich blitzschnell und versetzt dem Angreifer einen Tritt in den Bauch. Der Bluttrinker stürzt sich auf ihn, doch Roan stemmt ihn hoch und wirft ihn über die Mauer zurück, wo er in eine Leiter kracht und drei seiner Gefährten zu Boden reißt.

Viele der Stadtbewohner kämpfen, aber sie sind den bleichen Ungeheuern zahlenmäßig unterlegen. Es kann nicht mehr lange dauern, bis die Angreifer eine Bresche in die Mauer geschlagen haben und das Massaker beginnt.

Plötzlich bricht aus dem Stangenwald eine Gruppe von etwa vierzig Kriegern hervor. Ihre Ohren und Lippen sind mit spitzen Steinen durchbohrt, die Körper bemalt und gepanzert. Sie schwingen ihre Streitäxte und Speere und zertrümmern die Leitern, zerhacken, erstechen, zertrampeln die Bluttrinker mit erschreckender Zielstrebigkeit. In weniger als einer Stunde ist das Gemetzel vorbei.

Die Krieger wimmeln wie die Ameisen herum; emsig sammeln sie alles von den Toten ein, was irgendwie wertvoll ist. Die Leichen schleppen sie bis zum See und werfen sie kurzerhand in die zersetzende Säure.

Roan sieht zu, wie die Sieger durch das Stadttor zurückkommen. Er verbirgt sich hinter den Befestigungen und betrachtet ihre Gesichter genau. Keinen von ihnen hat er je zuvor gesehen, aber dies ist keine Gewähr, dass sie ihn nicht erkennen. Falls sie mit den Freunden verbündet sind, hat man ihnen vermutlich eine Beschreibung von ihm gegeben, und sie könnten anfangen Fragen zu stellen. Als er bemerkt, dass Alandra geht, beeilt er sich sie einzuholen.

»Das macht alles schwieriger, nicht wahr?«, fragt er.

»Kommt darauf an, wie lange die Krieger bleiben.«

Plötzlich taucht der Statthalter vor ihnen auf. »Alandra! Es gibt Verletzte. Kannst du dich um sie kümmern?«

»Ich bin schon auf dem Weg«, erwidert sie im Weitergehen.

»Ich sehe, du bist ein Kämpfer«, bemerkt Brack und schneidet Roan den Weg ab, sodass er ihm nicht entwischen kann. »In dir steckt mehr, als man auf den ersten Blick vermutet.«

»Ich gehe Alandra noch eine Woche zur Hand und dann sind wir quitt.«

»So bald schon?«, wundert sich der Statthalter. »Es tut mir Leid, das zu hören, Korr. Du warst uns im Kampf eine große Hilfe.«

»Ich tue, was getan werden muss. Fairview hat mich gut aufgenommen und ich bedaure es, dass ich weiterziehen muss.«

»Ich gebe heute Abend ein Festessen und du bist mein Ehrengast«, sagt Brack. »Nein, nein, keinen Widerspruch, du warst sehr mutig heute. Wirklich ganz erstaunlich. Der Botschafter persönlich wird uns die Ehre geben. Du musst ihn unbedingt kennen lernen.«

»Es ist nur ... Ich fühle mich nicht wohl bei solchen Anlässen«, versucht Roan sich herauszureden.

Aber es ist eindeutig, dass sich der Statthalter nicht abbringen lassen wird. »Ich bestehe darauf«, sagt er herrisch. »Das Fest beginnt um acht.«

Beunruhigt blickt Roan dem davonstolzierenden Statthalter nach. Wenn er nicht bei dem Bankett erscheint, wird er Verdacht erregen. Nimmt er aber daran teil, läuft er Gefahr, erkannt zu werden. Er kann nur hoffen, dass Alandra weiß, wie er durch diese Untiefen steuern soll.

Das Geschenk des Botschafters

In der Nacht, in der die Vögel für immer aus der Stadt verschwanden, erwachten die Kinder schreiend und keiner vermochte sie zu trösten.

Das Buch von Longlight

»Das habe ich dir zum Anziehen fürs Bankett gekauft«, sagt Alandra.
Roan betrachtet zweifelnd das Paket, das sie ihm entgegenhält. »Meinst du wirklich, ich soll hingehen?«
»Brack hat mir zweimal eingeschärft dich mitzubringen. Du hast dich im Kampf zu sehr hervorgetan.«
»Hätte ich untätig herumstehen sollen?«
Alandra zuckt mit den Schultern; diesem Einwand kann sie nichts entgegensetzen.
»Ich habe für dich einen Platz etwas abseits ausgesucht, wo du nicht im Blickfeld der Krieger sitzt. Sobald das Gastmahl vorbei ist, kannst du dich unauffällig zurückziehen.« Sie lässt ihn allein, damit er sich umziehen kann.
Roan öffnet das Paket. Ein schwarzer Anzug liegt darin, der Stoff ist fast so leicht und weich wie Luft. Sowohl die Menschen in Longlight als auch die Vergessenen in der Oase haben sehr schöne Kleidung, aber sie muss in erster Linie zweckmäßig sein. Das hier ist etwas anderes, sinnlich und ungewohnt. Roan ist die Kleidung nicht ganz geheuer.
Als Alandra aus ihrem Zimmer kommt, ist sie in ein fließendes

Gewand gehüllt, sie trägt Bänder im Haar, das sie zu Locken gedreht hat. Ihre Lippen sind mit einem Hauch von Rot überzogen. Roan starrt sie ungläubig an.

»Stimmt etwas nicht?«, fragt sie.

»Du siehst verändert aus.«

Sie zuckt mit den Schultern. »Da kann man nichts machen. So kleiden sich die Frauen in Fairview bei solchen Anlässen.«

Alandra geht mit Roan die Hauptstraße von Fairview entlang zum Festsaal. Roan fühlt sich unwohl in seinen neuen Kleidern, aber er fällt nicht auf unter den Gästen, die zwischen den reich verzierten Marmorsäulen und vergoldeten Stuckaturen flanieren.

»Dieses Gebäude ist der ganze Stolz von Statthalter Brack«, sagt Alandra leise. »Er hat es sich als Denkmal gesetzt, dafür, dass er Fairview wieder aufgebaut hat. Nichts bereitet ihm mehr Vergnügen, als die Hochgestellten und Mächtigen hier zu empfangen.«

Ungefähr hundert Menschen befinden sich im Saal. Die angesehensten Leute von Fairview, alle in Festtagskleidung, sind gekommen um den Kriegern ihre Dankbarkeit zu zeigen. Die Söldner selbst sind frisch gewaschen und rasiert, und Roan fällt auf, dass sie zu dieser Gelegenheit sogar ihre Rüstungen abgelegt haben, denn ganz offensichtlich sind sie hier sehr willkommen.

Alandra geleitet Roan an seinen Platz. Wie sie versprochen hat, sitzt er an einem der äußeren Tische. »Ich habe dem Statthalter gesagt, dass dies wegen deiner angegriffenen Gesundheit nötig ist«, flüstert sie. Sobald er sich gesetzt hat, nimmt sie ihren Platz neben Brack an der Stirnseite des Tisches ein.

Ein aufgeputzter Bursche in einem grellen, gelb-roten Seidengewand führt das große Wort an Roans Tisch. Er hält sich für einen ausgemachten Feinschmecker; er prüft die verlockenden Gerüche, die den Raum durchziehen, und sagt voraus, was die berühmte Köchin Yasmin zubereitet hat.

»Lammrippchen, ganz ohne Zweifel«, stellt er fest. »Achtet auf den Geruch, wenn es serviert wird. Das Fleisch ist in ihre Zehn-Kräuter-Marinade eingelegt. So etwas habt ihr noch nicht gegessen. Glasierte Bataten und Kartoffeln, ein Eintopf aus acht saftigen Gemüsesorten in pikanter Sauce und, natürlich, gewürztes Brot.« Und obwohl er die Nachspeisen noch nicht einmal riechen kann, versichert er jedem, dass ein unübertroffen köstliches Gebäck gereicht werden wird.

Neben ihm sitzt schweigend seine schwangere Frau; sie macht kein Hehl daraus, dass ihr Mann, das Essen und das ganze Fest sie entsetzlich langweilen. Sie grüßt Roan mit geheucheltem Interesse und er verbeugt sich tief, in der Hoffnung, nicht allzu sehr aufzufallen.

Erleichtert stellt er fest, dass die Krieger ausgiebig dem Wein zusprechen, sich zuprosten und derbe Lieder singen. Je ausgelassener sie sind, desto weniger werden sie ihn beachten.

Die Versammlung klatscht Beifall, als sich Statthalter Brack erhebt. Eine Handbewegung von ihm und der Applaus verstummt.

»Mitbürger, wir sind heute Abend hier zusammengekommen um unsere mächtigen Beschützer zu ehren, die uns ein weiteres Mal geholfen haben.« Zu seiner Rechten stimmt Alandra höflich in den Beifall ein. »Wir alle hier in Fairview danken euch und den Freunden, denen ihr dient, aus tiefstem Herzen. Und nun«, fährt Brack fort, »habe ich die große Freude, den Mann willkommen zu heißen, der zusammen mit mir das Wunder vollbracht hat, Fairview wieder aufzubauen: den Botschafter Harrow Wing.«

Roan läuft es eiskalt über den Rücken, als ein Mann in einem Federgewand und mit einem Schnabelhelm den Raum betritt. Es ist der Vogelmann, der nach Longlight kam und Forderungen stellte, die Roans Vater nicht erfüllen konnte. Roan beugt sich tief über seinen Teller, sein Puls rast.

»Liebe Freunde, ich freue mich von ganzem Herzen, wenn ich sehe, wie gut es Fairview inzwischen geht. Wohin ich schaue, sehe ich wohl bekannte Gesichter.«

Beim Klang dieser Stimme stehen Roan die Haare zu Berge, auch wenn er die Stimme nicht eindeutig zuordnen kann. Das Schlimmste befürchtend, sieht er sich im Saal nach den Ausgängen um. Der Botschafter lässt seinen Blick durch den Raum schweifen. »Oh, Malaborn White, du mogelst immer noch bei deiner Diät.« Ein feister Mann kichert und droht scherzhaft mit dem Finger. Botschafter Wing wendet sich einer schwangeren Frau zu. »Alicia Keet, wie ich sehe, ist es bald wieder so weit. Was für eine erstaunliche Frau du bist. Das Wievielte ist es denn, das Vierte?«

Alicia lächelt ihn an. »Das Fünfte, Ehrenwerter Botschafter.« Die Menge klatscht anerkennend Beifall, der sowohl dem guten Gedächtnis des Botschafters wie auch der Fruchtbarkeit der Frau gilt. Der Vogelmann zupft seine leuchtenden Federn zurecht und sein Blick gleitet zu Roans Tisch hinüber. Roan versteckt sich hinter seinem Weinglas. Wenn doch nur die Stimme des Botschafters durch die Maske nicht so verzerrt wäre ...

»Du bist nicht zu übersehen, Yorgan Max. Wir sind beide Vögel, du und ich!« Der eitle Mann in rotgelber Seide erhebt sich, damit alle seine Kleidung sehen können. Der Botschafter lacht auf. »Ich will damit sagen, wer könnte je einen solch scheußlichen Anzug vergessen?« Die Menge brüllt los und Yorgan sinkt mit versteinerter Miene auf seinen Stuhl zurück.

»Ich glaube nicht, dass ich schon das Vergnügen hatte, diesen jungen Mann kennen zu lernen«, sagt der Vogelmann und zeigt direkt auf Roan. »Was für ein adretter Bursche.«

Roan tupft sich mit der Serviette die Schweißperlen von seiner Oberlippe und lässt sein Messer nach unten auf seinen Schoß gleiten.

»Das ist Korr, er ist zu Besuch in Fairview«, mischt Brack sich ein. »Ich fürchte, er ist etwas linkisch.«

Der Vogelmann legt den Kopf zur Seite, zuerst nach rechts und dann nach links. Inzwischen sind alle Augen auf Roan gerichtet. »Komm schon, lieber Korr, zeig uns mal dein hübsches Gesicht.« Als der Botschafter ein hohes Kichern hören lässt, krampft sich Roans Magen zusammen.

Rabe!

»So jung und schon so einzigartig«, kräht der Vogelmann.
Roan lässt seine Serviette sinken und umklammert das Messer.
»Korr. Hättest du deine Phantasie nicht etwas mehr anstrengen und dir einen passenderen Decknamen aussuchen können, Roan von Longlight?«
Longlight. Leise murmelnd wird der Name von Tisch zu Tisch weitergegeben.
Der Vogelmann ruft: »Packt ihn«, und die Kämpfer springen auf Roan zu; andere rennen um die Türen zu versperren. Aber Roan hat schon das Messer an die Kehle des Botschafters gesetzt, ehe auch nur einer vor Schreck aufschreien kann.
Mit einer Handbewegung gibt der Vogelmann zu verstehen, dass sich niemand bewegen soll. Brack achtet nicht darauf. Mit einem Satz ist er bei Alandra, packt sie und setzt ihr die Spitze seines Dolchs direkt ans Herz. Alandra und Roan schauen sich an. Roan lässt sein Messer fallen und tritt einen Schritt zurück.
In diesem Augenblick dreht sich der Vogelmann um und schlägt Roan eine Flasche über den Kopf. Das Letzte, was Roan wahrnimmt, als er in einem Glassplitterregen zu Boden stürzt, ist das meckernde Lachen von Rabe.

Roan erwacht in einer dunklen Kammer, sein Kopf dröhnt. Der Boden, auf dem er liegt, ist kalt und hart und fühlt sich glitschig an. Im Raum stinkt es nach Schweiß, Urin und Blut. Er versucht aufzustehen, doch die Decke ist zu niedrig, und als er mit dem Kopf daran stößt, durchläuft ein krampfartiger Schmerz seine Wirbelsäule. Er spürt die Stelle, an der ihn die Flasche getroffen hat. Sie ist offen und blutverklebt. Auf Händen und Füßen kriecht er die Wände entlang, bis er auf eine Tür stößt. Sie ist verschlossen.
Er hört Schritte. Dann dumpfe Stimmen. Die Tür fliegt auf. Grelles Licht blendet Roan und er bedeckt schützend seine Augen. Aber die Stimmen erkennt er sofort. Statthalter Brack und Bruder Rabe, der Vogelmann.

»Ah, gesund und wohlbehalten«, zwitschert der Botschafter. »Ich konnte der Versuchung einfach nicht widerstehen. Unser verehrter Statthalter hätte sicherlich Unannehmlichkeiten von Saint zu erwarten gehabt, wenn dich mein Schlag getötet hätte.« Er flüstert Roan ins Ohr: »Der, den du verraten hast, wird bald hier sein und dich zur Rechenschaft ziehen.« Dann wendet er sich an Brack. »Die Arznei liegt schon parat.« Er lässt seine Finger hinter Roans Ohr kreisen. »Ich kann es kaum erwarten, dass du ein gelehriger und gehorsamer Freund bist.«

Roan denkt an Leibkoch. Und an die Männer aus Fandor.

Herablassend kichernd, streift Rabe mit seinen Federn Roans Gesicht und geht.

Brack dreht sich im Weggehen noch einmal um und sagt: »Ich muss mich bei dir entschuldigen, Roan oder Korr oder wie auch immer du dich nennst. Zuerst habe ich dich für einen Tagedieb gehalten, aber ich habe mich getäuscht. Du bist eine Goldmine. Du kannst dir nicht vorstellen, welch eine aberwitzig hohe Belohnung sie auf dich ausgesetzt haben.«

»Besser als Kinder verkaufen, nicht wahr, Brack?«

Brack spuckt Roan ins Gesicht, dann dreht er sich um und folgt dem Botschafter. Die Tür verriegelt er fest hinter sich.

Wieder umgibt Roan Dunkelheit. Er lehnt sich an die Wand. Mit der Hand wischt er sich übers Gesicht und holt tief Luft.

Der Himmel ist dunkelrot, nur hie und da sind dunkelblaue Wolkensprenkel zu sehen. Unter Roans Lehmfüßen fließt grober, schwarzer Sand, der ihn mit sich reißt wie die Strömung eines Flusses. Unaufhaltsam treibt er auf einen gigantischen Sandfall zu. Er zwingt sich, nicht gegen den Sog anzukämpfen, denn jede Bewegung zieht ihn tiefer in einen Abgrund.

Als er die Augen öffnet, erwartet ihn Alandra, die Ziegenfrau.

»Sag mir, wo sie dich festhalten«, bittet sie.

»Es ist sehr dunkel, nirgendwo sind Fenster. Die Decke ist so niedrig, dass ich nicht aufrecht stehen kann.«

Alandra nickt. »Der Weinkeller. Bracks schlimmstes Gefängnis.«
»Saint kommt.«
»Wir müssen die Kinder wegbringen, bevor er hier ist.«
»Warte nicht auf mich. Nimm du sie mit.«
»Nein. Versteh doch, es geht nicht ohne dich.«
Der Boden unter ihren Füßen bebt, bröckelt weg, und Roan stürzt in einer Wolke aus Sand in die Tiefe.

Wieder ist Roan in Bracks Kellergewölben gefangen. Er dehnt sich, streckt seinen schmerzenden Körper. Die Grille macht ihre Musik. Getröstet überlässt sich Roan dem Gesang. Und ein neuer Gedanke erwacht in ihm.
Als er nach seiner Vergiftung durch die Kriechlianen im Delirium lag, hatte er seinen Körper verlassen. Er hatte sich selbst und andere gesehen, ihre Gespräche gehört, während er unsichtbar über ihnen schwebte. Ob er sich wohl ein weiteres Mal von seinem Körper befreien kann, dieses Mal jedoch ganz bewusst?
Roan lehnt sich gegen die Wand und versucht daran zu denken, wie er geleuchtet hat. Zuerst ist da nur Schwärze. Aber er lässt sich nicht entmutigen. Er steckt seine Enttäuschung weg, konzentriert seinen Atem und schickt ihn wie einen Windstoß durch seinen Körper. Nach hundert Atemzügen blitzt ein Funke auf. Roans Gedanken wollen ihn festhalten, doch da verschwindet er wieder.
Eine Welle der Verzweiflung überkommt ihn. Aber dann, gestärkt vom Gesang der Grille, beginnt er erneut. Er konzentriert sich ganz auf die Luft, die in seine Lungen strömt. Eine Stimme spricht zu ihm. Ist es seine eigene? Eine fremde? Es spielt keine Rolle.
»Versuche nicht, ihn festzuhalten. Überlass ihn sich selbst.«
Die Schwärze, die Roan umgibt, bleibt schwer und lautlos. Nichts bewegt sich. Kein Licht. Aber er achtet weiter auf seinen Atem. Und wartet.
Noch ein Funke.
Diesmal überlässt Roan ihn sich selbst.

Aus einem Funken werden zwei, aus zwei werden vier, aus vier acht, immer schneller verdoppelt sich ihre Zahl, bis er ganz in strahlendes Licht gehüllt ist. Zugleich überkommt ihn ein unbeschreibliches Wohlbehagen, er fühlt sich mit allem verbunden, als träfe sich das Innen und das Außen auf seiner Haut.
Roan richtet seine Gedanken auf einen Punkt in der Mitte seines Kopfes, atmet und zieht das Leuchten in sich hinein. Es füllt seinen Kopf, tanzt hinter seinen Augen. Er atmet weiter und das Licht wirbelt durch seine Brust und macht ihn weit. Dann schießt das Leuchten seinen Rücken hinab, durch Beine und Füße und – er schwebt. Er hat seinen Körper verlassen. Er kann seinen Leib sehen, der in einer dunklen, schmutzigen Ecke liegt. Aber alles andere an ihm ist völlig verwandelt. Er ist Teil des Lichts.

Der Nachtisch

Hier kommt der Jabberwocky-Wagen und mit etwas Glück bist auch du dabei. In die Stadt wirst du fahren, mit dem Jabberwocky-Wagen. Willst du wissen, was für Überraschungen er für dich hat? Dann steig ein in den Jabberwocky-Wagen. Steig ein!

Weisheit der Geschichtenerzähler

In den Kleidern, die sie zum Kräutersammeln anzieht, und mit einem Rucksack auf dem Rücken spricht Alandra mit dem Torwächter.

»Unterwegs, um zu sammeln, Alandra? Gebt Acht, dass keine Bluttrinker herumschnüffeln und nach ihren Toten suchen. Ich rufe besser eine Wache, damit sie Euch begleitet.«

»Keine Angst. Der Statthalter selbst hat mir gesagt, dass es sicher ist.«

Der Torwächter lacht. »Die Kämpfer haben gestern saubere Arbeit geleistet.«

»Ja, aber zu viele sind verletzt. Meine Apotheke ist fast ganz geplündert.«

»Nun, dann macht Euch am besten gleich an die Arbeit.«

Roan schwebt über ihr. Er genießt es, unsichtbar zu sein, zugleich jedoch wünscht er, er könnte sich jemandem mitteilen.

Als sie den Roten Wald betritt, bleibt Alandra stehen und singt:

Bist du da? Wir müssen eilen.
Kannst nicht länger verborgen weilen.

Vor ihr hebt sich das Moos, und eine schmutzige Gestalt kriecht darunter hervor.
»Du bist schnell. Ich hätte nicht gedacht, dass du so bald nach dem Kampf kommen könntest.«
»Wo ist Lelbit?«
Beule schaut nach oben. Lelbit springt von einem der dünnen Äste herab.
»Ich bin froh, dass ihr beide wohlauf seid.«
Beule zuckt mit den Schultern. »Ich wäre schon längst tot, wenn ich nicht wüsste, wie man sich so versteckt, dass man nicht gefunden wird.«
Lelbit schnaubt.
»Okay, okay, ein paar von den Bluttrinkern haben mich entdeckt und Lelbit hat mir aus der Patsche geholfen.«
»Sind die Flöße fertig?«
Lelbit hebt einen Haufen Moos hoch, unter dem zwei Flöße liegen.
»Der Angriff der Bluttrinker hat unseren Zeitplan durcheinander gebracht«, sagt Beule. »Überhaupt ist es gar nicht so einfach. Sie müssen wasserdicht sein und eine Menge Gewicht tragen. Und an den Seiten müssen sie höher sein als in der Mitte.«
»Kannst du das nächste Floß allein herstellen? Ich brauche Lelbits Hilfe.«
»Hat man Roan erkannt?«, fragt Beule besorgt.
»Ja.«
Lelbit verzieht das Gesicht, aber bevor sie noch einen Schritt tun kann, hält Alandra sie am Arm fest.
»Ich weiß, wo er ist. Du kannst durch das Wasserwerk dorthin gelangen.«
Roan, der über ihnen schwebt, schmunzelt. »Nein, das weißt du nicht, Alandra. Oder nur zum Teil.«

»Ich habe einen Plan«, fährt Alandra fort, hält jedoch inne, als sie das Dröhnen eines Motors vernimmt. Alle drei eilen zu einer versteckt liegenden Anhöhe. Von hier aus haben sie eine gute Sicht auf die Straße, die nach Fairview führt. »Zu früh«, seufzt Alandra.

Roan erkennt ihn sofort.

»Saint«, sagt Alandra schaudernd.

Lelbit legt einen Pfeil in ihren Bogen ein.

Alandra hält sie ab. »Nein, wir haben zu viel zu tun. Wir dürfen jetzt nicht den Zorn der Freunde auf uns ziehen.«

Hinter Saint folgen zehn Brüder zu Pferd. Und am Ende der Kolonne kommt ein Wagen angerattert. Beule reißt entsetzt die Augen auf. »Ich habe gehört, dass es noch einige Autos gibt, wollte es aber nicht glauben.«

Der Jabberwocky-Wagen.

»Er kommt um die Kinder zu holen«, flucht Alandra, als der Wagen an ihnen vorbeifährt. Auf die Seitenwand ist ein auf der Spitze stehendes Dreieck mit einem Kreis darüber gemalt. Genau dieses Zeichen hat die kleine Marla gemalt, denkt Roan, und ein weiteres ist auf meinem Verband. Nur dass auf dem Wagen noch eine riesige Zunge zu sehen ist, die an dem Kreis leckt. Da Roan jetzt nicht sprechen kann, ist er froh, dass Beule die Frage stellt, die auch ihm unter den Nägeln brennt.

»Was hat diese Zeichnung zu bedeuten?«

»Eiscreme«, seufzt Alandra. »Die Kinder glauben, der Jabberwocky-Wagen ist voll mit Eiscreme.«

Als Alandra nach Fairview zurückkommt, werden Saint und seine Begleiter gerade herzlich von Brack und Bruder Rabe willkommen geheißen. Die Freunde, die Saint begleitet haben, umringen ihn, während die Bewohner der Stadt, die sich vollzählig eingefunden haben, das außergewöhnliche Motorrad bewundern.

Von oben bemerkt Roan die dunkle Narbe, die sich von Saints Ohr bis in den Nacken zieht. Aber der Prophet wirkt so stark und

überlegen wie immer. Roan wird vom Geschrei der Kinder abgelenkt, die auf Alandra zulaufen.
»Er ist da«, ruft Lona und platzt beinahe vor Aufregung.
»Wann kriegen wir endlich unser Eis, Alandra?«, ruft Bub.
»Ich weiß es nicht.«
»Ich will jetzt gleich gehen«, heult Lona.
Alandra fasst das kleine Mädchen bei den Schultern. »Keine Sorge. Aber vorher müssen wir noch ein paar Kleinigkeiten erledigen.« Sie ruft die Kinder ganz nah zu sich und flüstert: »Hört gut zu, was ich euch sage. Wenn ihr heute in eure Zimmer zurückgeht, dann möchte ich, dass ihr alle warme Kleidung in eure Rucksäcke steckt.«
»Sie haben aber gesagt, dass wir gar nichts brauchen«, sagt Bub.
»Ja«, stimmt Gip zu. »Wir kriegen alles von unseren neuen Eltern.«
»Alles neu und schön«, piepst Lona.
»Ich weiß«, sagt Alandra und setzt eine fröhliche Miene auf. »Aber es ist eine lange Reise, und als eure Heilerin muss ich darauf achten, dass ihr euch nicht erkältet. Sagt es auch den Neuen. Wenn euch irgendjemand deswegen auslacht, dann erklärt ihr ihm, dass es die Heilerin befohlen hat.«
»... die Heilerin befohlen hat«, wiederholt Lona feierlich.
»Alandra! Hier ist jemand, den du kennen lernen musst!«, ruft Brack.
Roan beobachtet, wie Alandra sich trotz des geplanten Verrats den Anschein von Gelassenheit gibt.
»Alandra, komm und begrüße den Propheten des Freundes.«
Saint strahlt. »Das ist also die Heilerin, die Roan gerettet hat.«
Alandra ergreift seine ausgestreckte Hand.
»Danke«, sagt Saint. »Roan bedeutet mir sehr viel.«
Roan bemerkt, dass Alandra von diesem Zeichen der Zuneigung überrascht ist. Saint wirkt äußerst überzeugend, seine Worte klingen offen und ehrlich. Es ist schwer zu glauben, dass er tödliche Absichten hegt.

»Entschuldige, aber ich kann es kaum erwarten, mit meinem Schüler zu sprechen. Leistest du uns heute Abend beim Essen Gesellschaft?«

»Es ist mir ein Vergnügen«, antwortet Alandra.

»Ausgezeichnet.« Saint lächelt und macht sich dann mit dem Statthalter auf zum Weinkeller.

Eilig kehrt Roan in seinen Körper zurück. Als er in ihn hineingleitet, fühlt er die plötzliche Schwere. Roan wird von den Ketten zu Boden gezogen, die von der Wand baumeln und seine Handgelenke und Knöchel umschließen.

Saint betritt das Verlies. Solange Roan eins mit dem Licht war, war er frei von Gefühlen. Doch nun, in Saints Gegenwart, hämmert das Blut in seinen Schläfen.

»Hallo, kleiner Bruder. Wir haben uns schon lange nicht mehr gesehen.«

Roan schweigt.

»Hast du mir nichts zu sagen?«

»Tut mir Leid um das Motorrad.«

»Das war viel einfacher zu ersetzen als das, was du mir sonst noch genommen hast.«

»Und das wäre?«

»Mein Vertrauen in dich. Du hast mich vor allen meinen Leuten beleidigt. Du hast den Freund selbst beleidigt.«

»Den Freund habt Ihr erfunden. Alles ist Erfindung. Ich habe den Beweis mit eigenen Augen gesehen.«

Einen Moment lang ist Saint verblüfft. Dann begreift er und nickt. »Ist das alles?«, fragt er. »Ja, ich habe ein Buch gefunden. Aber erst, nachdem der Freund sich mir auf dem Berg offenbart hat. Diese Offenbarung gab es wirklich. Ich habe Seine Worte gehört. Ich bin Sein Prophet. Das Buch hilft mir diese Erfahrungen besser zu verstehen.«

Roan forscht im flackernden Licht in Saints Augen, er versucht die Wahrheit in ihnen zu erkennen. Aber es ist unmöglich.

»Die Stadt will dich, Roan. Die Meister haben mir mit dem Tod gedroht, wenn ich dich nicht zu ihnen bringe. Du und deine Schwester, ihr beide würdet ihnen uneingeschränkte Macht verleihen.« Er senkt seine Stimme. »Roan, mit dieser Macht könnte der Freund ihrem Wahnsinn ein Ende bereiten. Komm mit mir. Zusammen könnten wir den Grenzländern Gerechtigkeit bringen.«

»Aus welchem Grund sollte ich annehmen, dass Ihr andere Absichten habt als die Stadt?«

»Die Stadt ist böse, Roan. Du hast dich davon überzeugt. Sie möchte uns alle zu Sklaven machen. Ich habe mit eigenen Augen die schrecklichen Dinge gesehen, die sie den Menschen zufügt.«

»Den Kindern zufügt, wollt Ihr sagen. Und Ihr helft noch dabei.«

Saint verzieht das Gesicht. »Roan, der Freund will, dass diese Schreckensherrschaft ein Ende hat. Ich will, dass diese Schreckensherrschaft ein Ende hat. Gerade in diesem Moment trifft Bruder Wolf in unserem Lager die Vorbereitungen. Schließ dich uns an, Roan.«

Roan blickt ihn wütend an. »Wurden die Kinder von Longlight auch verkauft?«

Saints Augen verraten einen Aufruhr der Gefühle. »Du hast Kira getroffen. Du warst in meiner leeren Wohnung. Wir alle müssen Opfer bringen, mein Bruder. Auch ich musste Opfer bringen.«

»Das habt Ihr Euch selbst zuzuschreiben, Bruder Saint.«

Saint lächelt wehmütig. »Halte zu mir. Halte zum Freund, Roan. Kaiser Qin Shi hat eine Nation gegründet, die mehr als zweitausend Jahre währte. Er musste seine Mauer bauen und wir müssen unsere Mauer bauen. Wir werden Opfer bringen müssen. Aber das ist der Preis der Freiheit.«

»Kaiser Qin Shi war ein Tyrann. Sein Volk litt unter seiner Herrschsucht.«

»Aber die Einigkeit, die er schuf, gab seinem Volk die Stärke, die es zum Überleben brauchte.«

»Eine Stärke, die immer auf Kosten des Volkes ging.«

Saint rückt näher an Roan heran, in seinen Augen ist Verzweiflung zu lesen. »Die Stadt hat mich schon einmal ausgeschickt um dich zu holen. Damals habe ich dich beschützt. Eine zweite Chance werde ich nicht bekommen.«

»Warum macht Ihr dann nicht einen Schnitt hinter meinen Ohren und spritzt die Droge ein? Von Rabe weiß ich, dass Ihr sie mitgebracht habt. Ich weiß, wie sie wirkt.«

»Rabe«, stößt Saint verächtlich hervor. »Nichts würde er lieber tun. Aber ich möchte einen Verbündeten, keinen Automaten.«

»Ich werde niemals Euer Verbündeter sein.«

Saint packt Roan am Hemd und im selben Augenblick macht Roan einen Satz auf ihn zu. Er wirft die Kette, mit der seine Hand gefesselt ist, über Saints Kopf und zieht sie am Hals zu. »Das ist für meine Mutter, für meinen Vater, für meine Tanten, Onkel, Freunde.« Saint schlägt um sich, aber Roan, vom Wunsch nach Rache übermannt, zieht die Kette nur noch fester. »Du ... hast ... sie ... alle ... getötet.«

Wenn du ihn tötest, bist du auch nicht anders als er.

War das seine Stimme? Von wem kamen diese Worte?

Der kurze Moment des Zögerns reicht aus. Saint erkennt seine Chance. Er versetzt Roan einen so heftigen Schlag auf den Kopf, dass dieser die Kette loslässt.

Saint spricht sehr ruhig. »Ich habe keine Wahl, Roan. Keiner von uns hat eine Wahl. Entweder du hilfst mir oder wir sind beide tot.«

Roan antwortet nicht.

Saint hebt seine Lampe vom Boden auf. »Wir verlassen Fairview morgen früh«, sagt er und schlägt die Tür hinter sich zu.

Aufgewühlt bleibt Roan zurück um im Dunkeln über sein Schicksal nachzudenken. Die Aussicht, zwischen zwei Übeln wählen zu müssen, macht ihm Angst. Genau so ist es Alandra ergangen; sie musste mit ansehen, wie ein Kind nach dem anderen in den sicheren Tod geschickt wurde, und auf die Gelegenheit warten, einige wenige zu retten. Auch wenn Saint sich auf höhere Ziele beruft, so hat er um dieser Ziele willen schon zu viele Menschen getötet.

Wessen Stimme es auch gewesen sein mag, Roan ist froh, dass sie ihn zurückgehalten hat, sonst hätte er die gleiche Schuld auf sich geladen.

Er braucht sehr lange, um sich zu beruhigen, aber schließlich findet Roan zu seinem Atemrhythmus zurück und gleich darauf schwebt er frei und lauscht Alandras Stimme.

»Das Essen war hervorragend, Yasmin, wirklich köstlich. Und wie ich höre, gibt es heute zum Abendessen meinen Lieblingskuchen.«

Die Köchin lächelt stolz und rührt in einem großen Topf mit Eiercreme in der dampfigen Küche. »Das stimmt, meine Liebe. Und heute muss er besonders gut werden, denn der Prophet ist da. Vor vielen Jahren hatte ich schon einmal die Ehre, für ihn zu kochen. Damals hat ihm mein Kuchen besonders gut geschmeckt.«

»So wie ich dich kenne, birgt das Rezept einige Geheimnisse.«

»Oh ja. Es ist schön, für einen verwöhnten Gaumen zu kochen. Für gewöhnlich verschwende ich meine Zeit, denn die meisten anderen interessiert nur das«, brummt Yasmin und deutet auf ein großes Weinfass in der Vorratskammer.

Alandra nickt mitfühlend und geht ein wenig näher an den Topf heran, im dem die Eiercreme vor sich hin köchelt. Mit verklärter Miene riecht sie daran. »Darf ich mal probieren?«

Yasmin kichert. »Dabei ist mein Flankuchen ja noch gar nicht fertig.«

Sie taucht einen Löffel in den Topf, bläst einmal kurz und hält den Löffel an Alandras Lippen.

»Mhmm, himmlisch«, murmelt Alandra, nachdem sie gekostet hat. »Obwohl ... Entschuldige, wenn ich das sage, Yasmin, aber fehlt nicht noch etwas?«

Yasmin nickt betrübt. »Ich weiß, aber ich kann nichts machen.«

Alandra zieht ein kleines Päckchen aus der Tasche. Yasmin reißt die Augen auf.

»Wo hast du das her?«

Alandra lächelt und hält Yasmin die Wunderzutat unter die Nase.

»Vanille! Du hast Vanille für mich! Woher hast du die?«
»Das bleibt mein Geheimnis. Ich denke, es sollte reichen.«
Yasmin wickelt die wertvolle Stange aus, schlitzt sie mit dem Messer auf und schwenkt sie in der warmen Masse. »Du bist wundervoll! Vielen Dank!«
Voller Begeisterung stürzt sich die Köchin wieder in ihre Vorbereitungen und so kann Alandra unbemerkt in die Vorratskammer huschen. Sie zieht den Korken aus dem Weinfass, kippt den Inhalt eines kleinen Fläschchens hinein und verschließt das Fass wieder. Dann ruft sie Yasmin einen Abschiedsgruß zu und geht.
Ihr nächstes Ziel ist die Wasseraufbereitungsanlage. Sie setzt ihr freundlichstes Lächeln auf, um Meister Vorn, den hünenhaften düsteren Aufseher zu begrüßen.
»Es tut mir Leid, wenn ich Euch störe, Meister, aber ich bin gekommen, um Wasser für die Reise der Kinder zu holen.«
»Diesen Auftrag darf nur das Kinderheim erteilen.«
»Normalerweise, ja. Aber weil die Gruppe so groß ist, vierzehn Kinder, wisst Ihr, bin ich beauftragt worden, mich um die Transportvorbereitungen zu kümmern. Ich brauche Wasser für sieben Tage.«
Wasser, um es auf die Flöße mitzunehmen, errät Roan.
»Also gut, weil Ihr es seid, Alandra …«
»Ach, beinahe hätte ich es vergessen. Ich habe noch mehr von dem Eisenkraut mitgebracht, dass ich Euch verordnet habe.«
Vorn schaut sie verlegen und erleichtert zugleich an.
»Oh, vielen Dank, Miss Alandra, vielen Dank. Gebt mir nur ein paar Minuten Zeit, dann könnt Ihr das Wasser mitnehmen.«
Sobald er gegangen ist, huscht Alandra zu dem großen Ausflussrohr. Sie findet die Öffnung, eine kleine Klappe auf dem Rohr, durch die man eine Pipette einführen kann, um die Wasserqualität zu prüfen. Sie holt einen Schraubenschlüssel aus ihrer Tasche und dreht die Mutter auf. Roan muss hilflos zusehen, wie der Aufseher zurückkommt. Aber offenbar hat auch Alandra die Schritte gehört, denn sie versteckt hastig ihr Werkzeug.

»Wie war das noch gleich, Flaschen oder Kanister?«
»Flaschen, bitte.«
»Es wird etwas dauern, bis ich den Wagen beladen habe.«
»Es macht mir nichts aus zu warten, Meister Vorn. Ich habe mich schon immer gerne in diesem beeindruckenden Wasserwerk umgeschaut.«
Vorn wird rot und geht weg.
Mit einer weiteren Drehung der Schraube ist die Klappe geöffnet. Alandra holt einen Beutel hervor und kippt den Inhalt in die Wasserleitung. Sie schließt den Verschluss und dreht die Mutter wieder fest, nur Sekunden bevor Meister Vorn zurückkehrt.
Alandra dankt dem Aufseher für seine Mühe und zieht den großrädrigen Wagen hinter sich her. Roan weiß, die Straße vom See führt immer leicht bergab bis zu Alandras Haus, deshalb ist er nicht überrascht, dass sie ohne Pause weitergeht.

»Alandra, meine Liebe, wie geht es dir?«, begrüßt sie Hausmutter Fligg mit übertriebener Freundlichkeit.
»Danke der Nachfrage, alles ist bestens.«
»Wer hätte das gedacht? So ein netter Bursche, dieser Korr. Meine kleinen Lieblinge haben ihn sehr gemocht. Und du hast die ganze Zeit über mit ihm unter einem Dach gewohnt.«
»Man kann sich in Menschen sehr täuschen«, sagt Alandra. »Sprechen wir von etwas Angenehmerem.«
»Der Fahrer des Jabberwocky-Wagens hat darum gebeten, dass die Kinder diesmal vor der Fahrt nichts trinken sollen.«
Die Matrone nickt. »Das ist sehr vernünftig, die Körperflüssigkeiten und alles. Ich wundere mich, weshalb man nicht schon früher daran gedacht hat. Ich werde seine Anweisungen genauestens befolgen.«
Hinter ihrer höflichen Fassade, das weiß Roan, möchte Alandra am liebsten losschreien. Wenn wir es schaffen, lebend hier wegzukommen, überlegt Roan, kann ich vielleicht etwas von ihrer Selbstbeherrschung lernen.

Als Alandra zu Hause ankommt, steht Lelbit am Herd und rührt einen Kräutersud, der in einem großen Topf vor sich hin kocht. Sobald die Flüssigkeit abgekühlt ist, hilft ihr Alandra dabei, große, weiße Tücher darin einzuweichen, die sie anschließend zum Trocknen auf den Dachboden hängen.
Alandra hebt ein Dielenbrett an. Darunter liegen Roans Rucksack und andere Habseligkeiten. Sie nimmt das Mondschwert heraus; das Licht blitzt auf den scharf geschliffenen Klingen.
»Sorge dafür, dass er das Schwert bekommt.«
Lelbit nickt ernst. Und wieder spürt Roan, dass sein Schicksal untrennbar mit dieser Waffe verbunden ist.

Der Abend bricht schon an, als sich Alandra der Unterkunft der Krieger nähert. In vielen Häusern von Fairview sind die Lichter aus und die Menschen halten auf der Veranda ein Nickerchen. Als sie die Tür einen Spaltbreit öffnet, schwebt Roan höher und sieht die Söldner verstreut am Boden liegen. Noch halb geleerte Weinkrüge in den Händen, schlafen sie tief und fest. Was auch immer Alandra in ihren Wein gemischt hat, es tut seine Wirkung. Zufrieden schließt sie die Tür und geht zu Brack.
»Alandra!«, ruft der Statthalter, als er sie erblickt. »Das Essen ist schon aufgetragen.«
»Tut mir Leid, ein Notfall bei einem meiner Patienten.«
»Ihr seht hinreißend aus«, murmelt der Vogelmann. Als er Alandra im Sitzen mit einem Kopfnicken begrüßt, fällt sein Kopf vornüber und er schläft ein.
»Übt Nachsicht mit Bruder Rabe«, bittet Saint und nimmt Alandras Hand. »Er hat vom Wein der Krieger getrunken und dabei zu tief ins Glas geschaut.«
Rabes Unpässlichkeit lässt nur noch Brack, Saint und zehn Freunde am Tisch zurück. Noch hat sich keiner Wasser aus dem Krug eingeschenkt. Während des Essens bleibt Alandra gefasst, sie erweckt sogar den Anschein, als genieße sie die Unterhaltung.
Als der letzte Gang abgetragen ist, nimmt Alandra all ihren

Mut zusammen und beginnt Saint zu umgarnen. »Ich habe so viel von Euch gehört. Es ist bewundernswert, was Ihr alles erreicht habt.«
»Nicht ich habe das erreicht, sondern der Freund. Alles was ich tue, tue ich in Seinem Namen. Ich bin nur Sein Bote.«
»Und wenn man Euch den köstlichen Kuchen von Köchin Yasmin anbietet, esst Ihr ihn dann auch in Seinem Namen?«
Saint starrt sie an. Brack wird blass. Niemand spricht, alle warten gespannt, wie der Prophet auf diesen Frevel reagieren wird. Nach einem Augenblick gespannter Stille bricht er in Lachen aus und alle im Raum lachen mit.
»Nein, meine Schöne. Ich esse für mich selbst, aber ich danke dem Freund dafür.«
Alandra lächelt und erhebt sich. »Dann entschuldigt mich. Ich gehe in die Küche und sehe nach, wann die Nachspeise kommt.«
Yasmin und alle vier Küchenhelfer sitzen am Tisch und schlafen. Ein Tablett mit angerichteten Kuchentellern steht bereit. Alandra holt ein kleines Röhrchen aus ihrer Tasche und schluckt den Inhalt. Ein Gegenmittel gegen die »Vanille« im Kuchen, vermutet Roan. Sie nimmt das Tablett und verlässt die Küche.
»Ich habe die Ehre, den Herrschaften den Nachtisch zu servieren«, kündigt Alandra an und stellt jedem der Männer mit einem leutseligen Lächeln einen Teller hin. »Die Köchin hat dies eigens für den Propheten zubereitet.«
Aber weder Saint noch einer der Brüder rührt die Nachspeise an. Saint lächelt ein wenig unbeholfen. »Ich möchte Eure großartige Köchin nicht beleidigen, aber seit einiger Zeit vertrage ich solche schweren Speisen nicht mehr so gut. Aus Rücksicht verzichten auch meine Männer darauf.«
Alandra lächelt höflich. »Ich bewundere ihre Loyalität, aber es wird Yasmin das Herz brechen, wenn ihr Versuch, Euch eine Freude zu machen, fehlschlägt. Eine solche Köstlichkeit ist auch eine Ehre für den Freund. Probiert wenigstens ein kleines Stückchen, sodass die anderen auch etwas davon haben.«

Saint lässt sich erweichen und isst einen Löffel voll. Brack und die anderen folgen seinem Beispiel. Saint schnuppert an seinem Teller. Leckt die Lippen. Und isst noch einige Bissen. Nun langen auch alle anderen zu, und es dauert nicht lange und ihre Teller sind leer. Saint lehnt sich zurück und klopft sich auf den Magen. »Entschuldigt, aber ich kann nicht mehr.«

»Ihr müsst Euch nicht entschuldigen. Ihr habt Yasmins Mühen ausreichend gewürdigt«, sagt Alandra. Roan fragt sich, ob der Prophet genug davon gegessen hat. Wie viel Zeit wird ihnen bleiben?

Plötzlich fällt Brack vornüber, betäubt von dem Kuchen. Saint schaut zuerst ihn an, dann Alandra.

»Der Statthalter muss aus dem gleichen Glas getrunken haben wie der Botschafter«, sagt sie mit einem Augenzwinkern.

Noch ehe sie ausgeredet hat, sacken die anderen Brüder einer nach dem anderen vornüber und fangen an zu schnarchen. Saint wirft Alandra einen finsteren Blick zu. Er springt von seinem Stuhl auf, wirft ihn dabei zu Boden und taumelt. Die Wirkung der Droge überwältigt auch ihn und er fällt wie ein Klotz vor ihre Füße.

Lelbit wartet bereits im Hintergrund. Alandra schaut sie an und nickt.

Die Flucht

Das ist das Rätsel seines Kommens. Obwohl Longlight unterging, ist er ein Sohn dieses Ortes. Und er wird sehen, was er niemals zuvor gesehen hat. Und jene, die ihn begleiten, werden seinen Traum teilen.

Das Buch von Longlight

Eine Tür fällt zu. Schritte. Schlüsselgeklapper. Die Tür der Zelle fliegt auf.

Roan lächelt. »Lelbit!«

Zielstrebig löst Lelbit Roans Fesseln, reicht ihm das Mondschwert und führt ihn hinaus.

Vor dem Kinderheim treffen sie auf eine völlig ratlose Alandra.

»Wir gehen nicht mit dir. Wir fahren mit dem Jabberwocky-Wagen!«, ruft Jaw.

»Ich dachte, wir bekommen Eiscreme!«, heult Lona.

»Wir gehen nirgendwohin, wir gehen nur mit dem Jabberwocky-Wagen, der uns zu unseren neuen Eltern bringt«, sagt Bub entschieden und setzt sich auf seinen Rucksack direkt neben die schnarchende Hausmutter Fligg.

Sobald sie aber Roan erspähen, springen alle Kinder auf und bitten ihn, mit ihnen zu spielen.

»Ruhe!«, übertönt er das Geschrei, und augenblicklich ist es still. »Zuallererst will ich euch sagen, dass ich in Wirklichkeit Roan heiße.«

»Ein schöner Name«, piepst Lona.
»Ich möchte euch woanders hin mitnehmen und nicht im Jabberwocky-Wagen.«
»Heißt das, wir bekommen kein Eis?«, fragt Bub.
»Richtig. Was man euch von dem Jabberwocky-Wagen erzählt hat, ist gelogen. Man hat diese Geschichte erfunden um euch zu fangen. Meine Freunde und ich wollen für immer von hier fortgehen und einen neuen Ort suchen, an dem wir leben können. Es kann gefährlich werden unterwegs. Vielleicht werden einige von uns verletzt. Aber wenn wir hier bleiben, wird man uns ganz sicher wehtun. Wollt ihr nun mit uns kommen?«
Einen Augenblick lang herrscht Totenstille. Roan spürt, wie ihre Blicke beinahe körperlich auf ihm lasten, spürt ihre geballte Kraft. Dann brechen die Kinder in Jubel aus. »Ja! Wir wollen mitkommen! Wir wollen mitkommen!«
»Gut. Wir müssen uns beeilen. Und denkt daran, ihr müsst sehr, sehr leise sein.«
Die Kinder nehmen ihre Rucksäcke und Roan führt die stille Prozession durch die verlassen wirkende Stadt. Sie gehen vorsichtig in dem hellen Mondlicht, achten auf jede Bewegung, jedes Geräusch. Einige der Kämpfer sind auf dem Gehweg eingeschlafen und die Kinder betrachten fasziniert die von Narben überzogenen Gesichter. Lelbit, die den Proviantwagen zieht, den sie von Alandras Haus geholt hat, scheucht sie wortlos weiter.
Das Stadttor vor ihnen ist verschlossen, die Wächter liegen daneben. Roan entfernt den eisernen Riegel, mit dem es gesichert ist. Während die anderen warten, öffnen er und Lelbit vorsichtig die wuchtigen Tore. Roan legt einen Finger auf die Lippen und gibt den Kindern ein Zeichen, ihm durch das Tor zu folgen. Die Gruppe setzt sich in Bewegung um gleich darauf zu erstarren.
»Alandra!«
Jemand packt sie am Handgelenk. Alandra wird blass. »Es ist zu spät zum Hinausgehen«, murmelt der Wächter, der am Boden zusammengesackt ist.

Alandra beugt sich zu ihm. »Ich weiß«, sagt sie leise, »aber es ist schon in Ordnung. Schlaf jetzt. Schlaf.«
Der Mann seufzt tief, das Kinn fällt ihm auf die Brust. Alandra nickt Roan zu, der die Kinder hinausführt.
Draußen angelangt, laufen die Kinder so schnell, wie sie nur können.
»Wie haben nicht viel Zeit«, flüstert Alandra Roan zu, als sie sich dem See nähern.
Roan dreht sich zu den Kindern um. »Wir sind bald da«, sagt er. »Seht ihr meinen Freund dort unten am Wasser? Wer ist als Erster dort?«
»Ich! Ich! Ich!«, schreien die Kinder und rennen auf Beule zu. Am Strand, wo Beule die Flöße festgemacht hat, hüllt Alandra die Kinder in die vorbereiteten Tücher, während Roan, Beule und Lelbit Essen, Wasser und Vorräte aufladen.
»Die Tücher schützen eure Haut, damit das Gas aus dem See sie nicht verbrennt«, erklärt Alandra. »Ihr müsst in diesen Tüchern bleiben, sogar eure Gesichter bedecken, bis Roan euch sagt, dass keine Gefahr mehr besteht und ihr sie ablegen könnt.« Sie schaut Roan sorgenvoll an.
Sie drehen sich noch einmal um und werfen einen letzten Blick auf Fairview. Irgendwo in der Ferne flackert ein Licht.
»Jetzt alle Mann an Bord«, befiehlt Roan.
Beule übernimmt die erste Gruppe von Kindern, Alandra und Lelbit die zweite. Roan folgt ihnen mit der letzten Gruppe. Sie staken mit langen Rudern, die Beule aus gespreizten Baumstämmen hergestellt hat, durch das flache, glucksende Wasser; sie stoßen die Flöße mit aller Kraft ab und treiben hinaus auf den See.
Sie sind noch nicht weit gekommen, als sie ein unheilvolles Geräusch hören. Das Dröhnen eines Motors: Saints Motorrad. Roan dreht sich um. Ja, es ist Saint, und die Brüder folgen ihm zu Pferd. Bald haben sie den Strand erreicht.
»Komm zurück!«, brüllt Saint, seine Stimme donnert über das Wasser. »Komm zurück, Roan. Du bringst sie alle in Gefahr!«

Roan hört, wie Lona weint, und er ruft den Kindern zu: »Habt keine Angst! Wickelt euch fest in eure Tücher ein, und alles wird gut werden!«
Die Kinder verstummen und beruhigen sich, aber Roan ist sich nicht sicher, ob er sein Versprechen halten kann. Speere surren auf sie zu. Sie verfehlen sie knapp und stürzen mit einem Zischen in das ätzende Wasser.
Ehe die Brüder erneut ihre Speere auf sie schleudern können, legt Lelbit den Bogen an und schießt mehrere Pfeile ab. Einer der Brüder stürzt zu Boden, ein anderer greift sich an die Brust. Gleich darauf fallen zwei weitere Brüder.
Roan blickt zum Ufer zurück. Saint und seine Männer haben begonnen Äste abzuhacken. In einem halben Tag werden ihre Flöße fertig sein und dann werden sie voller Kraft die Verfolgung aufnehmen.
»Wir müssen so viel Vorsprung wie irgend möglich gewinnen«, sagt er zu den anderen. »Sie werden bald nachkommen.«
Sie umrunden eine Landzunge und der ganze See liegt vor ihnen. Er ist ein Meer aus giftigem, stinkendem Wasser. Kein Ufer ist in Sicht. Roan bemerkt, wie sich die Schneegrille in seiner Tasche bewegt. Er setzt sie in seine ausgestreckte Hand und wartet geduldig. Nach wenigen Augenblicken schaut sie nach Norden.
»Die Grille weist uns diesen Weg«, sagt Roan und deutet über das Wasser auf den Horizont.
Die Flöße sind stabil und tragen ihre Fracht mühelos. Und so rudern sie ohne Pause, gleichmäßig und stetig. Aber ihre schwimmenden Gefährte sind alles andere als stromlinienförmig, zudem müssen sie Wasserspritzer vermeiden, daher kommen sie nur langsam voran.
Als der Mond aufgeht, ist es windstill und der See liegt ruhig da. Die drei Flöße rudern näher aneinander heran und Lelbit bindet sie zusammen. Brot, Käse und Wasser werden herumgereicht, die Kinder essen und trinken unter ihren schützenden Tüchern. Die

vier Anführer beschließen sich abzuwechseln; während zwei von ihnen schlafen, halten die anderen beiden Wache.
Die Kinder finden keine Ruhe. Die Aufregung lässt sie immer wieder aufwachen und eines nach dem anderen schaut verstohlen unter den schützenden Laken hervor.
»Ihr solltet längst schlafen«, ermahnt sie Roan, doch sein Versuch, streng zu klingen, scheitert kläglich. Im Nu strecken alle Kinder die Köpfe aus den Decken.
»Ich kann nicht schlafen.«
»Ich auch nicht«, sagt Bub.
Roan stimmt ein Schlaflied an um sie zu beruhigen; fast schon hat er vergessen, wie man das macht. Seine Mutter hat ihm dieses Lied vor vielen Jahren gesungen.

Weit überm Meer, wo das Wasser so tief,
hoch überm Berg, wo die Felsen so steil,
dort wirst du sehen,
dass Träume nie vergehen,
wenn im Herzen du sie bewahrst.

Während er singt, blickt Roan zum Sternenhimmel auf. Er denkt an die unendlichen Galaxien, die ihm das Wiegenlied wieder in Erinnerung brachten. Und er fragt sich, ob sich seine Mutter je hätte vorstellen können, was er in dieser Nacht tut.

»Frühstück!«, ruft Beule, der zusammen mit Lelbit gerudert ist, seit die beiden die Schicht übernommen haben.
Während sie essen, unterhält Beule die Kinder mit Fingerspielen. Sie staunen über seine Narben und fragen ihn ohne Ende über sein Leben und Lelbit aus. In der Zeit, in der sie sich ausruhen kann, holt Lelbit Stoffbündel aus ihrem Rucksack hervor und umwickelt ihre Pfeile mit kleinen Streifen. Roan fängt ihren Blick auf. Sie haben eine gemeinsame Vorahnung, und Roan ist froh, dass Lelbit einen Weg gefunden hat sich vorzubereiten.

Die kurze Verschnaufpause ist vorüber, sie trennen die Flöße und paddeln weiter.
Das Erstaunlichste bei dieser Reise sind die Kinder. Auf den kleinen Flößen zusammengepfercht, wo man ihnen verboten hat, die schützenden Tücher abzunehmen, wo sie weder laufen noch springen dürfen, könnte leicht Missmut aufkommen. Aber jedes Mal, wenn sie unruhig werden, genügt ein Wort von Roan. Er zeigt ihnen, wie sich das Mond- und Sonnenlicht im Wasser bricht, zeigt ihnen Wolkenbilder, die wie wilde Tiere aussehen, den Flug eines Seevogels, der in die Höhe steigt, und sofort sind sie zufrieden.
Sie rudern drei Tage lang, tagsüber binden sie die Flöße auseinander, nachts binden sie sie mit Tauen zusammen. Am Nachmittag des vierten Tages bemerkt Lona als Erste, dass sich das Wasser verändert hat.
»Merkst du es nicht? Es stinkt nicht mehr.«
Beule beugt sich dicht über die Wasseroberfläche, dann schaut er seine Freunde an. »Ich würde nicht wagen, es zu trinken, aber ich glaube nicht, dass es noch verätzen kann.« Er bricht ein Stück Brot ab und wirft es in das Wasser. Das Brot löst sich nicht auf, sondern tanzt auf den Wellen.
»Schau! Ein Fisch!«, ruft Jaw erfreut.
Die Kinder recken die Hälse. Kein Zweifel: Ein Karpfen knabbert an dem Brot.
Im Wasser hier gibt es Leben. Roan und Alandra blicken sich erleichtert an. Was sie im Traum gesehen haben, ist also wahr. In der Ferne erkennen sie das Ufer, dahinter eine Hügelkette.
Auf Alandras Ruf »Tücher ab!« brechen die Kinder in Jubel aus, strecken und räkeln sich in der Sonne. Aber ihre Freude ist nur von kurzer Dauer.
Ein Floß nähert sich ihnen mit großer Geschwindigkeit. Roan erkennt mehrere Männer, die im Gleichschlag rudern und sehr schnell vorankommen. Ein anderer steht aufrecht da und hat eine schwere Armbrust angelegt. Mit einem schrillen Heulen zischt

sein Pfeil durch die Luft, genau auf Roan zu. Roan duckt sich, aber zu spät: Er ist getroffen. Lelbit antwortet mit einem Pfeil, der sein Ziel nicht verfehlt. Der Schütze und seine Armbrust fallen über Bord.

Die Kinder starren Roan hilflos an. Der Pfeil hat seinen Arm durchbohrt.

Roan bemüht sich ein Lächeln aufzusetzen. »Mir geht es gut, macht euch keine Sorgen. Denkt für mich an etwas Schönes, ja?«

Lelbit taucht einen stoffumwickelten Pfeil in ein Glas mit einer teerähnlichen Masse, dann entzündet sie ihn mit einem Funken, den sie aus einem Feuerstein schlägt. Sie spannt den Bogen und schießt den Pfeil auf das sich schnell nähernde Floß. Er trifft die dürren Stämme, die augenblicklich zu brennen anfangen. Während die Brüder das Feuer zu löschen versuchen, schießt sie einen Pfeil nach dem anderen ab, bis das ganze Floß in Flammen aufgeht. Auch die Kleider der Brüder brennen, und so bleibt ihnen nichts anderes übrig, als ins Wasser zu springen.

Beule bindet die Flöße zusammen, damit Alandra sich um Roan kümmern kann, während er und Lelbit auf das Ufer zurudern, das nun schon in Sichtweite ist.

Alandras Finger tasten die Wunde ab. »Der Knochen ist nicht getroffen.« Sie reißt einen Stoffstreifen aus ihrem Gewand und bindet Roans Arm in Schulterhöhe ab. Mit warnendem Blick befiehlt sie: »Halt still!« Roan hält den Atem an, als sie das mit Federn versehene Ende des Pfeils abschneidet. Mit einem scharfen Ruck zieht sie den Rest des Pfeilschafts heraus.

»Der Pfeil ist glatt hindurchgegangen«, sagt Alandra. Mit einem merkwürdig fragenden Blick lenkt sie Roans Aufmerksamkeit auf die Kinder. Die Jungen und Mädchen starren gebannt auf seine Wunde. Er hat sie gebeten, an etwas Schönes zu denken, und sie haben seine Bitte sehr ernst genommen.

»Roan«, sagt Alandra verblüfft, »die Wunde hat schon zu heilen begonnen.«

Die Kinder springen als Erste auf den warmen weißen Sand. Sie fallen übereinander her um ihre vier Tage währende Gefangenschaft in einem Ausbruch von Springen, Hüpfen, Raufen, Toben und Herumwühlen zu vergessen. Während die anderen drei die Flöße entladen, hält Roan am See Ausschau. Er weiß, sie haben Saint und die Brüder noch nicht abgeschüttelt. Diejenigen, die überlebt haben, werden ihnen sicherlich folgen.
Nachdem sie alles ausgeladen haben, ruft Roan den spielenden Kindern zu: »Ich brauche euch!«
Sofort kommen alle herbeigelaufen. Lona ist die Letzte, sie hatte sich in den weißen Sand eingegraben.
»Was sollen wir machen?«, fragen Bub und Jaw gleichzeitig.
»Als Erstes müssen wir wieder unsere Rucksäcke nehmen und unsere Wassersäcke aus den großen Kanistern auffüllen.«
Die Kinder stürzen sich auf ihre Arbeit und nach wenigen Minuten warten sie auf Roans nächste Anweisung. »Seht ihr diese Hügel? Wir müssen es irgendwie schaffen, da hinüberzukommen. Wer von euch zuerst den Weg findet, darf auf meinen Schultern reiten.«
Die Jüngsten kreischen vor Freude und alle stürzen los. Die muntere Horde kämpft sich durchs Gebüsch, rennt vorwärts und zurück, dann kommen sie zusammen, setzen sich und blicken suchend um sich.
Die kleine Lona steht schließlich auf und geht am Rande eines Felsens entlang. Mit einem Mal bleibt sie stehen und beginnt zu hüpfen. Bub und Jaw gesellen sich zu ihr, nehmen sie bei den Händen und sie hüpfen zusammen, immer wieder, bis die drei plötzlich verschwunden sind.
Voller Angst rennt Beule zu der Stelle, die anderen folgen ihm.
»Wir sind hier unten!«, ruft Bub vom Grund einer breiten Spalte, die im Felsen klafft. »Von hier aus kann man auf die andere Seite gehen.«
Beule mustert Roan. »Hast du gewusst, dass sie diesen Durchgang finden würde?«

»Ich hatte so eine Ahnung.«
Beule schüttelt den Kopf. »Gut. Davon brauchen wir noch einige mehr, bevor der Tag zu Ende geht.«
Während Alandra die Kinder durch den tunnelartigen Spalt unter dem Felsen hindurchführt, bemühen sich die anderen, alle Anzeichen ihrer Landung zu tilgen. Sie zerstören die Flöße und glätten den Sand, um ihre Fußspuren zu verwischen.
Mit Hilfe von dünnen Stöcken und Gras flechten sie eine Abdeckung für den Felsspalt, auch wenn ihnen klar ist, dass nichts die über Jahre gewachsene natürliche Tarnung ersetzen kann. Das Resultat ihrer Bemühungen ist bestenfalls eine Notlösung, aber mit etwas Glück verschafft es ihnen ein wenig Zeit.
Als sie das andere Ende des Tunnels erreichen, lässt Roan den Blick über die drohend in den Himmel ragenden, zerklüfteten Berge gleiten, die vor ihnen liegen.
»Für mich ist das Traumfeld Poesie«, sagt Alandra, die zu ihm getreten ist. »Die Melodie der Wahrheit klingt in ihr, aber ich kann sie nicht festhalten. Nicht so wie du.«
»Ich erinnere mich zwar, welchen Weg wir einschlagen müssen, das ändert aber nichts daran, dass es ein riskantes Unternehmen ist.«
»Haarsträubend trifft den Sachverhalt wohl eher«, wirft Beule ein. »Wie sollen wir es bloß mit diesen kleinen Rackern über die Berge schaffen?«
Prompt ergreift Jaw seine Hand. »Du brauchst keine Angst zu haben, Beule. Ich pass schon auf dich auf.«
»Danke, Jaw«, erwidert Beule sichtlich gerührt.
Lona, den verdienten Lohn im Sinn, taucht neben Roan auf.
»Beug dich zu mir runter, ich will jetzt reiten.«
Alandra fühlt sich veranlasst einzuschreiten. »Lona, Roan ist am Arm verwundet und wir müssen bergauf gehen.«
»Ich sitze ja nicht auf seinem Arm, sondern auf seinen Schultern, und mit denen ist alles in Ordnung. Außerdem habe ich mir den Pfad schon angesehen und er ist so eben wie nichts.«

Sie achtet nicht auf das Gelächter, sondern drängt Roan und Alandra vorwärts und deutet auf einen alten, überwucherten Pfad, der sich durch die Landschaft schlängelt.
»Seht ihr?«
Roan wirft der schmunzelnden Alandra einen amüsierten Blick zu und bückt sich. Das kleine Waisenmädchen klettert auf seine Schultern und ist die Königin der Welt.

Die Schlucht

Jene, die sich vom Freund abwenden, werden verdammt sein auf ewig.

Orins Geschichte des Freundes

Die Herausforderungen der Flucht und die Sorge um die Kinder nehmen Roans ganze Aufmerksamkeit in Anspruch. Obwohl er sich bei jedem Schritt der drohenden Gefahren bewusst ist, schafft er es nicht, sich in jene tiefe Meditation zu versenken, die nötig ist, um den Körper zu verlassen und ihre Verfolger auszukundschaften. Für den Augenblick muss er sich damit zufrieden geben, dass Lelbit am Ende des Zuges über ihre Sicherheit wacht. Seine größte Sorge ist die gigantische Schlucht, die er im Traumfeld gesehen hat und auf die sie unweigerlich zusteuern.

Zum Glück ist die Nacht lau, denn sie können es sich nicht leisten, ein Feuer zu machen. Es würde ihren Standort im Nu verraten. Als es dunkel wird, wickeln sich die Kleineren in ihre Decken und starren hinauf zum Himmel. Alandra zeigt ihnen die sieben Sterne der Plejaden – sieben Schwestern, die von Gott Zeus ans Firmament versetzt wurden, um sie vor den Nachstellungen des Jägers Orion zu schützen.

»Ist das der Ort, wo wir hingehen?«, will Lona wissen.

»Nein«, erwidert Alandra. »Wir werden einen sicheren Platz hier auf der Erde finden.«

»Was, wenn die Jäger wiederkommen?«

»Dann schicken wir sie zu ihren Herren in den Himmel.«

Roan bemerkt, wie Beule zu Lelbit geht, die etwas abseits steht, und sanft ihre Schulter berührt. Mit ernstem Gesicht stehen sie nebeneinander, jeder die Arme um die Taille des anderen geschlungen. Ihre sorgenvollen Mienen sagen mehr als Worte.

Nach zwei Tagen gelangen sie an eine Stelle, von der aus der schmale, unwegsame Pfad steil abwärts führt. Von nun an kommen sie nur langsam voran. Beule und Alandra gehen voraus; Lelbit, die eine nervöse Unruhe befallen hat, bildet zusammen mit Roan die Nachhut.

Lelbits Geduld wird nicht zuletzt von Bub und Jaw auf eine harte Probe gestellt, die aus ihren Gürteln Schleudern gebastelt und sich selbst zu Beschützern ernannt haben.

»Sieht nach Sackgasse aus«, ruft Beule vom Rand einer steilen Klippe aus, hinter der sich ein dunkler, gähnender Abgrund erstreckt.

Roan deutet auf einen schmalen Steig, den kümmerlichen Überrest des einstigen Pfads.

»Es muss einen anderen Weg geben.«

»Es gibt nur diesen einen. Und er bringt uns genau dorthin, wo wir hinwollen.«

Lelbit stößt Roan an und deutet auf den Weg zurück. Am Fuß der Steigung sind drei kleine Gestalten zu sehen, die von einer vierten überragt werden.

Saint und drei seiner Brüder.

»Wir müssen den Abstand zwischen uns und ihnen vergrößern. Lass uns ein paar Tücher zusammenbinden, damit sich die Kinder daran festhalten können.«

Er und Lelbit machen sich unverzüglich an die Arbeit. Sie verdrehen die Tücher, knüpfen sie aneinander und machen daraus eine Art Seil.

»Alle mal herhören! Hebt eure linke Hand hoch«, fordert Roan die Kinder auf, wobei die kleineren Schwierigkeiten haben, seiner Aufforderung nachzukommen und sich für die richtige Hand zu

entscheiden. »Mit dieser Hand packt ihr jetzt das Seil und geht hinter Alandra her. Schaut geradeaus, blickt nicht nach unten. Falls ihr ausrutscht, haltet euch am Seil fest, dann kann euch nichts passieren. Wenn ihr Lärm oder lautes Rufen hinter euch hört, achtet nicht darauf. Bleibt nicht stehen, sondern geht weiter. Ich verspreche, ich werde euch ganz genau erzählen, was passiert ist, wenn wir erst einmal auf der anderen Seite der Schlucht sind.«
Als die Sonne sich dem Horizont zuneigt, beginnen sie den gefährlichen Abstieg. Die Kinder klammern sich am Seil fest und gehen vorsichtig hintereinanderher. Roan ruft ihnen aufmunternde Worte zu und ermahnt sie, ihre Augen auf die Person vor sich zu richten und nicht auf die eigenen Füße zu schauen. Ein Blick in die Schlucht hinab hat ihm gezeigt, dass der Pfad von lockerem Geröll bedeckt ist. Er kann nur hoffen, dass ihnen der Abstieg gelingt, ehe die Verfolger sie eingeholt haben. Als er sich umdreht und nach ihnen Ausschau hält, sieht er, dass Saint und seine Leute ihnen dicht auf den Fersen sind.
Plötzlich gerät Lona, die vor ihm geht, ins Stolpern. Sie schreit entsetzt auf, als ein paar Steine über den Klippenrand kullern und im Nichts verschwinden. Roan stützt sie mit der freien Hand. Aber das kleine Mädchen fängt an zu weinen.
»Schau mich an, Lona.«
Sie dreht den Kopf und blickt ihn mit Tränen in den Augen an.
»Hab keine Angst. Alles wird gut werden.«
»Ja«, murmelt sie leise.
»Alles wird gut.«
Sie richtet den Blick auf ihren Vordermann und geht weiter.
Im selben Moment nimmt Roan hinter sich rasche Bewegungen Lelbits wahr. Sie ist gerade dabei, einen Pfeil aus dem Köcher zu ziehen. Saint und die drei Brüder sind schon ganz nah an sie herangerückt. Aus Teilen des zurückgelassenen Floßes haben sie sich Schutzschilde gemacht.
»Ihr zwei müsst auf das Seil hier aufpassen. Schafft ihr das?«, sagt Roan ruhig zu Bub und Jaw, die hinter ihm gehen.

»Wir sind deine Stellvertreter. Wir schaffen alles«, versichert Bub. Eifrig packen die beiden größeren Jungen das Seil. Roan bleibt mit Lelbit zurück, um sich den Verfolgern zu stellen, die sie mittlerweile eingeholt haben.
»Ich will niemanden verletzen«, ruft Saint hinter seinem Schild hervor. »Ich will nur dich, Roan. Auf uns wartet viel Arbeit.«
»Ich werde nicht kommen.«
»Bring mir die Kinder. Und auch die anderen. Es sind so viele, die wir vor der Stadt beschützen müssen. Roan, du kannst nicht davonlaufen. Du musst kämpfen. Wir müssen zusammen kämpfen.«
»Du kennst meine Antwort.«
»Roan, du verstehst das nicht. Du wirst gebraucht. Wenn du diese Kinder rettest, verdammst du alle anderen. Es sind so viele, die deine Hilfe benötigen. Ich allein kann das nicht schaffen. Ohne dich gibt es für sie keine Hoffnung mehr.«
Roans Entschluss gerät ins Wanken. Ja, was ist mit all den anderen? Wie viele werden auch weiterhin leiden müssen? Wenn es stimmt, dass Saint sich gegen die Stadt auflehnen will, sollten sie da nicht ihre Kräfte vereinigen? Könnte er womöglich auf diese Weise Stowe zurückgewinnen?
Doch dann denkt er an Longlight. An eingestürzte Mauern, brennende Häuser. An die Gebeine geliebter Menschen im brodelnden Feuerloch. So sehen Saints Methoden aus. Es ist das Werk eines Mannes, dem bei der Verfolgung seiner Ziele jedes Mittel recht ist. Roan aber muss seinen eigenen Weg finden. Einen, der nicht von Gewalt geprägt ist, sondern den Frieden sucht. Dazu muss er nach vorne schauen und nicht zurück. Nur so kann er die Toten von Longlight ehren. Den Blick unverwandt auf den Propheten gerichtet, fordert er: »Lasst uns gehen.«
Aber Saint macht keinerlei Anstalten sich zurückzuziehen.
Roan kehrt ihm den Rücken zu und geht fünf Schritte vorwärts. Für einen kurzen Moment liegt so etwas wie Waffenstillstand in der Luft.

Dann brüllt Saint einen Befehl. Seine Leute legen die Waffen an. Lelbit wirbelt herum. Sie schießt einen Pfeil auf den Vordersten ab und zielt dabei auf eine Stelle unterhalb des Schilds. Am Bein getroffen, gerät der Mann ins Taumeln und stürzt über die Klippe in die Schlucht. Ihren nächsten Pfeil schießt sie mit solcher Wucht, dass er den Schild des zweiten Mannes durchbohrt, und auch dieser Bruder stürzt in den Tod. Der Bruder, der Saint mit seinem Schild schützt, hebt den Speer. Er stößt einen Furcht erregenden Schrei aus und zielt mit der Spitze direkt auf Roans Herz. Roan duckt sich, versetzt seinem Gegner einen Hieb gegen den Rücken, springt hoch und stößt ihn mit einem Fußtritt über den Rand der Klippe.

Als er seine Balance wiedererlangt, will Roan Lelbit zu Hilfe eilen. Zu spät. Saints Streitaxt surrt durch die Luft und gräbt sich tief in Lelbits linke Seite.

»Lelbit!«

Saint zieht die Waffe wieder heraus. Roan schreit verzweifelt auf, als er sieht, wie seine Gefährtin in die Knie sinkt und zusammenbricht.

Roan zieht sein Mondschwert. Die Klingen treffen klirrend aufeinander, als er Saints Hieb mit der Streitaxt pariert. Gefährlich nahe am Abgrund tragen sie ihren Kampf aus. Saint bemerkt die blutende Wunde an Roans Arm und versetzt ihm einen Faustschlag an diese Stelle. Ein wilder Schmerz durchzuckt Roan. Er strauchelt. Verzweifelt holt er mit dem Schwert aus. Eine Spitze gräbt sich in Saints Oberschenkel. Brüllend vor Wut schlägt Saint noch einmal zu. Roan geht in die Knie, sein Kopf hängt über dem Abgrund. Im selben Augenblick spürt er Saints Klinge an seiner Kehle.

»Du hast es nicht begriffen«, keucht Saint. »Du hast nie …« Er reißt den Mund weit auf, schnappt nach Luft.

Lelbit ist von hinten an ihn herangekrochen und hat ihm einen Pfeil durch den Hals gestoßen.

Saint sieht Roan starr an. »Steh Kira bei«, stößt er hervor. Dann macht er einen unsicheren Schritt vorwärts. Roan streckt die Hand aus, aber er ist nicht schnell genug. Saint taumelt und stürzt über die Klippe.

Roan wirbelt herum. Lelbit kauert noch an derselben Stelle. Sie hebt den Kopf, lächelt. Ihren Auftrag hat sie erledigt. Dann bricht sie in Roans Armen zusammen.

Beule hat die Kinder in Sicherheit gebracht, alle haben die andere Seite der Schlucht erreicht. Von dort aus starrt er hilflos zu seinem Freund herüber. Beide wissen: Was Beule in diesem Moment verloren hat, wird er niemals wiederfinden.

Der Weg nach Hause

Die Gründer hatten eine Vision, und diese Vision war Longlight. Der Vater und der Sohn, so weiß es die Überlieferung, werden die neue Welt errichten.

Das Buch von Longlight

Im Schatten der Tannen, die ihnen das Traumfeld gezeigt hat, legt Beule den letzten Stein auf den Hügel, unter dem Lelbit begraben ist. Mit ernster Miene nimmt Jaw seine Hand und mit der anderen umarmt Beule Bub und Jaw. Alle haben sich versammelt. Roan spricht das Gebet von Longlight.

Auf dass die Liebe, die du geschenkt hast, Früchte tragen möge,
bleiben wir zurück.
Auf dass wir von deinem Geiste Zeugnis ablegen mögen,
bleiben wir zurück.
Auf dass dein Licht hell in unseren Herzen brenne,
bleiben wir zurück.
Wir bleiben zurück und fliegen in Gedanken mit dir.

Roan sieht Beules Spiegelbild, als er sich bückt und von dem klaren, frischen Wasser trinkt. Sein Herz wird schwer beim Anblick des Freundes, der den Rucksack bereits geschultert hat, und er bereitet sich innerlich darauf vor, dessen Entscheidung, wie immer sie auch ausfallen mag, zu akzeptieren.

»Tja, also, ich mach mich dann wohl besser auf den Weg. Es wird nicht leicht sein, den Tunnel zu tarnen. Aber Lelbit und ich hatten da so einige Ideen. Sie war der Meinung, es müsse getan werden.«

»Das heißt, du musst zurück durch die Schlucht.«

Beule zuckt mit den Schultern. »Lelbit würde es von mir erwarten, und jemandem wie ihr schlägt man nichts ab.« Seine Augen sind dunkel vor Schmerz. Er seufzt. »Dann ist es fast so, als wäre sie noch bei mir, weißt du?« Er blickt zur Seite und kramt in seiner Hosentasche. »Das gehört dir«, sagt er und händigt Roan den Silberring aus.

Roan nickt und seine Finger umschließen den Ring. Forschend betrachtet er seinen Freund. »Wirst du wiederkommen?«

Beule sieht ihn lange an. »Ein paar von den Kindern werden mich, denke ich, vermissen«, meint er schließlich augenzwinkernd.

»Ich werde dich auch vermissen«, sagt Roan und umarmt seinen Freund.

Beule lächelt. Er winkt kurz zum Abschied und dann ist er fort.

Wie gut, dass wir eine Weile hier bleiben, überlegt Roan. Er beobachtet, wie sich das Wasser kräuselt, und denkt über Saints letzte Worte nach. Der Schmerz, den Roan in jenem Moment in den Augen des Propheten gesehen hat, war der eines verzweifelten Menschen, dem nichts mehr bleibt. Beules Narben sind von außen zu erkennen, doch Saints Wunden lagen tief in seinem Innern verborgen. Roan weiß nur zu gut, dass seine eigenen Erfahrungen auch ihn gefährlich nahe an einen solchen Abgrund gebracht haben.

Steh Kira bei. Diese Worte lassen Roan nicht los. Was hat Saint gesagt? »Wenn du diese Kinder rettest, verdammst du alle anderen.« Damals im Dorf sprach Kira davon, dass sie ein Kind verloren habe, und Saint antwortete ihr, es gäbe noch andere. Wer waren diese anderen? *Steh Kira bei.* Ja, Saint, das werde ich. Aber dazu brauche ich Zeit. Zeit, um für diese Kinder einen sicheren

Hafen zu finden. Zeit, damit sie ihre ganze Stärke entfalten können und ich ihnen zeige, wie sie die neue Heimat, die wir uns erschaffen, verteidigen.

Roan ertastet den Silberring, den Saint ihm gegeben hat. Er wird ihn als Mahnung behalten. Damit er sich an den Augenblick der Schande erinnert, als Rachedurst ihn beherrschte.

Niemals wieder.

Er schaut zu, wie Lona und Bub Zweige in den Fluss werfen. Die kleinen Stöcke tanzen auf den Wellen, tauchen unter, wirbeln umher und werden schließlich von der Strömung weggetragen. Lona wird des Spiels nicht müde. Das Wasser fließt endlos dahin und mit ihm treibt das Holz und das Kinderlachen davon. Alandra, die barfüßig ist, setzt sich neben ihn und taucht die Zehen ins Wasser. Sie scheint sich an diesem Ort rundum wohl zu fühlen. Aber er begreift, dass nur ein Teil von ihr hier ist. Der andere Teil ist bei den Staubessern, die, daran hat er nicht den geringsten Zweifel, eigene Pläne für ihn und die Kinder haben. Pläne, von denen er noch nicht weiß, ob er sie sich zu Eigen machen soll oder nicht. Das wird die Zukunft zeigen. Vorerst ist er willens, ihr zu vertrauen.

Er wühlt in seinem Rucksack und holt hervor, was er an Gaben erhalten hat: das Mondschwert von Bruder Wolf, die Flöte von Bruder Stachel, Orins Buch und die Lumpenpuppe, die seine Schwester Stowe im Schnee zurückließ.

Er reiht die Gegenstände um sich herum auf und legt Saints Ring dazu. Er und seine Schwester sind die letzten noch lebenden Bewohner des Dorfes. Diese Geschenke sind Marksteine ihres Weges und Teil der Geschichte von Longlight. Wie er diese Wahrheit mit der Legende in Einklang bringen kann, vermag er noch nicht mit Gewissheit sagen.

Was ihm hilft, ist der Gesang, der ihn erfüllt und überall umgibt: am Ufer, auf den Steinen, auf der Baumrinde, auf den Schultern der Kinder – überall dort, wo weiße Grillen ihr überirdisches Lied anstimmen.

Roan sieht Alandra an und lächelt. Gemeinsam sitzen sie da, lassen die Füße im Wasser baumeln, hüten die ihnen anvertraute Schar und lauschen.

Danksagungen

Ich möchte Susan Madsen, Guillermo Verdecchia, Barbara Pulling und Pamela Robertson danken für die Zeit und die Mühe, die sie in mich investierten, und dafür, dass sie an mich geglaubt haben. Zu tiefem Dank verpflichtet bin ich Elizabeth Dancoes für ihre unermüdlichen und wesentlichen Beiträge. Ihre Ideen, ihr Rat, ihre Ermutigung und nicht zuletzt ihre Kunstfertigkeit haben diesem Buch ihren Stempel aufgedrückt.